Robert Keller

Immunologie und Immunpathologie

Eine Einführung

31 Abbildungen, 12 Tabellen

Georg Thieme Verlag Stuttgart 1977

Prof. Dr. med. Robert Keller
Arbeitsgruppe für Immunbiologie
Institut für Medizinische Mikrobiologie
Universität Zürich, Schweiz

CIP-Kurztitelaufnahme der Deutschen Bibliothek

Keller, Robert
Immunologie und Immunpathologie : e. Einf. –
1. Aufl. – Stuttgart : Thieme, 1977.
ISBN 3-13-381501-6

Satz und Druck: Druckhaus Dörr, Inh. Adam Götz, Ludwigsburg

ISBN 3 13 381501 6 5 4 3 2 1 0

Vorwort

Die Immunologie hat sich in kurzer Zeit zu einer wichtigen Sparte der Biologie und insbesondere der Medizin entwickelt. Diese dynamische Entwicklung und die sich zunehmend offenbarende Komplexität der den Immunreaktionen zugrundeliegenden Vorgänge erschweren jedoch den Zugang zu diesem Gebiet nicht unerheblich. In der vorliegenden kurzen Einführung in die Immunologie und Immunpathologie, die sich in erster Linie an Mediziner und Biologen richtet, werden Aufbau und Reaktionsweise des Immunsystems sowie die den verschiedenen Typen der Immunreaktion zugrundeliegenden Mechanismen in vereinfachter Form dargelegt. Ihre Bedeutung für Klinik und Praxis wird anhand einiger besonders eingehend untersuchter experimenteller oder klinischer Beispiele besprochen.

Leser, die sich über einen bestimmten Fragenkomplex eingehend orientieren möchten, finden am Schluß der wichtigsten Kapitel Hinweise auf neuere Übersichtsarbeiten. Auf umfassendere Literaturangaben und auf Literaturhinweise im Text wurde verzichtet. Einige grundlegende, für das Verständnis unumgängliche Begriffe werden im angefügten Glossar umschrieben.

Zu besonderem Dank verpflichtet bin ich den zahlreichen Kollegen, die durch konstruktive Kritik zur Gestaltung des Manuskriptes beigetragen haben: den Herren PD. Dr. Th. Bächi, Dr. A. Bär, Prof. H. Fey, Prof. M. Hess, Prof. L. Kerp, Dr. K. Prantl, P. Rüegger, Dr. H.-P. Schnebli, Dr. C. Tütsch und insbesondere Prof. E. F. Lüscher und Dr. A. v. Felten. Die Mehrzahl der Abbildungen verdanke ich J. Devantéry, M. Haab und C. Reiter, sowie meiner Sekretärin, Frau I. Rehfuß, die auch anderweitig unermüdlich zum Zustandekommen dieser Einführung beigetragen hat. Meiner Frau danke ich für anhaltende Unterstützung und Verständnis. Vom Verlag haben namentlich die Herren Dr. D. Bremkamp und R. Zepf zur reibungslosen und raschen Publikation beigetragen.

Zürich, im Sommer 1977 R. KELLER

Inhaltsverzeichnis

Einleitung

Die ungewöhnlich rasche Ausweitung des Wissens hat die Immunologie in den vergangenen 3 Jahrzehnten aus ihrem Mauerblümchendasein, mit dem sie sich nach Paul Ehrlich (1854–1915) zu bescheiden hatte, herausgerissen und zu einer eigenständigen und bedeutenden Sparte der Biologie werden lassen. Diese Dynamik ist in den gegenwärtigen Bestrebungen zur Klärung grundlegender Probleme der Immunologie, wie etwa der spezifischen Erkennungsstruktur der T-Lymphozyten, des Differenzierungsmodus der B-Lymphozyten, oder der Rolle des Immunsystems für die Tumorresistenz, noch immer spürbar. Andererseits ist nicht zu übersehen, daß es für den einzelnen immer schwieriger, wenn nicht unmöglich wird, die laufend anfallenden neuen Daten angemessen in eine das gesamte Gebiet der Immunologie umfassende Übersicht zu integrieren.

Angesichts dieser Situation ist die vorliegende Einführung in die Immunologie und Immunpathologie als ein Versuch zu werten, die wichtigsten der zur Immunantwort beitragenden Mechanismen unter Berücksichtigung neuerer, z. T. noch hypothetischer Vorstellungen in geraffter Form zu vermitteln. Das sich daraus ergebende Gerüst sollte dem Leser nicht nur den Zugang zum Verständnis der komplexeren Immunvorgänge und ihrer vielschichtigen Auswirkungen erleichtern, sondern auch zu eigenständigem Denken anregen.

Ein erster Hauptabschnitt umfaßt die Analyse der wichtigsten der zur physiologischen Immunantwort beitragenden Komponenten. Die Kenntnis des physiologischen Reaktionsspektrums ist Voraussetzung für Abgrenzung und Zuordnung der im zweiten Hauptabschnitt zusammengefaßten krankhaften Äußerungen der Immunantwort. Diese sind in ihrer Mehrzahl als Ausfallserscheinungen oder Abweichungen von der physiologischen Reaktionsweise des Immunsystems zu verstehen. Um das Verständnis für diese meist äußerst komplexen Vorgänge zu fördern, ist dem Zusammenspiel der zahlreichen zur Immunantwort beisteuernden Komponenten nach Möglichkeit besondere Beachtung geschenkt worden. Das sich aus mehr oder weniger gesicherten Daten ergebende lockere Gerüst sollte es nicht nur erlauben, die laufend notwendigen Modifikationen innerhalb der bereits mehr oder weniger festgefügten Wissensbereiche vorzunehmen, sondern auch die neu anfallenden Ergebnisse zu integrieren.

Geschichte und Entwicklung der Immunologie

Eine seit dem frühen Altertum immer wieder bestätigte Erfahrung lehrt, daß Individuen, die eine Infektionskrankheit, etwa eine über Kontinente wandernde Seuche, wie Pocken oder Pest, überlebten, in der Folge vor einem neuerlichen Befall mit derselben Krankheit geschützt blieben. Solche Individuen wurden daher während einer Pandemie zur Pflege der akut Erkrankten herangezogen. Der Zustand, der sich im Anschluß an eine Infektionskrankheit entwickelt und bewirkt, daß dieses Individuum kein zweites Mal von derselben Krankheit befallen wird, wird als Immunität bezeichnet. Im alten Rom wurde ein vom Militärdienst, von Steuern und anderen Verpflichtungen Befreiter als „immunis" bezeichnet.

Aus der Erkenntnis heraus, daß ein Individuum von gewissen Infektionskrankheiten nur einmal befallen wird, ist schon früh versucht worden, sich beispielsweise durch Einritzen von aus den Läsionen von Erkrankten gewonnener Pockenlymphe in die Haut (Skarifikation) gegen Pocken zu schützen. Aber erst die Auswertung der Erfahrung, daß Bauern, die immer wieder in Kontakt mit Kuhpocken standen, auffallend häufig vom Befall mit Pocken verschont blieben, führte Edward Jenner (1749–1823) im Jahre 1798 zur Einführung der Pockenprophylaxe durch Skarifikation mit Kuhpockenlymphe *(Vakzination)*. Die Voraussetzungen zum Verständnis der der Immunität zugrunde liegenden Vorgänge wurden erst durch die Entdeckung der Mikroorganismen und das Postulat Pasteurs (1822 bis 1895), daß die Krankheiten durch Mikroorganismen verursacht würden, geschaffen. Pasteurs Zufallsbeobachtung, daß gealterte Kulturen von Cholerabazillen unfähig sind, Krankheitssymptome auszulösen, war der Ausgangspunkt für die Entwicklung von aus abgetöteten oder in ihrer Virulenz stark abgeschwächten Mikroorganismen bestehenden *Impfstoffen*.

Diese bahnbrechenden Beobachtungen Pasteurs leiteten eine für die Entwicklung der Immunologie zur eigenständigen Wissenschaft überaus fruchtbare Periode ein, die in der Zeit zwischen 1880 und 1903 einen Höhepunkt erreichte. In diesen Zeitabschnitt fällt die Entdeckung des Tuberkelbakteriums und die ihr folgende erste Beschreibung einer *Überempfindlichkeitsreaktion vom verzögerten Typ* gegenüber Tuberkulin durch Robert Koch (1843–1910; S. 144). Zwei seiner Schüler, von Behring (1854–1917) und Kitasato (1852 bis 1931), fanden 1890 im Blut von mit Tetanus- oder Diphtheriebazillen immunisierten Tieren eine diese Bakterientoxine neutralisierende Aktivität (S. 87). Diese Beobachtung ist der erste Beweis für die Existenz von *Antikörpern* (S. 52 ff.) und damit auch Ausgangspunkt der Entwicklung der Immunologie zu einer eigenständigen Wissenschaft. Fast gleichzeitig hat Metchnikoff (1845–1916) die zentrale Rolle der *Phagozyten* beim Wegräumen und Ausschalten von Mikroorganismen erkannt, und wenig später entwickelten Bordet (1870–1961) und Gengou (1875–1957) den Komplementfixationstest zur quantitativen Erfassung von Antigen-Antikörperreaktionen (S. 86). In den folgenden Jahren entdeckten Pfeiffer (1858–1945) und Bordet einen Serumfaktor, der zur Abtötung von Bakterien durch Antikörper beiträgt, das *Komplement*. Paul Ehrlich postulierte die Existenz von Zelloberflächenrezeptoren, die auch ins Blut abgegeben werden und dort Bakterientoxine neutralisieren können (sog. Seitenkettentheorie; 1892–1897).

Die Erkenntnis, daß ein Antikörper für den seine Bildung auslösenden Stoff, das Antigen, spezifisch ist, führte zu seiner Verwendung bei der Analyse des Antigencharakters von Bakterien und anderen Stoffen. Landsteiner (1868–1943) gelang aufgrund der unterschiedlichen Antigenstruktur der Erythrozyten die Abgrenzung der *AB0-Blutgruppen* (S. 131). In die ersten Jahre unseres Jahrhunderts fallen aber auch Beobachtungen, die zeigten, daß Immunreaktionen nicht allein Schutz zu bieten, sondern auch Krankheitssymptome auszulösen vermögen (S. 117 ff.).

Diesem hektischen, in geraffter Form überaus zahlreiche grundlegende neue Erkenntnisse bringenden Vierteljahrhundert folgte eine längere Zeit der Konsolidierung, die vor allem der Verbesserung der Methoden diente. In den Jahren 1930–1935 entwickelten Heidelberger und seine Mitarbeiter die *quantitative Präzipitinreaktion* zur Bestimmung von Antikörpern (S. 77). Tiselius und Kabat arbeiteten 1937–1939 Methoden zur Auftrennung der Serumeiweiße und der 19S- und 7S-Antikörper aus. 1941 führte Coons Methoden zur *Fluorochromierung* ein, die die Lokalisation von Antigen und Antikörper ermöglichen (S. 75) und 1945 verhalf Coombs der *Anti-Immunglobulintechnik* (S. 133) zur routinemäßigen Anwendung.

Anfangs der vierziger Jahre setzte eine zweite expansive Phase in der Entwicklung der Immunologie ein, die noch immer andauert. In ihre Frühphase fällt der Nachweis durch Chase und Landsteiner, daß eine zelluläre Immunreaktion mit *lymphoiden Zellen* erfolgreich auf ein anderes Individuum derselben Spezies übertragen werden kann (S. 19). Medawar gelang 1945 der Nachweis, daß die *Transplantatabstoßung* auf immunologische Vorgänge zurückzuführen ist (S. 171 ff.). Eine weitere, wichtige Wegmarke ist die Analyse der *Antikörperstruktur* durch Porter sowie Edelman, die zur Abklärung der

Struktur des sich aus 4 Polypeptidketten zusammensetzenden Immunglobulin-G-Moleküls führte (S. 61 ff.).

Diese Entwicklung hat insbesondere in den beiden letzten Jahrzehnten zu einer beträchtlichen Erweiterung unseres Wissens über die zu einer Immunreaktion beitragenden Komponenten geführt. Sowohl die spezifischen Komponenten der Immunreaktion, die lymphoiden Zellen und die löslichen Antikörpermoleküle, wie auch die zahlreichen Verstärkermechanismen, haben sich als außerordentlich vielfältig erwiesen. Nachdem man erkannt hatte, daß gewisse Erkrankungen auf Immunreaktionen zurückgeführt werden müssen, die sich gegen das körpereigene Gewebe richten, stellte sich die Frage, wie das Immunsystem zwischen fremden und eigenen Strukturen zu unterscheiden vermag. Als Beitrag zum Verständnis dieses noch ungelösten wichtigen Problemkreises sind mehrere Theorien vorgebracht worden, unter denen der Theorie der klonalen Selektion von Burnet (S. 46) besondere Bedeutung zukommt.

Die bisherigen Ergebnisse dieser zweiten Entwicklungsphase haben die Immunologie weit über das angestammte Gebiet der Verhinderung von Infektionskrankheiten durch Impfung und Immunisierung hinausgetragen. Sie zeigen, daß das Immunsystem mit Mechanismen ausgerüstet ist, die allgemein der Erhaltung der Individualität dienen und die für die Embryologie, die Genetik, die Zell- und Tumorbiologie und zahlreiche nicht infektiöse Krankheitsprozesse von Bedeutung sind. Zur Zeit stehen auf dem Gebiet der *Immunchemie* die Beziehung zwischen Struktur und biologischer Aktivität des Immunglobulinmoleküls, genetische Kontrollmechanismen sowie die immunogenen Determinanten des Antigenmoleküls im Vordergrund des Interesses. Die *Immunbiologie* ihrerseits befaßt sich mit Immungenetik, der phylogenetischen und ontogenetischen Entwicklung des Immunsystems, dem Mechanismus der Lymphozytenaktivierung und den dabei entstehenden Produkten, der Existenz von Subpopulationen von Lymphozyten und der Abgrenzung ihrer Aufgabenbereiche, der Rolle anderer zur Immunreaktion beitragender Zelltypen, insbesondere der Makrophagen und den von diesen Zellen erbrachten Effektorleistungen.

Grundlagen der Immunität

Mit dem Begriff der Immunität wurde ursprünglich ein von jeder Ansteckung freier Zustand umschrieben. In der Zwischenzeit ist jedoch klar geworden, daß sich der Wirtsorganismus mit seiner mikrobiellen Umgebung in einem Gleichgewichtszustand befindet, der über Gesundheit und Krankheit entscheidet. Eine beschränkte Besiedelung von bestimmten Körperabschnitten mit Mikroorganismen ist als physiologisch, ja sogar als lebensnotwendig zu betrachten (Darmflora).

Die dem Organismus zur Erhaltung von Integrität und Individualität zur Verfügung stehenden Mechanismen dienen in erster Linie der Ausschaltung fremder, von außen eindringender Stoffe; sie können sich aber auch gegen als fremd empfundene körpereigene Strukturen richten. Im Verlaufe der phylogenetischen Entwicklung früh auftretende Funktionen, wie die Fähigkeit zur Endozytose und Phagozytose, zum Einkapseln oder Abtöten eingedrungener Fremdstoffe oder zur Bildung verschiedener löslicher Abwehrstoffe, sind angeboren und *unspezifisch*. Bei den höheren Wirbellosen und den Wirbeltieren, insbesondere beim Säuger, werden diese primitiven Abwehrmechanismen durch die *spezifischen* Leistungen des Immunsystems wirkungsvoll ergänzt (Tab. 1).

Tabelle 1 Zur Infektabwehr beitragende Mechanismen

	Unspezifisch	Spezifisch
Humoral	Komplementsystem Properdinsystem Interferon natürliche Antikörper Lysozym und andere bakterizide Stoffe	Antikörper der Klassen IgG, IgM, IgA
Zellulär	Phagozytose und Bakterizidie (polymorphkernige Leukozyten; mononukleäre Phagozyten)	immunkompetente T-Zellen

Unspezifische Abwehrmechanismen

Der gesunde Organismus behält im ständigen Kampf mit den ihn umgebenden Krankheitserregern meist die Oberhand. Der das Überleben garantierende Schutzwall setzt sich aus einer Vielzahl von aufeinander abgestimmten, sich ergänzenden Wirkungsmechanismen zusammen. Ein Teil dieser Mechanismen ist bei Geburt voll ausgebildet, ist also *angeboren* und bedarf zu seiner Manifestation keiner vorherigen Bekanntschaft mit dem entsprechenden krankmachenden Agens. Diese angeborenen, zur Immunität beitragenden Abwehrmechanismen sind in ihrer Mehrheit gegenüber einem weiten Spektrum von Mikroorganismen wirksam, sie sind also *unspezifisch*. Im Gegensatz hierzu sind die im Verlauf einer Immunantwort erworbenen Abwehrvorgänge spezifisch gegen das sie induzierende Agens gerichtet (S. 19 ff.).

Die unspezifische Immunität wird wesentlich durch genetische Faktoren bestimmt. Deshalb bestehen, besonders ausgeprägt zwischen verschiedenen Spezies und Stämmen, weniger deutlich zwischen Individuen desselben Stammes, Unterschiede in der Resistenz gegenüber pathogenen Mikroorganismen. Der Mensch ist besonders empfänglich für Diphtherie, Lues, Lepra, Meningokokkenmeningitis und Grippeviren; in der Resistenz gegenüber Tuberkulose bestehen Rassenunterschiede: sie ist bei Farbigen deutlich niedriger als bei Weißen. Eine verminderte Resistenz gegenüber Infektionen findet sich häufig im höheren Alter und bei mit hormonalen Störungen einhergehenden Krankheiten (z. B. Diabetes mellitus, Ausfallserscheinungen in der Nebennierenrindenfunktion, Unterfunktion der Schilddrüse). Die unspezifische Immunität beruht auf dem abgestimmten Zusammenwirken zahlreicher Einzelkomponenten. Wenn dieses Zusammenspiel optimal ist, so kann dies zu einem refraktären Zustand führen; der betreffende, an sich pathogene Mikroorganismus vermag dann keine Krankheitssymptome auszulösen (Beispiel: Mensch-Rinderpest). Häufig aber genügen die zur unspezifischen Immunität beitragenden Abwehrmechanismen nicht, um die Infektion unter Kontrolle zu bringen.

Das Eindringen in den Körper behindernde Barrieren

Haut und Schleimhäute verhindern das Eindringen nicht pathogener Keime, gewährleisten aber häufig auch gegenüber pathogenen

Mikroorganismen einen gewissen Schutz. Ihre Abwehrleistung beruht auf dem Zusammenspiel verschiedener Komponenten, die größtenteils unbekannt sind. Bei der eine Hornschicht tragenden Haut sind mechanische Faktoren wirksam. Zilien und Schleim können in den Respirationstrakt eindringende Erreger abfangen; diese können lokal oder auf dem Umweg über den Magen inaktiviert bzw. abgetötet werden. Nasensekrete und Speichel enthalten saure Mukopolysaccharide, die gewisse Viren hemmen können; die Tränenflüssigkeit enthält gegen grampositive Bakterien wirksames Lysozym. Einen wirksamen Schutz vermitteln die Sekrete von Schweiß- und Talgdrüsen, die wegen ihres Gehaltes an Milchsäure und Fettsäuren ein stark saures, bakterizid und fungizid wirkendes Milieu darstellen.

Unspezifische bakterizide Stoffe

Einige der in den Körpersäften und Sekreten vorhandenen bakterizid wirkenden Faktoren konnten identifiziert werden (s. Tab. 1).

Lysozym

Fleming hat 1922 ein Enzym mit beträchtlicher bakteriolytischer Aktivität beschrieben. Wegen seiner Eigenschaft, grampositive Mikroorganismen, z. B. Micrococcus lysodeikticus, zu lysieren, hat er es als Lysozym bezeichnet. Lysozym ist ein basisches Enzym mit einem Molekulargewicht von 14 300, das in der Bakterienwand N-acetylmuramin-β-1,4N-acetylglukosamin-Bindungen hydrolysiert.

Obschon Struktur und Angriffspunkt von Lysozym bekannt sind, bestehen über seine funktionelle Bedeutung noch keine gesicherten Vorstellungen. Fest steht, daß die Bakterienzellwand durch die Einwirkung von Lysozym auch für Komplementwirkungen zugänglich wird. Polymorphkernige Leukozyten und mononukleäre Phagozyten synthetisieren und speichern das Enzym. Lysozym findet sich auch in den meisten Körperflüssigkeiten, fehlt aber im Schweiß und im Urin.

Basische Polypeptide

Verschiedene im Verlaufe von Infektion und Entzündung aus Zellen frei werdende basische Proteine, Polypeptide und Polyamine zeigen eine vor allem gegen gramnegative Bakterien gerichtete bakteriostatische und bakterizide Wirkung. Zu diesen sind neben basischen Proteinen aus den Lysosomen polymorphkerniger Leukozyten Spermin, Spermidin, Protamin sowie die Histone zu zählen. Ihre Wirkung ist unspezifisch und beruht vermutlich darauf, daß diese positiv geladenen Verbindungen mit sauren Oberflächenbezirken der Erreger zu reagieren vermögen.

C-reaktives Protein

Bei Patienten, die akut z. B. an einer Pneumonie oder rheumatischem Fieber erkrankt sind, findet man einen erhöhten Serumspiegel an C-reaktivem Protein (CRP). In Gegenwart von Kalziumionen kann es mit C-Polysaccharid aus Pneumokokken gefällt werden.

CRP des Menschen ist ein aus 6 identischen, nicht kovalent gebundenen Untereinheiten bestehendes Eiweiß mit einem Molekulargewicht von etwa 120 000. Im Gegensatz zu anderen bei entzündlichen Vorgängen vermehrt auftretenden Proteinen (sog. Akute-Phasen-Proteine, z. B. Alpha-1- und Alpha-2-Glykoprotein, Seromukoid) enthält es keine Zuckerreste.

Zwischen Antikörpern und CRP besteht insofern eine Analogie, als es sowohl zur Präzipitation, Agglutination und Opsonisierung gewisser Bakterien, als auch zur Aktivierung von Komplement fähig ist. Darüber hinaus bindet es anscheinend an T-Lymphozyten aus peripherem Lymphgewebe und hemmt u. a. die Entstehung zytotoxischer Lymphozyten im MLC-Test (S. 38).

Die Funktion des CRP scheint in einer initialen, unspezifischen Reaktivität in Abwehrvorgängen infektiöser bzw. entzündlicher Natur zu bestehen. Die Schnelligkeit der CRP-Synthese und die Unspezifität seines Auftretens stehen im klaren Gegensatz zum Verhalten der Immunglobuline (S. 52 ff.).

Interferon

Als Interferon wird ein Stoff bezeichnet, der auf eine Virusinfektion hin von verschiedenen Zelltypen synthetisiert und sezerniert wird. Interferon zeigt unspezifische antivirale Aktivität; es hemmt die Vermehrung verschiedenster Viren in Zellen derselben, nicht aber in Zellen einer anderen Spezies. Als *Interferenz* wird die Resistenz eines mit einem bestimmten Virus infizierten Individuums oder einer Zelle zur Superinfektion mit demselben oder einem anderen, zum ersten in keiner Beziehung stehenden Virus bezeichnet (homologe oder heterologe Interferenz). Wird zum Beispiel einem Kind lebende Masernvakzine verabreicht, so wird eine auf der Höhe der durch das Masernvirus induzierten Interferonproduktion erfolgende erstmalige Pockenimpfung nicht von einer manifesten Lokal- oder Allgemeinreaktion gefolgt sein. Die Interferenz beruht vermutlich auf der Wirkung von Interferon.

Interferonpräparate zeigen neben antiviralen eine Reihe von anderen biologischen Effekten. Die Beurteilung der Bedeutung dieser Befunde wurde bislang dadurch erschwert, daß die von verschiedenen Untersuchern verwendeten Präparate bezüglich ihrer biochemischen Parameter (Molekulargewicht und strukturelle Charakteristika) und ihrer biologischen Aktivität recht uneinheitlich waren. Übereinstimmendes Charakteristikum der Interferonpräparate ist aber offenbar, daß alle ihnen zugeschriebenen Effekte nur innerhalb derselben Spezies zur Wirkung gelangen können. Unter diesen ist namentlich die *zytostatische* Wirkung erwähnenswert: Interferon hemmt die Proliferation zahlreicher Zellinien, insbesondere von Tumorzellen; aber auch die durch mitogene Stoffe induzierte Lymphozytenproliferation in vitro sowie die primäre und sekundäre humorale Immunantwort in vivo (S. 21). Es ist deshalb denkbar, daß Interferon zu der bei Virusinfektionen oft beobachteten Immunsuppression beiträgt. Da die Interferonproduktion bei der spezifischen Immunreaktion erhöht sein soll, muß die Möglichkeit einer Feedback-Kontrolle der normalen Immunantwort durch Interferon in Betracht gezogen werden.

Natürliche Antikörper

Im Serum normaler Individuen finden sich Antikörper gegen Mikroorganismen, mit denen der Wirtsorganismus scheinbar nie in Kontakt gekommen ist. Sie werden als „natürliche Antikörper“ bezeichnet. In einzelnen Fällen dürfte ihre Entstehung auf klinisch inapparente Infektionen mit den betreffenden Erregern, oft auch auf eine Immunreaktion gegen die physiologische Darmflora zurückzuführen sein. Natürliche Antikörper finden sich bei keimfrei aufgezogenen Tieren nur in niedrigem Titer. Sie gehören meist der IgM-Klasse an und weisen häufig eine geringe Spezifität auf; sie verfügen zudem über die Fähigkeit, mit einer mehr oder weniger großen Anzahl von verwandten Strukturen in Reaktion treten zu können (Fähigkeit zur Kreuzreaktion). Diese Eigenschaft der natürlichen Antikörper ist bei der diagnostischen Bewertung serologischer Befunde gebührend zu berücksichtigen.

Komplementsystem

Der Begriff Komplement entspringt der Beobachtung, daß Antikörper Bakterien nur in Gegenwart eines im frischen Serum vorhandenen unspezifischen Faktors abtöten kann (Buchner, 1893; Pfeiffer, 1894). In der Zwischenzeit ist klar geworden, daß das Komplementsystem nicht ein einzelner Faktor, sondern ein aus Glykoproteinen bestehendes komplexes Enzymsystem ist. In seinem Aufbau zeigt es Ähnlichkeiten mit anderen Plasmaproteinasesystemen, wie dem Blutgerinnungs-, dem fibrinolytischen, dem Kinin- und dem Renin-Angiotensin-System. Seine zahlreichen Einzelkomponenten finden sich als inaktive Vorläufer im zirkulierenden Blut und den übrigen Körpersäften. Sie können sowohl im Verlaufe von nicht immunologischen Prozessen, z. B. durch natürlich vorkommende Polysaccharide oder Lipopolysaccharide, als auch während einer spezifischen Immunreaktion in festgelegter Reihenfolge aktiviert werden. Bei der Aktivierung von Komplement entsteht nicht nur das die Zellmembran schädigende, zytolytische Endprodukt, auch die frühen Komponenten der Komplementkette liefern bei ihrer Aktivierung Spaltprodukte, die ihrerseits verschiedene wichtige biologische Effekte vermitteln. Das Komplementsystem ist eines der wichtigsten und wirksamsten biologischen Effektorsysteme; seine Wirkung ist unspezifisch.

Aufbau des Komplementsystems

Das Komplementsystem (C) setzt sich aus 11 Proteinen zusammen, die mit dem Buchstaben C und Nummern (C1 bis C9) bezeichnet werden. Diese Nummern geben, mit Ausnahme von C4 das nach C1 und vor C2 reagiert, die Reihenfolge des Reaktionsablaufes wieder. Die 11 Proteine des Komplementsystems lassen sich nach ihrer Funktion in 3 Gruppen unterteilen.

1. C1q,r,s, die 3 Untereinheiten von C1, die durch nicht kovalente Bindungen mit Hilfe von Kalzium zusammengehalten werden. Ihnen kommt bei der Auslösung der von C1 ausgehenden Aktivierung von Komplement eine Schlüsselstellung zu (Abb. 1).
2. Der Komplex $\overline{\text{C4b,2a,3b}}$ (der Strich über der Bezeichnung soll andeuten, daß die erwähnten Enzyme in aktivierter Form vorliegen) leitet den Aufbau des zytolytisch wirksamen Prinzips des C5b-9-Komplexes ein.
3. C5b–C9 stellt die zytolytisch wirkende Funktionseinheit dar (Abb. 1).

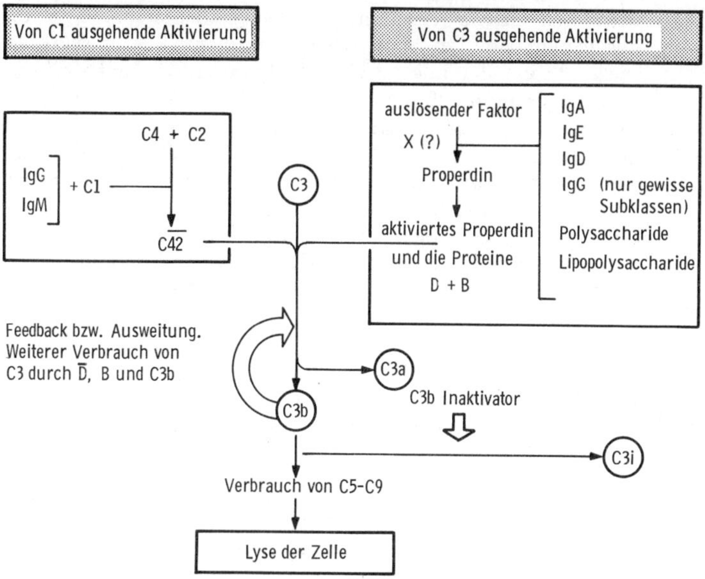

Abb. 1 Schematische Darstellung der von C1 bzw. von C3 ausgehenden Aktivierung des Komplementsystems (aus *K. B. M. Reid:* Activation of the complement system. Trends in Biochem. Sci. 1 [1976] 423–426).

Reaktionsablauf im Komplementsystem

Die Aktivierung von Komplement kann auf verschiedene Weise erfolgen. Bekannt und eingehend untersucht sind bisher 2 Möglichkeiten. Die seit langem bekannte Aktivierung der Komplementkomponenten durch komplementbindende Immunglobuline (IgM, IgG; S. 61 ff.) erfolgt von C1 aus in der Reihenfolge C1,4,2,3,5,6,7,8,9 (classical pathway). Andere komplementaktivierende Stoffe können über andere Serumproteine direkt auf C3 einwirken, umgehen also die ersten Komplementkomponenten (alternative pathway of complement activation; s. Abb. 1).

Von C1 ausgehende Aktivierung von Komplement

Die Aktivierung von C mittels Antikörper erfolgt vom Beginn der Komplementkette her, also über den C1-Komplex. Die einzelnen Komplementkomponenten finden sich im Serum und anderen Körperflüssigkeiten in inaktiver Form, vereinigen sich aber bei Aktivierung sofort zu den 3 erwähnten Funktionselementen. Das Erkennungselement bei der klassischen Komplementaktivierung ist C1q. Dieses Molekül bindet sich an Rezeptoren, die auf dem Fc-Fragment des Immunglobulinmoleküls (Ig; S. 54, 59) lokalisiert sind. Diese Rezeptoren werden möglicherweise erst nach einer Konfigurationsänderung des Immunglobulinmoleküls verfügbar; diese Konfigurationsänderung im Immunglobulinmolekül kann sowohl durch chemische Modifikation (z. B. Erhitzen) als auch durch Interaktion mit dem komplementären Antigen erreicht werden. Nur bestimmte Immunglobulinklassen, insbesondere IgM und verschiedene Subklassen von IgG, verfügen über Rezeptoren für C1q. Nur Immunglobulinklassen und -subklassen, die über Rezeptoren für C1 verfügen, sind fähig, C zu binden und über den klassischen Weg zu aktivieren (s. Abb. 1 auf S. 11; S. 59). Ein einziges IgM-Molekül auf der Zelloberfläche genügt zur Aktivierung von C; bei IgG sind hierfür jedoch mindestens 2 benachbart liegende Moleküle notwendig.

Die über den klassischen Weg erfolgende Aktivierung des Komplementsystems geht meistens auf Antikörper der Klassen IgM und IgG zurück. Es ist jedoch zu berücksichtigen, daß auch nicht immunologische Reize Komplement auf diesem Wege aktivieren können; das gilt insbesondere für stark geladene Polyanionen (z. B. Desoxyribonukleinsäure) oder gewisse Proteasen (Plasmin, Trypsin).

Von C3 ausgehende Aktivierung von Komplement

Gewisse Stoffe, insbesondere aus der Zellwand von Mikroorganismen stammende komplexe Polysaccharide sowie Lipopolysaccharide aus gramnegativen Bakterien (Endotoxine), können bei Inkubation mit frischem Normalserum unter Umgehung der Komponenten C1, C4 und C2, direkt auf C3 einwirken (s. Abb. 1 auf S. 11). An der Auslösung dieser von C3 ausgehenden Aktivierung der Komplementkette sind verschiedene Serumeiweiße, darunter Properdin (Pillemer, 1954), beteiligt; deshalb wird dieser Weg auch als Properdinweg der Komplementaktivierung bezeichnet. Die enzymatischen Reaktionen, die zur direkten Aktivierung von C3 führen, sind noch nicht in allen Teilen geklärt. Ist C3 einmal aktiviert, so folgt die Aktivierung der späteren Komplementkomponenten in gewohnter Reihenfolge, was ebenfalls zur Bildung des zytolytischen C5b-9-Komplexes führt. Man nimmt an, daß die von C3 ausgehende Aktivierung von Komplement in der Frühphase mikrobieller Infektionen, d. h. vor der Ausbildung einer spezifischen Immunreaktion, von Bedeutung ist.

Die von C3 ausgehende Aktivierung des Komplementsystems ist bis vor kurzem als biologisch unbedeutender Nebenweg betrachtet und dementsprechend vernachlässigt worden. In den letzten Jahren beginnt sich aber immer deutlicher abzuzeichnen, daß neben bakteriellen Polysacchariden und Lipopolysacchariden auch bestimmte Immunglobuline, von denen bisher angenommen worden war, daß sie nicht zur Komplementaktivierung befähigt seien, unter bestimmten Umständen Komplement von C3 aus aktivieren können. Immunglobuline der Klassen IgA, IgE und IgD vermögen nach Bindung des Antigens oder nach chemischer Aggregation Komplement von C3 aus zu aktivieren, wobei die Aktivierung vom Fc-Fragment ausgeht (s. Abb. 1 auf S. 11). Man darf daher annehmen, daß die direkte Aktivierung von C3 über das Properdinsystem neben dem klassischen Weg eine zweite wichtige Möglichkeit der Komplementaktivierung darstellt.

Biologische Aktivitäten von Komplement

Die Aktivierung des Komplementsystems löst eine Kaskade von rasch aufeinanderfolgenden enzymatischen Vorgängen aus, in deren Verlauf verschiedene bedeutungsvolle, biologisch aktive Stoffe entstehen. Ihr zerstörerisches Potential wird im Organismus durch verschiedene Mechanismen unter Kontrolle gehalten. Insbesondere wird der spontane Zerfall der aktivierten Komplementkomponenten und die Hemmung ihrer Wirkung durch in den Körperflüssigkeiten vorhandene Inhibitoren nur eine örtlich und zeitlich begrenzte Komplementaktivierung zulassen. Einige biologisch bedeutsame Funktionen werden nachfolgend erläutert.

Bei der Aktivierung von Komplement frei werdende Mediatoren der Entzündung, Chemotaxis und Immunadhärenz

Im Verlauf der Komplementaktivierung wird C3 in die beiden Fragmente C3a und C3b gespalten. C3a, ein Peptid mit einem Molekulargewicht von etwa 7000, kann aus Mastzellen und basophilen Leukozyten, die reichlich Histamin, z. T. auch Serotonin, speichern, diese biologisch aktiven Stoffe freisetzen. Es bewirkt eine Erhöhung der Gefäßpermeabilität, was den Austritt von Serumeiweißen und Blutleukozyten in das Gewebe begünstigt. C3a ist ein Mediator der Entzündungsreaktion. Da die durch C3a ausgelöste Reaktion Ähnlichkeit zur Anaphylaxie (S. 120) zeigt, wird es zu den sog. Anaphylatoxinen gezählt. Darüber hinaus wirkt C3a auch chemotaktisch (S.

136). Polymorphkernige Leukozyten wandern an Orte höherer C3a-Konzentration.

Das größere der bei der Spaltung von C3 entstehende Fragment, C3b mit einem Molekulargewicht von etwa 180 000 Daltons, kann in einer Feedback-Verstärkung die Aktivierung von weiterem C3 fördern; als regulierender Gegenspieler findet sich im Serum ein C3b-Inaktivator (s. Abb. 1 auf S. 11). In einer Mischung der Faktoren B, D (s. Abb. 1), C3b und Magnesiumionen bilden sich chemotaktische Faktoren, die polymorphkernige Leukozyten anlocken. Durch seine Anlagerung an einen Rezeptor auf der Zellmembran begünstigt C3b die Tendenz der Zellen, untereinander in Kontakt zu treten (Immunadhärenz; S. 84). Deshalb kann neben Antigen-Antikörper-Komplementkomplexen auch die Beladung mit C3b allein die Phagozytose erleichtern. Patienten mit einem Defekt von C3 sind außerordentlich empfänglich für pyogene bakterielle Infektionen. Viele Zelltypen verfügen über Rezeptoren für Komplement, darunter die Erythrozyten, mononukleären Phagozyten, B-Lymphozyten, Granulozyten. Offenbar kann die Besetzung der Komplementrezeptoren bei Lymphozyten die Synthese von Immunglobulin (S. 52) bzw. von Lymphokinen induzieren (S. 40). Auf phagozytierenden Zellen vorhandene Rezeptoren für Komplement sind vermutlich für das Anhaften von löslichen und korpuskulären Antigen-Antikörperkomplexen von Bedeutung.

Bei der Spaltung von C5 entsteht als kleines Bruchstück C5a mit einem Molekulargewicht von etwa 15 000. C5a zeigt ähnlich wie C3a Anaphylatoxinaktivität und trägt dadurch ebenfalls zum Entzündungsprozeß bei. Wie C3a und der trimolekulare Komplex $\overline{\text{C567}}$ verursacht auch C5a eine gerichtete Wanderung von Phagozyten.

Komplementbedingte Zytolyse

Aus historischer Sicht ist Komplement in erster Linie ein Stoff, der zur Lyse von „sensibilisierten“ Mikroorganismen und Erythrozyten führt. Wie erwähnt, führt die Aktivierung der Komplementkette zum Aufbau der zytolytisch wirksamen Funktionseinheit C5b–C9. Dieser zytolytische Komplex ist nur sehr kurzlebig, weshalb seine genaue Wirkungsweise noch immer unbekannt ist. Nach der heute geltenden Vorstellung schafft der C5b-9-Komplex in der Zellmembran einen hydrophilen Kanal. Die daraus resultierende selektive Störung in der Membranpermeabilität ermöglicht, daß Salze, Wasser und andere kleinmolekulare Stoffe die Membran ungehindert passieren können. Das führt zur irreversiblen Zellschädigung und zum Zelltod.

Klassisches experimentelles Beispiel ist die Lyse von Erythrozyten durch Antikörper und Komplement. Mit dem *hämolytischen System* kann die lytische Komplementaktivität quantitativ titriert werden (S. 87). In entsprechender Weise können auch kernhaltige Zellen (humorale zytotoxische Immunreaktion, S. 128) und Mikroorganismen abgetötet werden. Auf den synergistischen Einfluß von Lysozym ist bereits verwiesen worden (S. 7).

Chemotaxis

Es gibt gute Gründe für die Annahme, daß bestimmte Zelltypen, insbesondere Phagozyten, auf einen chemotaktischen Reiz hin in einen Entzündungsherd einwandern. Man geht dabei von der Vorstellung aus, daß bei der Entzündung entstehende chemotaktische Stoffe die Zellen entlang einem Konzentrationsgradienten zur Einwanderung in den Herd locken. Als chemotaktische Faktoren sind bisher unter anderem die bei der Komplementaktivierung abgespaltenen Fragmente C3a und C5a identifiziert worden; der aktivierte Komplex $\overline{C5b67}$ wirkt auf neutrophile Granulozyten chemotaktisch. Aus In-vitro-Beobachtungen geht zudem hervor, daß polymorphkernige Leukozyten und mononukleäre Phagozyten gerichtet auf eine große Zahl von Mikroorganismen zuwandern. Man hat daraus den Schluß gezogen, daß Mikroorganismen bisher nicht identifizierte, chemotaktisch wirkende Faktoren abgeben, die selektiv den einen oder anderen Zelltyp ansprechen. Darüber hinaus können vermutlich auch bei einer Gewebeschädigung oder Entzündung entstehende körpereigene Stoffe chemotaktisch wirken.

Phagozytose und Bakterizidie

In den Organismus eindringende partikuläre Fremdstoffe, vorwiegend Mikroorganismen, werden in den Körperflüssigkeiten oder im Gewebe in der Regel rasch von phagozytierenden Zellen aufgenommen. Zu den phagozytierenden Zellsystemen sind die polymorphkernigen Leukozyten (neutrophile Granulozyten, Mikrophagen) des Blutes und die in Blut und Geweben vorkommenden mononukleären Phagozyten (Monozyten, Makrophagen) zu zählen. Die aus dem Knochenmark stammenden Blutmonozyten wandern in den Entzündungsherd im Gewebe ein. Andererseits sind die Gewebemakrophagen, zu denen die Kupfferschen Sternzellen der Leber, die Alveolarmakrophagen sowie die freien und fixierten Makrophagen der lymphatischen Organe gehören, aber auch zu lokaler Proliferation fähig.

Die phagozytierenden Zellsysteme erfüllen 3 wesentliche Aufgaben:

1. Sie sind zur Aufnahme von partikulären (Phagozytose) und gelösten Stoffen (Pinozytose) befähigt.

2. Sie verfügen über wirkungsvolle Mechanismen zum Abtöten und Abbau des aufgenommenen Materials.

3. Die mononukleären Phagozyten erfüllen nicht nur im Rahmen der phylogenetisch früh entwickelten unspezifischen Immunität eine wichtige Aufgabe, sondern tragen in verschiedener Weise auch wesentlich zum Zustandekommen und zur Regulation der spezifischen Immunantwort bei (S. 93).

Zur Phagozytose fähige Zellen verfügen über einen nicht näher identifizierten, phylogenetisch früh nachweisbaren Erkennungsmechanismus, der einen selektiven Kontakt mit fremden oder veränderten körpereigenen Strukturen ermöglicht. Die anschließend durch Umfließen aufgenommenen Partikel finden sich somit in einer von Zellmembran umgebenen zytoplasmatischen Vakuole, dem Phagosom; die Lysosomen ergießen nun ihren Inhalt in die Vakuole. In der nun als Phagolysosom bezeichneten Vakuole wird der Mikroorganismus durch das Zusammenwirken zahlreicher Faktoren, wie niedriges pH, zahlreiche Proteasen, saure und alkalische Phosphatase, β-Glukuronidase, Ribonuklease, Lysozym, Peroxydase und bakterizide basische Polypeptide, abgetötet und abgebaut. Beim intrazellulären Abtöten von Keimen durch die Granulozyten sind Wasserstoffperoxyd bzw. aktivierter Sauerstoff, die aus dem Zusammenwirken von Myeloperoxydase und Halogeniolanionen hervorgehen, besonders wirkungsvoll.

Die Zellsysteme der Phagozyten sind außerordentlich potent und können sowohl bezüglich Leistungsfähigkeit wie Nachschub kaum je erschöpft werden. Bei Krankheiten, die mit einer Verminderung der Funktion der Phagozyten einhergehen, ist häufig ein Verlust der Resistenz gegenüber normalerweise avirulenten Bakterien und Viren zu beobachten (chronische Granulomatose, Chediak-Higashi-Syndrom, S. 113). Andererseits ist der Befall mit fakultativ intrazellulären Keimen (Tuberkelbakterien, Listerien, Toxoplasma, usw.), die sich häufig intrazellulär adaptieren, also den Makrophagen sozusagen parasitieren und seinen Angriffen widerstehen, ihn aber gleichzeitig funktionell stark aktivieren, oft von einer erhöhten Resistenz gegenüber anderen Keimen begleitet (S. 155). Andere Mikroorganismen, wie gewisse Streptokokken und Mykobakterien, sind gegenüber dem Versuch, sie intrazellulär abzubauen, resistent. Infektionen mit gewissen bekapselten Keimen, z. B. Pneumokokken und Haemophilus influenzae, können nicht auf den Ort ihres Eindringens lokalisiert werden, weil sie sich infolge ihrer besonderen Oberflächenbeschaffenheit dem Zugriff des Phagozyten zu entziehen vermögen. Erst die Anlagerung von Opsoninen an diese Oberfläche (S. 84) macht den Keim phagozytierbar. Die Phagozytose und intrazelluläre Ausschaltung fremder Partikel erfolgt üblicherweise im Rahmen einer auf verschiedenen Ebenen gleichzeitig ablaufenden allgemeinen Abwehrreaktion, zu der auch der Entzündungsvorgang beiträgt.

Entzündung

Die Entzündung ergibt sich aus dem Zusammenwirken der oben beschriebenen Einzelreaktionen, welche in einer bestimmten zeitlichen Reihenfolge ablaufen. Gewebeschädigung wird in der Regel mit einer entzündlichen Reaktion beantwortet. Initiale lokale Erweiterung der Kapillaren und Erhöhung ihrer Permeabilität, ausgelöst z. B. durch die erwähnten Komplementspaltprodukte, erlauben die Exsudation von Flüssigkeit und Serumeiweiß in das Gewebe. Die in den Kapillaren verlangsamte Durchflußgeschwindigkeit begünstigt die Anlagerung von Blutzellen an die Gefäßwand und ihre Auswanderung in das ödematöse Entzündungsgebiet. In den ersten Stunden der entzündlichen Reaktion wandern fast ausschließlich polymorphkernige Leukozyten in den Herd ein; sie finden sich dort nach 4–6 Stunden in maximaler Anzahl. In den späteren Phasen überwiegen die mononukleären Phagozyten; sie zeigen nach 24–48 Stunden ein Maximum. Die Auswanderung dieser Zellen aus dem Blut in den Entzündungsherd wird durch chemotaktische Faktoren gesteuert. Das komplexe Zusammenspiel löslicher und zellulärer Komponenten, von Lysozym, basischen Proteinen, C-reaktivem Protein, Interferon, Komplement, spezifischem Antikörper sowie Phagozytose und intrazellulärem Abtöten, erlaubt die Ausschaltung der eingedrungenen Mikroorganismen und die Rückbildung bzw. Heilung von entstandenen Gewebeschäden.

Aus den bisher verfügbaren Fakten ist ersichtlich, daß die unspezifischen Abwehrvorgänge von vitaler Bedeutung sind. Erfahrungen bei Kindern mit Ausfallserscheinungen in der Funktion der B- oder T-Lymphozyten oder entsprechenden tierexperimentellen Situationen lehren jedoch, daß die Entwicklung und Ausbildung der spezifischen, erworbenen Immunität für das Überleben des Individuums unentbehrlich ist.

Literatur

Bellanti, J. A., D. H. Dayton: The Phagocytic Cell in Host Resistance. Raven Press, New York 1975

Braun, W., J. Ungar: ‚Non-specific' Factors Influencing Host Resistance. A Reexamination. Karger, Basel 1973

Colten, H. R.: Biosynthesis of complement. Advanc. Immunol. 22 (1976) 67

Cooper, N. F.: Activation of the complement system. Contemp. Top. mol. Immunol. 2 (1973) 155

van Furth, R.: Mononuclear Phagocytes in Immunity, Infection and Pathology. Blackwell, Oxford 1975

Geraldes, A.: Effects of Interferon on Cells, Viruses and the Immune System. Academic Press, New York 1975

Hahn, H., W. Opferkuch: Mechanismen der immunologischen Infektabwehr. In: Praxis der Immunologie, hrsg. von K. O. Vorlaender. Thieme, Stuttgart 1976

Lepow, I. H., P. A. Ward: Inflammation. Mechanisms and Control. Academic Press, New York 1972

Nelson, D. S.: Immunobiology of the Macrophage. Academic Press, New York 1976

Nelson, R. A.: The complement-system. In: The Inflammatory Process, 2. Aufl., Bd. III, hrsg. von B. W. Zweifach, L. Grant, R. T. McCluskey. Academic Press, New York 1974

Opferkuch, W., U. Schmidt: Komplementsystem. In: Praxis der Immunologie, hrsg. von K. O. Vorlaender. Thieme, Stuttgart 1976

Osler, A. C.: Complement: Mechanisms and Functions. Prentice-Hall, Englewood Cliffs/N.J. 1976

Schultz, J.: Biochemistry of the Phagocytic Process. North-Holland Publishing Co., Amsterdam 1970

Wagner, W.-H., H. Hahn: Activation of Macrophages. Excerpta Medica Foundation, Amsterdam 1974

Weissmann, G.: Mediators of Inflammation. Plenum Press, New York 1974

Wolstenholme, G. E. W., J. Birch: Pyrogens and Fever. Churchill Livingstone, Edinburgh 1971

Zweifach, B. W., L. Grant, R. T. McCluskey: The Inflammatory Process, 2. Aufl., Bd. III. Academic Press, New York 1974

Grundmechanismen der spezifischen Immunität

Bei höheren Organismen stellt der immunologische Apparat *das* Erkennungssystem par excellence dar und verkörpert Spezifität, Diversität und Gedächtnis in ausgeklügelter Perfektion. Er ermöglicht auf humoraler (durch Antikörper) und auf zellulärer Ebene (durch Subpopulationen von Lymphozyten) die Erkennung eines Fremdstoffes und die Auslösung einer gegen diesen gerichteten spezifischen Abwehrreaktion. Eine weitere bemerkenswerte Eigenschaft des Erkennungssystems besteht darin, daß es die Fähigkeit besitzt, einen früheren Kontakt mit einer bestimmten fremden Struktur im „Gedächtnis" zu behalten. Dies führt dazu, daß die durch einen späteren, zweiten Kontakt mit demselben Fremdstoff ausgelösten Reaktionen anders verlaufen als das erste Mal.

Mikroorganismen, die die unspezifische Immunität zu durchbrechen oder zu umgehen vermögen, stoßen auf einen zweiten vom Wirtsorganismus errichteten Schutzwall, die spezifische Immunreaktion. Strukturen, die von Zellen des Immunsystems als fremd erkannt worden sind, lösen eine spezifisch gegen sie gerichtete Immunantwort aus. Die spezifische Immunreaktion ist das Resultat eines komplexen Zusammenspiels verschiedener Zellpopulationen und Subpopulationen und ihrer löslichen Sekretionsprodukte. Dieses vielschichtige, weitgehend integrierte Überwachungssystem mit einem Netzwerk von positiven und negativen Kontrollmechanismen reguliert das Verhalten der beteiligten Zellen. Die Immunreaktion wird durch die verschiedensten Parameter moduliert, d. h. verstärkt, abgeschwächt, oder in ihrem Charakter verändert. Das Immunsystem ist daher ein einzigartiges Beispiel für das Funktionieren biologischer Kommunikations- und Erkennungsmechanismen.

Zwei Typen der Immunreaktion

Die Erkenntnis, daß der Organismus zwei grundsätzlich verschiedene Formen der Immunreaktion zu entwickeln imstande ist, beruht auf der Beobachtung von Chase und Landsteiner (1942), daß gewisse Immunreaktionen nur mittels Serum *(humorale* Immunität), andere dagegen nur mittels Zellen *(zelluläre* Immunität) auf ein normales Tier übertragen werden können. Diese *passive* Immunisierung ist ein klassischer Versuch der Immunologie.

Humorale Immunität

Ein als fremd erkannter Stoff, das Antigen oder Immunogen, regt bestimmte Zellen des immunologischen Apparates zur Synthese und Sekretion von Antikörper an. Diese *humoralen Antikörper* oder *Immunglobuline* (Ig; S. 52) finden sich im Blut, den übrigen Körperflüssigkeiten sowie auf den Schleimhäuten.

Die Antikörper können in verschiedenster Weise wirken. Im Verlaufe der Abwehr gegen bakterielle Infektionen können sie durch Neutralisation bakterieller Toxine (z. B. Diphtherie, Tetanus, Gasbrand) zur *Entgiftung* beitragen, oder durch Bindung an die Oberfläche von Mikroorganismen deren Immobilisierung, Phagozytose *(Opsonisierung;* S. 84) oder mit Hilfe von Komplement ihre Zerstörung *(Bakteriolyse;* S. 85; 152 ff.) ermöglichen.

Zelluläre Immunität

Die Zellen, die für die Vermittlung der zellulären Immunität verantwortlich sind, binden das Immunogen mittels komplementärer Oberflächenrezeptoren (Paratope; S. 23) und sprechen darauf u. a. mit der Bildung einer Reihe von Mediatorstoffen an, die ihrerseits für die Äußerungen der zellulären Immunität verantwortlich sind. Diese Mediatorstoffe (S. 40) haben keinen Antikörpercharakter und weisen im allgemeinen eine örtlich beschränkte Wirkung auf. Zelluläre Immunreaktionen sind von Bedeutung bei der

- Abwehr gegenüber Viren, Pilzen und intrazellulär lebenden Bakterien (z. B. Mykobakterien, Listerien, Brucellen);
- Aufrechterhaltung der Individualität (z. B. Transplantatabstoßung; S. 171 ff.);
- Ausschaltung gealterter bzw. transformierter Zellen;
- zellulären Überempfindlichkeitsreaktion (S. 144 ff.).

Bestimmte Antigene, vor allem Zucker mit sich wiederholender Grundstruktur (bakterielle Polysaccharide und Lipopolysaccharide, Dextrane, Pyrane), lösen meist eine überwiegend humorale Immunantwort aus. Kontaktstoffe, fakultativ intrazelluläre Mikroorganismen (Mykobakterien, Listerien, Brucellen, Toxoplasmen usw.), Viren und deren Produkte, stimulieren dagegen vorwiegend die zelluläre Immunität. Die meisten Antigene stimulieren jedoch sowohl die humorale wie die zelluläre Immunität. Das Vorliegen von zwei Typen der Immunreaktion zeigt sich auch in den verschiedenen Formen angeborener Ausfallserscheinungen, indem isolierte Defekte sowohl der humoralen als auch der zellulären Immunität gefunden worden sind (S. 109 ff.).

Immunologisches Gedächtnis

Für eine Reihe von Infektionskrankheiten ist charakteristisch, daß eine erste Erkrankung nur selten von einer Zweiterkrankung gefolgt wird. Als Prototyp hierfür können die Kinderkrankheiten (z. B. Masern, Mumps, Varizellen, Keuchhusten) gelten. Hier führt der erste Kontakt mit dem Erreger fast regelmäßig zu einer apparenten Erkrankung. Sie hinterläßt einen durch das Immunsystem gewährleisteten, oft lang anhaltenden Schutz vor einer Zweiterkrankung. Man kann daraus folgern, daß das Immunsystem über die Fähigkeit verfügt, den ersten Kontakt mit einem bestimmten Erreger in Erinnerung zu behalten *(immunologisches Gedächtnis)*.

Primär- und Sekundärreaktion. Die Bedeutung des immunologischen Gedächtnisses kommt beim Vergleich der Antikörperbildung im Anschluß an einen ersten und zweiten Kontakt mit demselben als fremd erkannten Stoff, einem *Antigen* oder *Immunogen,* klar zum Ausdruck. Wenn einem Kaninchen ein immunogener Stoff, z. B. Staphylokokkentoxin, *erstmals* injiziert wird, so vergehen 10–20 Tage, bis im Blut gegen diesen Stoff gerichtete Antikörper auftreten *(Primärreaktion);* der Antikörpertiter erreicht nur bescheidene Werte und fällt dann wieder ab. Wenn wir dem Tier nach einem Intervall von mindestens 3 Wochen eine *zweite* Injektion des Toxins verabreichen, so ist die Antikörperantwort im Vergleich zum ersten Mal verändert *(anamnestische Reaktion, Sekundärreaktion):* der Antikörpertiter im Blut steigt bereits innerhalb von 3–7 Tagen an,

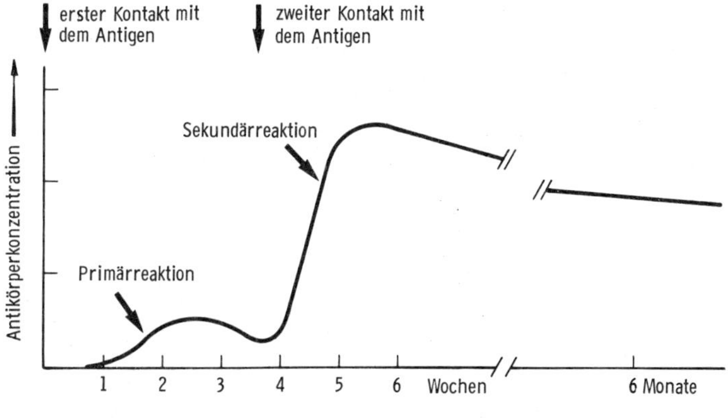

Abb. 2 Serumantikörperspiegel bei der Primär- und Sekundärreaktion.

erreicht erheblich höhere Titer und persistiert wesentlich länger als beim ersten Kontakt (Abb. 2). Zudem ist der im Verlaufe der Sekundärantwort synthetisierte Antikörper besser auf das entsprechende Antigen ausgerichtet, d. h. es genügen kleinere Mengen dieses Antikörpers zur Bindung einer bestimmten Menge an Antigen (besseres Aufeinanderpassen von Schlüssel und Schloß); ein solcher Antikörper verfügt über eine hohe *Avidität* zum betreffenden Antigen (S. 58). Das Vorhandensein von *Gedächtniszellen* erlaubt es dem Immunsystem also, bei einem erneuten Kontakt mit demselben Antigen anders, nämlich rascher, intensiver und genauer reagieren zu können.

Dieses Prinzip wird bei der aktiven Immunisierung *(Impfung)* ausgenützt. Durch Verabreichung von relativ unschädlichen Formen eines Infektionserregers (abgetötete oder in ihrer Virulenz abgeschwächte Mikroorganismen) wird eine Primärreaktion in Gang gebracht; ein späterer Kontakt mit dem gleichen, voll virulenten Erreger führt zu einer sekundären Immunreaktion, die in den meisten Fällen die Überwindung der Infektion gewährleistet.

Tierexperimentelle Untersuchungen haben ergeben, daß sowohl die Gedächtnisfunktion wie die Vermittlung der beiden Haupttypen der Immunreaktion auf der Leistung von *Lymphozyten* beruht.

Wird die Zahl der zirkulierenden Lymphozyten mittels über mehrere Tage durchgeführter Ductus-thoracicus-Drainage stark vermindert, so ist die Fähigkeit dieser Tiere, gegenüber gelösten oder partikulären Antigenen (Tetanustoxoid, Schaferythrozyten) eine Antikörperantwort auszulösen oder ein Hauttransplantat abzustoßen, stark herabgesetzt. Die immunologische Reaktionsfähigkeit dieser Tiere kann durch Substitution mit kleinen Lymphozyten aus dem Ductus thoracicus wieder hergestellt werden. Daraus kann der Schluß gezogen werden, daß für das Zustandekommen der primären humoralen und zellulären Immunantwort der kleine Lymphozyt verantwortlich ist.

Werden einem Tier Lymphozyten aus den regionalen Lymphknoten eines bereits sensibilisierten Tieres injiziert, so reagiert es auf den Kontakt mit dem Antigen anders als ein unbehandeltes Kontrolltier. Bei humoraler Immunität äußert sich diese veränderte Reaktionsfähigkeit im raschen Auftreten hoher Antikörpertiter, bei zellulärer Immunität in beschleunigter Transplantatabstoßung. Aus diesen Beobachtungen geht hervor, daß die Zellen, welche die Erinnerung an den ersten Kontakt mit demselben Antigen tragen, wiederum den Lymphozyten zuzuordnen sind.

Spezifität

Neben dem Gedächtnis stellt die Spezifität ein fundamentales Charakteristikum der Immunantwort dar. Kehren wir zum Beispiel der Kinderkrankheiten zurück: Nach einer Masernerkrankung sind wir immun gegenüber einer Infektion mit dem Masern-, nicht aber mit dem Poliomyelitis- oder Mumpsvirus. Immunität gegenüber einem bestimmten Mikroorganismus bietet somit keinen Schutz gegenüber einem nicht verwandten, anderen Mikroorganismus. Die Immunantwort ist gegen eine bestimmte immunogene Struktur gerichtet; sie ist spezifisch.

Die Immunreaktionen beruhen grundsätzlich auf der Fähigkeit des Organismus, gegen einen Fremdstoff komplementäre Strukturen zu synthetisieren, die in ihrer sterischen Konfiguration derart auf bestimmte Abschnitte des Fremdstoffes passen, daß nicht kovalente Kräfte eine mehr oder weniger feste Bindung zwischen den Reaktionspartnern zu geben vermögen. Dabei kann sich diese Wechselbeziehung zwischen einem als fremd empfundenen Stoff, dem *Antigen* oder *Immunogen,* und der vom Immunsystem gelieferten komplementären körpereigenen Rezeptorstruktur, z. B. einem *Antikörper,* auf umschriebene Abschnitte dieser Moleküle beschränken. Der auf dem eingedrungenen Stoff als fremd empfundene Bezirk wird als *Epitop* bezeichnet, die gegen ihn gerichtete komplementäre körpereigene Struktur als *Paratop.*

Ein Antigen, ein Stoff mit einem Molekulargewicht von mindestens einigen Tausend Daltons, meist ein Protein oder Polysaccharid, vermag im Organismus eine gegen einen oder mehrere, z. T. immer wiederkehrende, als fremd empfundene Bezirke von der Größe einiger Aminosäuren oder Zuckerreste gerichtete Immunreaktion auszulösen; es ist *immunogen.* Die daraufhin gebildeten Paratope reagieren mit den komplementären Epitopen. Im Gegensatz zum hochmolekularen Antigen sind niedermolekulare Stoffe, sog. *Haptene* oder Epitope, in isolierter Form nicht fähig, eine Immunantwort zu induzieren. Nach Koppelung an hochmolekulare, u. U. wirtseigene Trägerstrukturen (S. 134) erlangen Haptene die Fähigkeit zur Induktion einer Immunreaktion. Diese wird sich meistens nicht auf die immunogene Haptendeterminante beschränken, sondern sich darüber hinaus auch gegen benachbart liegende Trägerstrukturen richten. Obwohl das Hapten allein nicht fähig ist, eine Immunantwort auszulösen, so ist es dennoch durchaus in der Lage, mit dem komplementären Paratop zu reagieren.

Folgen der Immunreaktion für den Wirtsorganismus

Eine Immunreaktion gegen einen Krankheitserreger führt in der Regel zu einem Schutz vor einer Zweiterkrankung. Immunreaktionen können aber nicht nur einen Schutz bieten, sondern selber auch Krankheiten verursachen. So kann eine erste Begegnung mit einem Fremdstoff symptomlos verlaufen, eine nach einem Intervall erfolgende spätere Begegnung dagegen Krankheitssymptome auslösen (S. 117 ff.).

Von Pirquet (1905) hat diese charakteristische Änderung in der Reaktionsfähigkeit des Organismus gegenüber Fremdstoffen mit dem Begriff *„Allergie"* umschrieben. Während man ursprünglich jede Abweichung in der immunologischen Reaktivität als Allergie bezeichnete, versteht man heute unter diesem Begriff nur die krankmachenden Immunvorgänge. Andererseits hat der Begriff der *Immunität*, der ursprünglich den im Anschluß an Infektionskrankheiten auftretenden Schutz bezeichnete, eine wesentliche, eher diffuse Erweiterung erfahren.

Erhaltung der Individualität

Nachdem bisher von Immunreaktionen gegenüber fremden, von außen eindringenden Stoffen die Rede war, stellt sich die Frage, weshalb der Organismus gegenüber körpereigenen Komponenten keine derartige Reaktion in Gang setzt. Fest steht, daß die Immunvorgänge entscheidend zur Erhaltung der Individualität beitragen. Das setzt voraus, daß sie imstande sind, zwischen „eigen" und „nicht-eigen" bzw. „fremd" zu unterscheiden. Es hat sich gezeigt, daß das Immunsystem gegenüber Stoffen, mit denen es in dauerndem Kontakt steht, reaktionsunfähig – *tolerant* – bleibt. Voraussetzung für die Ausbildung einer *Immuntoleranz* (S. 96 ff.) ist, daß die eigenen, an sich immunogenen Stoffe während der Ausbildung des immunologischen Apparates in dauerndem Kontakt mit diesem stehen. Wird die Toleranz aus irgendwelchen Gründen durchbrochen, so kommt es zu Immunreaktionen gegen körpereigene Komponenten, was schwere Krankheiten, sog. Autoimmunkrankheiten, nach sich ziehen kann (S. 176 ff.).

Die Erhaltung der Individualität gegenüber von außen eindringenden Fremdstoffen oder etwa durch Altern, Abnützung, Schädigung oder Virustransformation bedingten Abweichungen im Innern wird somit durch den Immunapparat gewährleistet. Das Erkennungssystem, das diese überaus komplexen Leistungen durch eine Kombination von Spezifität, Diversität und Gedächtnis erbringt, wird durch den lymphatischen Apparat vermittelt.

Lymphatischer Apparat

Die Immunreaktionen werden durch Zellen des lymphatischen Systems gewährleistet. Lymphozyten finden sich in allen Geweben und Körperflüssigkeiten, besonders reichlich aber in den lymphatischen Organen. Man unterscheidet zwischen primären (Thymus sowie Bursa Fabricii der Vögel) und sekundären lymphatischen Organen, denen Knochenmark, Milz, Lymphknoten, Peyersche Plaques, Appendix und Waldeyerscher Rachenring zugeordnet werden.

Auf die zentrale Rolle des kleinen Lymphozyten im immunologischen Geschehen ist bereits hingewiesen worden (S. 22). *Morphologisch* sind sich alle kleinen Lymphozyten ähnlich; sie sind von rundlicher bis ovoider Form und enthalten einen großen, dichte Chromatinaggregate aufweisenden Kern; ihr Durchmesser beträgt im histologischen Schnitt 5–8 μm, im Ausstrich zwischen 10–12 μm. Die routinemäßig angewendeten zytologischen Methoden erlauben keine weitere Differenzierung. Trotz ihrer morphologischen Einheitlichkeit ist die Lymphozytenpopulation *funktionell* äußerst heterogen. Aufgrund funktioneller und physikalischer Kriterien können nicht nur 2 Hauptpopulationen, die T- und B-Lymphozyten (S. 32, 42), sondern eine Reihe von weiteren Subpopulationen mit umschriebenem Aufgabenbereich voneinander abgegrenzt werden. In den folgenden Kapiteln wird die Bedeutung der primären lymphatischen Organe im immunologischen Geschehen und die von ihnen ausgehende Zweiteilung des Immunapparates aufgrund der derzeitigen, z. T. noch hypothetischen Auffassungen erläutert.

Primäre lymphatische Organe

Die primären lymphatischen Organe erfüllen eine Reihe von für die Funktion des Immunsystems wichtigen Aufgaben. Von besonderer Bedeutung ist, daß sie offenbar optimale Bedingungen für die Reifung von undifferenzierten Vorläuferzellen zu immunkompetenten Lymphozyten und deren Proliferation zu Zellklonen bieten. Ein Teil der immunologisch kompetenten Lymphozyten verläßt nach einigen Zellteilungen das primäre lymphatische Organ und begibt sich auf Wanderschaft durch den Körper (mobiler Pool) oder siedelt sich in einem der sekundären lymphatischen Organe an (sessiler Pool).

Thymus

Der Thymus entwickelt sich aus den Epithelanlagen der 3. und 4. Schlundtasche. Beim Menschen entwickelt sich der zunächst epitheliale Thymus mit seinen charakteristischen Lappen während des ersten und anfangs des zweiten Trimenons zu einem lymphatischen Organ mit Rinden- und Markabschnitten. Die Neubildung von Thymozyten erfolgt ausschließlich in der Rinde. Sie gelangen anschließend in den Grenzbereich zwischen Rinde und Mark und werden von dort als immunkompetente Lymphozyten in die Peripherie abgegeben. Das Thymusmark beherbergt hingegen auch rezirkulierende, „periphere" Zellen. Der Thymus behält seine Grundstruktur im Kindesalter bei; später kommt es zu fortschreitender, aber nie zu vollständiger Involution des lymphatischen Gewebes.

Das häufige Zusammenfallen von Thymusanomalien mit immunologischen Ausfallserscheinungen ließ vermuten, daß dem Thymus bei der Entwicklung der immunologischen Funktionen eine wichtige Rolle zufalle. In der Tat kommt es bei angeborener Anlage- bzw. Reifestörung oder im Anschluß an neonatale operative Entfernung des Thymus zu charakteristischen Ausfallserscheinungen. Bei der Maus, die bei Geburt immunologisch noch relativ unreif ist, treten sie im Anschluß an *neonatale Thymektomie* besonders deutlich in Erscheinung: Die Zahl der zirkulierenden Lymphozyten und die Fähigkeit zu zellulären Immunreaktionen (z. B. zur Transplantatabstoßung) sind deutlich herabgesetzt; die Fähigkeit zur humoralen Antikörperbildung ist gegenüber zahlreichen Antigenen ebenfalls beeinträchtigt. Neonatal thymektomierte Mäuse entwickeln ein durch Gewichtsabnahme, vorzeitiges „Altern" und Haarverlust charakterisiertes Bild und überleben nur wenige Monate *(Wasting-Syndrom)*. Das Syndrom beruht auf der Unfähigkeit, Infektionen wirksam überwinden zu können. Unter keimfreien Bedingungen gehaltene neonatal thymektomierte Mäuse zeigen kein Wasting.

Diese Beobachtungen unterstreichen, daß für die Bildung, Reifung und Ausbreitung von immunkompetenten, zur Vermittlung zellulärer immunologischer Funktionen fähiger Lymphozyten ein normal entwickelter Thymus von zentraler Bedeutung ist. Weil sich der Thymus aus dem Epithel des Pharynx entwickelt, aus dem auch Thyreoidea und Parathyreoideae hervorgehen, hat man ihm schon seit langem endokrine Funktionen zugeschrieben. Es gibt in der Tat gute Anhaltspunkte dafür, daß die Epithelzellen des Thymus lösliche Faktoren sezernieren, die zur Differenzierung der Lymphozyten beitragen. Obschon diese Faktoren vor allem innerhalb des Thymus wirken, vermögen sie auch periphere Lymphozyten zu beeinflussen.

Bursa Fabricii der Vögel

Bei den Vögeln findet sich als dorsale Ausstülpung des Enddarms ein weiteres lymphatisches Organ, die Bursa Fabricii. Die Bursa besteht aus einem Netzwerk von verzweigten Epithelzellen, das von Lymphozyten durchsetzt ist; sie zeigt damit einen ähnlichen histologischen Aufbau wie der Thymus. Die epitheliale Komponente gilt als charakteristisches Merkmal der primären lymphatischen Organe; sie fehlt in den anderen Geweben des Immunsystems.

Küken, denen nach dem Schlüpfen die Bursa exstirpiert wurde, sind in ihrer Fähigkeit zur Auslösung einer humoralen Immunität stark beeinträchtigt. Bei neonatal thymektomierten Küken fällt dagegen die zelluläre Immunität aus, während die Fähigkeit zur Antikörperbildung weitgehend erhalten bleibt. Die anatomische Zuordnung von humoraler und zellulärer Immunität zu den beiden primären lymphatischen Organen erlaubt bei den Vögeln eine klare Abgrenzung der beiden funktionellen Grundtypen der Immunität. Während der Thymus die Reifung der die zelluläre Immunität vermittelnden Lymphozyten (thymusabhängige Lymphozyten, *T-Lymphozyten)* kontrolliert, untersteht die Entwicklung von zur Antikörpersynthese befähigten Lymphozyten (bursaabhängige Lymphozyten, *B-Lymphozyten)* dem Einfluß der Bursa. Die Bursa weist sowohl bezüglich ihres histologischen Aufbaus als auch bezüglich ihrer Funktion Merkmale auf, die für ein primäres lymphatisches Organ charakteristisch sind. Es ist jedoch fraglich, ob ein weiteres wichtiges, zur Definition eines primären lymphatischen Organs gehörendes Kriterium, die antigenunabhängige Proliferation und Differenzierung von Lymphozyten, in der Bursa erfüllt ist.

Die bei den Vögeln vorhandene klare anatomische Trennung der für die Ausbildung von zellulärer bzw. humoraler Immunität zuständigen lymphatischen Organe, Thymus und Bursa Fabricii, ist bei den Säugern bei weitem nicht im gleichen Maße ausgebildet. Immerhin scheint festzustehen, daß der Thymus beim Säugetier und insbesondere auch beim Menschen für die Reifung und die Regulation der Produktion der T-Lymphozyten von entscheidender Bedeutung ist. Weniger klar ist, wo sich bei den Säugern die B-Lymphozyten entwickeln (S. 42). Man hat versucht, sowohl den lymphatischen Geweben des Magen-Darm-Traktes als auch dem Knochenmark die Rolle eines „Bursa-Äquivalentes“ zuzuschrieben. Es ist aber bisher nicht gelungen, die primäre Bildungsstätte der B-Lymphozyten beim Säugetier zuverlässig zu identifizieren.

Sekundäre lymphatische Organe

Beziehung zwischen Struktur und Funktion

Die sekundären lymphatischen Organe haben eine komplexe Struktur, die darauf angelegt ist, Fremdstoffe abzufangen und den auf sie ansprechenden Zellen in geeigneter Form zu präsentieren. Da das anatomische Netzwerk der sekundären lymphatischen Organe die Antigene filtriert und konzentriert, sind die Voraussetzungen für ein Zusammentreffen von Antigen und antigenreaktiver Zelle in diesem Bereich besonders günstig. Diese Organe, unter denen der Milz und den Lymphknoten besondere Bedeutung zukommt, fangen den größten Teil des Antigens ab. Sie beherbergen 3 zur Immunreaktion beitragende Zelltypen, nämlich die den Großteil des Antigens abfangenden, abbauenden und in geeigneter Form präsentierenden mononukleären *Phagozyten,* die auf einen antigenen Reiz ansprechenden kleinen *Lymphozyten* und die *Plasmazellen.* Im Lymphknoten gelangt das Antigen mit der afferenten Lymphe zunächst in den Randsinus und über die interfollikulären Sinus in die Marksinus (Abb. 3). Die in diesen Sinus ein Netzwerk bildenden mononukleären Phagozyten nehmen einen großen Teil des Antigens durch Pinozytose bzw. Phagozytose auf. Der Rest des Antigens diffundiert in das Gewebe hinein, u. a. auch in die mit Lymphozyten vollgepackte Gegend der Follikel, wo es sich an die Oberfläche von speziellen intrafollikulären *Retikulumzellen* anlagert, die in dieser Region häufig über lange Ausläufer verfügen (dendritische Zellen). Man glaubt, daß die Präsentation des Antigens auf der Oberfläche der dendritischen Zellen einen besonders wirksamen Kontakt mit den immun-

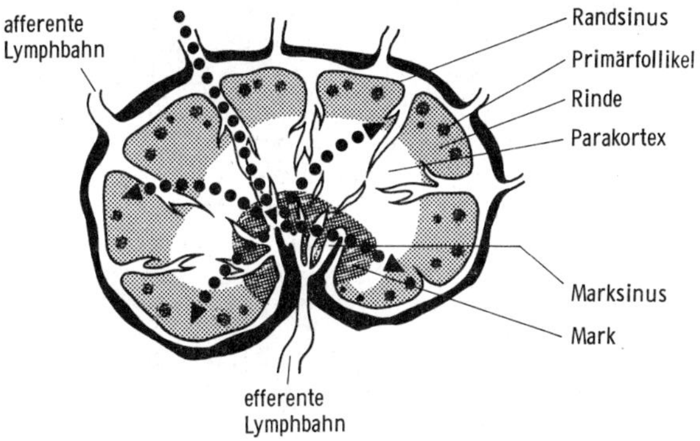

Abb. 3 Aufbau des Lymphknotens. ● ● ● Eintrittsweg des Antigens.

kompetenten Zellen gestatte. In der Milz finden sich anatomisch ähnlich günstige Voraussetzungen für einen engen Kontakt zwischen im Blut zirkulierenden Antigenen und lokalen mononukleären Phagozyten und Lymphozyten.

In den sekundären lymphatischen Organen kann die Proliferation der Lymphozyten fast nur durch Antigen ausgelöst werden. Die Begegnung eines Antigens mit einem auf dieses ansprechenden Lymphozyten führt zu dessen Proliferation und möglicherweise zur weiteren Differenzierung dieser Zelle (S. 46). Dabei entstehen bei den T- und den B-Lymphozyten sowohl Effektorzellen (z. B. Helfer-, Suppressor- oder Killer-Zellen; Plasmazellen) als auch Gedächtniszellen.

Morphologische Anhaltspunkte für eine Kompartimentierung in den peripheren lymphatischen Organen

Die funktionelle und bis zu einem gewissen Grade auch die anatomische Aufteilung des immunologischen Apparates in 2 Teile beschränkt sich nicht auf die primären lymphatischen Organe, sondern sie ist auch in den peripheren lymphatischen Organen erkennbar. So treten in den Lymphknoten und in der Milz für humorale bzw. zelluläre Immunität charakteristische Veränderungen auf.

Eine *zelluläre* Immunreaktion (Transplantationsreaktion, Kontaktallergie) löst im Parakortex der regionalen Lymphknoten eine besonders eindrückliche Zellvermehrung aus. Zuerst treten dort große Lymphoblasten mit einem hohen Gehalt an Ribosomen auf; ihr Zytoplasma färbt sich daher mit dem Farbstoff Pyronin dunkelrosa an (pyroninophile Zellen, Blastzellen). Darauf folgen mehrere Zellteilungen, aus denen sowohl Effektorzellen des Immunsystems als auch als Gedächtniszellen dienende sensibilisierte Lymphozyten entstehen. Im Anschluß an das thymusabhängige Immunsystem beeinträchtigende Maßnahmen, z. B. nach neonataler Thymektomie, verarmt die Parakortikalregion der Lymphknoten und das Gebiet um die Arteriolen der weißen Milzpulpa an Zellen; ein ähnliches Bild findet sich auch bei der Thymusaplasie des Menschen (S. 112). Man kann daraus schließen, daß die Lymphozyten dieser Gebiete thymusabhängig sind.

Ein die *humorale* Antikörpersynthese stimulierendes „thymusunabhängiges“ Immunogen, z. B. Pneumokokkenpolysaccharid, führt vor allem in den kortikalen Lymphfollikeln und in der Markregion des Lymphknotens zu Veränderungen. In der Rinde kommt es zu einer massiven Proliferation von Lymphozyten in den Lymphfollikeln, so daß diese sich zu großen Keimzentren entwickeln. Nach neueren Untersuchungen dienen diese Lymphozyten nicht der Antikörperbildung; sie sind offenbar in erster Linie *Gedächtniszellen* vom B-Typ. Darüber hinaus kommt es im Mark zur Vermehrung von *Plasmazellvorläufern,* die einige Tage nach einer Sekundärstimulation besonders ausgeprägt ist. Die thymusabhängige Parakortikalregion bleibt dagegen weitgehend unbeteiligt.

Die erwähnten Beobachtungen, die zeigen, daß in den sekundären lymphatischen Organen bestimmte Kompartimente dem Einfluß des Thymus unterstehen, während andere der Reifung und Expansion der B-Lymphozyten dienen, sprechen neben verschiedenen anderen Gründen dafür, daß die Säuger ein funktionell zweigeteiltes Immunsystem haben. Man findet bei den höheren Tierarten denn auch zwei Hauptpopulationen von Lymphozyten mit unterschiedlichen Aufgabenbereichen, die T- und B-Lymphozyten. Das thymusabhängige System erfüllt den Aufgabenkreis der zellulären Immunität unter Verwendung von T-Zellen als Effektoren. Die B-Lymphozyten vermitteln die humorale Immunität mittels der von ihnen sezernierten, löslichen Antikörpermoleküle.

Differenzierung der Lymphozyten

Die Differenzierung der Lymphozyten erfolgt innerhalb der lymphatischen Organe, wobei die wichtigsten Schritte des Reifungsprozesses in 3 Hauptstationen lokalisiert werden können (s. Abb. 4, S. 33).

Blutbildende Gewebe

Die undifferenzierten Vorläuferzellen des Immunsystems finden sich in den blutbildenden Organen. Beim Embryo wandern sie aus den hämatopoetischen Geweben in die fetale Leber, später auch in die Milz und in das Knochenmark ein. Beim Erwachsenen ist das Knochenmark die Hauptquelle für die Stammzelle. Zellen aus dem Stammzellpool, einer sich ständig regulierenden Population von multipotenten Zellen, entwickeln sich in diesen Organen im Rahmen einer ersten Differenzierung zu unreifen lymphoiden Zellen.

Primäre lymphatische Organe

Die aus den hämatopoetischen Geweben in die primären lymphatischen Organe einwandernden Zellen werden einem weiteren Reifungsprozeß unterworfen (s. Abb. 4). Die intensive mitotische Aktivität während dieser Phase spricht dafür, daß es dabei zu einer funktionellen Diversifizierung kommt. Man kennt aber den genauen Zeitpunkt noch nicht, in dem die Lymphozyten die antigenspezifischen Rezeptoren erhalten, d. h. ihre Immunkompetenz erwerben. Nach verschiedenen Zellteilungen verläßt ein Teil der immunkompetenten Lymphozyten das primäre lymphatische Organ.

Sekundäre lymphatische Organe

Die aus den primären lymphatischen Organen austretenden immunkompetenten Lymphozyten bleiben entweder in Zirkulation oder siedeln sich vorübergehend oder dauernd in den T- oder B-abhängigen Territorien der sekundären lymphatischen Organe an (mobiler bzw. sessiler Pool). Auch intravenös injizierte syngeneische Lymphozyten finden den Weg in ihr angestammtes Organ, resp. Territorium. Das Endstadium der Differenzierung wird durch den Kontakt des immunkompetenten Lymphozyten mit dem spezifischen Antigen eingeleitet.

T-Lymphozyten

Herkunft und Reifung der Thymuslymphozyten

Wie erwähnt, ist ein intakter Thymus Voraussetzung für die Bildung und Reifung immunkompetenter Lymphozyten. Im Verlaufe der Ontogenese wandern Vorläuferzellen aus den hämatopoetischen Organen in die Thymusrinde ein. Dort reifen sie zu Thymuslymphozyten (Thymozyten) aus und vermehren sich in einer raschen Folge von Zellteilungen. Über die Herkunft der Vorläuferzellen beim jugendlichen oder erwachsenen Säugetier besteht noch keine Klarheit; möglicherweise stammen sie aus dem Knochenmark.

Der Thymus scheint sowohl für die Differenzierung der Vorläuferzellen zu Thymuslymphozyten als auch für deren Proliferation optimale Bedingungen zu bieten. Offenbar ist eine große Zahl von Thymuslymphozyten notwendig, um den Organismus mit den verschiedene funktionelle Aufgaben erfüllenden Subpopulationen von T-Lymphozyten ausreichend versorgen zu können.

Im Verlaufe des Reifungsprozesses während ihrer Passage durch den Thymus erfahren die Thymuslymphozyten charakteristische Veränderungen in ihrer Oberflächenstruktur, was sich im Auftreten neuer Oberflächenantigene und neuer funktioneller Eigenschaften äußert. Die Thymuslymphozyten sind mehrheitlich unreif, immunologisch inkompetent und werden durch Kortikosteroide geschädigt; diese sog. Th-1-Zellen machen 80–98 % der Thymuslymphozyten aus. Eine kleine Subpopulation von Thymuslymphozyten (Th-2-Zellen) kann auf Antigen ansprechen, ist also immunologisch kompetent; diese Zellen sind steroidresistent.

Beim oder kurz nach dem Verlassen des Thymus sind die Thymuslymphozyten zu immunologisch kompetenten T-Zellen ausgereift (Abb. 4). Zu diesem Reifungsprozeß tragen innerhalb des Thymus, möglicherweise aber auch in der Peripherie, Thymushormone bei. Die durch neonatale Thymektomie verursachten Ausfallserscheinungen können durch lösliche Thymusextrakte bzw. das Hormon Thymosin teilweise korrigiert werden. Das Stammorgan übt damit auch über seine ausgewanderten Zellen eine gewisse Kontrolle aus. Die funktionelle Aktivität des Thymus kann ihrerseits durch andere Hormone, z. B. Wachstumshormon, verstärkt oder abgeschwächt werden.

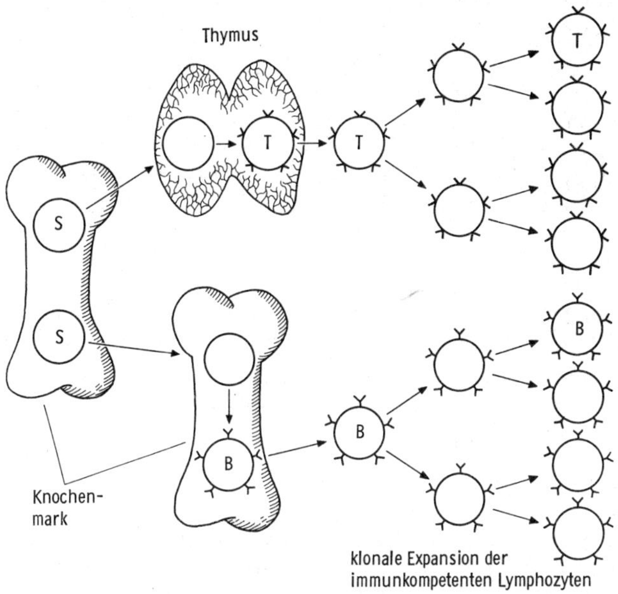

Abb. 4 Entwicklung der T- und B-Lymphozyten aus hämatopoetischen Stammzellen. S = Stammzelle, T = T-Lymphozyten, B = B-Lymphozyten.

Territorien der peripheren T-Lymphozyten

Die immunkompetenten T-Lymphozyten verlassen den Thymus auf dem Lymph- oder Blutweg; sie kehren nie mehr in die Thymusrinde zurück, wohl aber gelegentlich in die Medulla. Sie siedeln sich vorübergehend oder dauernd in bestimmten Regionen der peripheren lymphatischen Organe an oder bleiben in der Gestalt kleiner Lymphozyten in Zirkulation. Bei der Maus sind in den Lymphknoten 75–85 %, in der Milz 30–50 %, im Ductus thoracicus 85–90 % der kernhaltigen Zellen T-Lymphozyten; dagegen findet man im Knochenmark nur wenige T-Zellen. Die Mehrzahl der in den thymusabhängigen Regionen peripherer lymphatischer Organe niedergelassenen T-Lymphozyten begibt sich von Zeit zu Zeit auf Wanderschaft; sie erreichen über die Lymphbahnen und den Ductus thoracicus die Blutbahn. Nach kürzerer oder längerer Wanderschaft können sie im Bereich der postkapillären Venulen (z. B. im Parakortex des Lymphknotens) wieder ins lymphatische Parenchym zurückkehren. Dadurch, daß sich ein erheblicher Anteil der T-Lymphozyten dauernd oder intermittierend auf Wanderschaft befindet, wird erreicht, daß zu jeder Zeit in jeder Körperregion T-Lymphozyten zur Verfügung stehen, bzw. bei Bedarf rasch nachgeliefert werden können.

Die Lebensdauer der Lymphozyten kann offenbar innerhalb eines weiten Bereichs variieren und steht vermutlich in enger Beziehung zur Funktion der Subpopulation. Die Mehrzahl der frisch ausgewanderten T-Zellen ist ausgesprochen kurzlebig. Andererseits spricht die Persistenz des Gedächtnisses nach Jahrzehnte zurückliegender Infektion, Impfung oder Sensibilisierung (S. 117 ff.) für die Annahme, daß die hierfür verantwortlichen Gedächtniszellen eine ausgesprochen lange Lebensdauer aufweisen; als Alternative ist aber auch die Möglichkeit einer gelegentlichen spontanen bzw. durch persistierendes Antigen ausgelösten Proliferation von Gedächtniszellen in Betracht zu ziehen.

Oberflächenstrukturen der T-Lymphozyten

Jeder Zelltyp verfügt über zahlreiche immunogene Oberflächenstrukturen, wobei einige wenige von ihnen für den betreffenden Zelltyp charakteristisch sind. Verabreicht man einem Individuum einer anderen Spezies eine mehr oder weniger einheitlich zusammengesetzte Zellpopulation, z. B. von T-Lymphozyten, mehrmals parenteral, so wird das Tier Antikörper gegen die Oberflächenantigene dieser Zellen bilden. Das im Anschluß an eine derartige Immunisierung gewonnene heterologe Antiserum wird aber nicht nur Antikörper gegen die für den betreffenden Zelltyp charakteristischen Antigene, sondern auch gegen die unspezifischen, auf zahlreichen Zelltypen vorhandenen, sog. gemeinsamen Antigene aufweisen. Diese „unspezifischen" Antikörper können durch Mischen des Antiserums mit verschiedenen anderen Zelltypen (z. B. Erythrozyten, Leberzellen, Fibroblasten, Tumorzellen) adsorbiert werden. Auf diese Weise kann ein nur mit den immunogenen Oberflächenstrukturen des zur Immunisierung verwendeten Zelltyps reagierendes, *spezifisches Antiserum* gewonnen werden (S. 128 ff.). Solche in Gegenwart von Komplement zytotoxisch wirkende Antiseren haben sich zum Nachweis von Oberflächenantigenen bewährt.

Zwischen dem Antigenmuster der Zellmembran und den funktionellen Eigenschaften einer Zelle besteht zweifellos eine enge Beziehung. Das tritt bei der sehr heterogenen Population der T-Lymphozyten besonders deutlich in Erscheinung. Charakteristische Veränderungen im Antigenmuster sind bereits im Verlauf des Reifungsprozesses erkennbar. Das wichtigste Oberflächenantigen der T-Zellen der Maus, das *Thy-1-(Theta-)Antigen,* kann bei den in den Thymus einwandernden Vorläuferzellen noch nicht nachgewiesen werden; es erscheint jedoch im Verlauf ihrer Proliferation und Differenzierung in der Thymusrinde und findet sich auch auf den T-Zellen der peripheren lymphatischen Organe. Die geltenden Vorstellungen über Funktion und Verteilungsmuster der T-Zellen in den lymphatischen Organen beruhen wesentlich auf Untersuchungen mit Anti-Thy-1-Antiserum. Andererseits sind die *TL-Antigene* nur auf Thymuslymphozyten, nicht aber auf den immunkompetenten peripheren T-Zellen nachweisbar.

Unter den zahlreichen weiteren Oberflächenantigenen haben sich die sog. *Ly-Alloantigene* zur Charakterisierung der Subpopulationen der T-Lymphozyten bei der Maus als besonders hilfreich erwiesen. Die verfügbaren Befunde sprechen dafür, daß über Helferaktivität (S. 38) bzw. Fähigkeit zur Vermittlung zellulärer Überempfindlichkeitsreaktionen (S. 144) verfügende T-Zellen den Phänotyp Ly_1 aufweisen. T-Zellen vom Phänotyp $Ly_{2,3}$ zeigen dagegen zytotoxische (S. 37) bzw. die Immunreaktion unterdrückende (S. 40) Aktivität. Diese Subklassen von T-Zellen entwickeln sich offenbar aus unreifen T-Zellen vom Phänotyp $Ly_{1,2,3}$.

Funktionen der peripheren T-Lymphozyten

Die vom Thymus in die Peripherie abgegebenen, immunkompetenten T-Lymphozyten lassen sich morphologisch nicht zuverlässig von den B-Lymphozyten unterscheiden, können jedoch aufgrund ihrer besonderen Zelleistungen charakterisiert werden. Die in die Peripherie gelangenden, immunkompetenten T-Lymphozyten sind mit antikörperähnlichen Oberflächenstrukturen (Paratopen) ausgerüstet, mit denen sie Epitope zu erkennen vermögen. Die Begegnung und Interaktion der komplementären Strukturen auf der Zelloberfläche löst über eine Reihe von biochemischen und metabolischen Prozessen auch morphologische Veränderungen aus: es entstehen große lymphoide Zellen, *Lymphoblasten,* mit einem Durchmesser von mindestens 12 µm, einem großen, blassen Zellkern, deutlich ausgebildeten Nukleoli sowie stark basophilem und pyroninophilem Zytoplasma. Das Zytoplasma von aus T-Lymphozyten hervorgehenden Lymphoblasten ist elektronenoptisch häufig durch zahlreiche einzelne oder zu Polysomen vereinigte Ribosomen sowie das Fehlen eines rauhen endoplasmatischen Retikulums charakterisiert. Der hohe Gehalt an Ribosomen läßt sie im Lichtmikroskop basophil und plasmozytoid erscheinen. Die Stimulation des Lymphozyten durch einen immunogenen oder mitogenen Stoff führt über die Blastentransformation und eine Serie von Zellteilungen zu einer Reihe von Tochterzellen mit identischen Oberflächenparatopen. Diese Tochterzellen sind entweder Effektorzellen des Immunsystems oder dienen als Gedächtniszellen.

Die Natur des die spezifische Immunreaktion vermittelnden, das Paratop tragenden *Oberflächenrezeptors der T-Lymphozyten* ist trotz großer Anstrengungen noch immer ungeklärt. Es gibt jedoch gute Gründe für die Annahme, daß es sich beim antigenspezifischen Rezeptor der T-Lymphozyten nicht um ein konventionelles Immunglobulin handle. Die Menge an Immunglobulin ist häufig so niedrig, daß es mit den üblichen Methoden weder im Zytoplasma noch auf der Oberfläche des T-Lymphozyten nachgewiesen werden kann; in anderen Fällen handelt es sich um von B-Lymphozyten synthetisiertes, sekundär an die T-Lymphozyten gebundenes Immunglobulin. Andererseits finden sich bei In-vitro-Kultivierung von T-Lymphozyten gewisse Rezeptorstrukturen in überraschend hoher Konzentration im zellfreien Überstand, werden also von der T-Zelle laufend in die Umgebung abgegeben. Unter den verschiedenen zur Diskussion stehenden Hypothesen über die Natur des antigenspezifischen T-Zellrezeptors hat die Vorstellung, daß das von den T-Lymphozyten synthetisierte Paratop weitgehend dem variablen Anteil des Immunglobulinmoleküls (54 ff.) entsprechen dürfte, einiges für sich. Unklar bleibt allerdings, wie das Paratop in der Plasmamembran der T-Zellen verankert ist.

Die T-Lymphozyten stellen eine äußerst heterogene Zellpopulation dar, die sich u. a., wie bereits erwähnt, in ihrer Lebensdauer und in ihrer Resistenz gegen Kortikosteroide unterscheidet. In letzter Zeit sind bei der Maus Versuche im Gange, die Oberflächeneigenschaften der T-Lymphozyten zur Identifizierung und Klassifizierung der Subpopulationen heranzuziehen. Die bis jetzt vorliegenden, vorläufigen Ergebnisse dieser Untersuchungen unterstützen die Auffassung, daß die verschiedenen von den T-Lymphozyten zu erfüllenden Funktionen, wie z. B. die Helfer-, die Suppressor- und die zytolytische Funktion wie auch die Fähigkeit zur Vermittlung zellulärer Überempfindlichkeit (S. 144) durch verschiedene, unterschiedliche Oberflächenantigene aufweisende Subpopulationen wahrgenommen werden.

Bis vor kurzem war unklar, ob die funktionelle Heterogenität der T-Lymphozyten eine genetisch determinierte Eigenschaft darstellt oder ob sie sich erst auf einen antigenen Reiz hin entwickle. Neuere Untersuchungen sprechen dafür, daß die peripheren T-Lymphozyten nicht immunisierter Mäuse bereits für die Übernahme bestimmter immunologischer Funktionen vorprogrammiert sind. Sie unterstützen die Vorstellung, daß die Prägung des T-Lymphozyten, die ihn einer Subpopulation mit genau umschriebenem Aufgabenbereich zuordnet, vor seinem ersten Kontakt mit dem Antigen erfolgt, also genetisch determiniert und vom Antigen unabhängig ist.

Der Beitrag des T-Zellsystems zur Immunantwort wird zu einem wesentlichen Teil beim direkten Kontakt zwischen Effektorzelle und Immunogen geleistet. Eine gewisse räumliche und eventuell auch funktionelle Erweiterung der Wirkung wird durch die Abgabe gelöster Mediatorstoffe, sog. Lymphokine, durch den stimulierten Lymphozyten erreicht (S. 40). Die T-Zellen erfüllen eine Reihe von unterschiedlichen Funktionen. Auf einige von ihnen wird in der Folge kurz eingegangen.

Zytotoxizität durch T-Lymphozyten

T-Zellen eines spezifisch sensibilisierten Individuums können andere Zellen, die auf ihrer Oberfläche das Antigen tragen, gegen das sich die Überempfindlichkeit richtet, beim direkten Kontakt abtöten. Komplexe Vorgänge, wie die Transplantatreaktion, die Graft-versus-host-Reaktion oder andere Äußerungen der zellulären Überempfindlichkeit, beruhen wesentlich auf der Reaktivität des T-Zellsystems. Das ergibt sich aus Beobachtungen, die zeigen, daß diese Reaktionen bei angeborenem Fehlen oder bei Aplasie des Thymus (Di-George-Syndrom, S. 112; athymische, „nackte“ Maus) deutlich eingeschränkt sind oder ganz ausfallen.

Es war nicht möglich, in vivo den Beitrag der T-Zelle zu diesen Vorgängen näher abzugrenzen, noch den der Zytolyse zugrunde liegenden Mechanismus zu identifizieren. Die bisherigen Kenntnisse beruhen deshalb im wesentlichen auf In-vitro-Experimenten. Die Reaktivität des T-Zellsystems gegenüber Transplantationsantigenen läßt sich in vitro bei der Ko-Kultivierung von Lymphozyten allogener Stämme oder von verschiedenen Individuen verfolgen *(mixed lymphocyte culture,* MLC). Dabei reagieren die immunkompetenten T-Lymphozyten des einen Individuums auf die fremden Oberflächenstrukturen des anderen Individuums mit der Bildung von Lymphoblasten und nachfolgender Zellteilung. Dieser Vorgang kann durch Messung der DNS-Synthese quantitativ erfaßt werden. Unterscheiden sich stimulierende und stimulierte Zelle in einem bestimmten, als Ir-Region (immune response region) bezeichneten Genabschnitt der Histokompatibilitätsregion voneinander, so tritt die Stimulierung besonders auffällig in Erscheinung. Bei Kultivierung eines Gemisches allogener Lymphozyten kommt es spontan zur MLC; eine vorherige Stimulation ist nicht erforderlich.

Sensibilisierte T-Zellen, die in vivo u. a. für die Graft-versus-host-Reaktion oder die Transplantatreaktion verantwortlich sind, können Zellen, welche die entsprechenden Oberflächenantigene (z. B. Histokompatibilitätsalloantigene, Tumorantigene) tragen (sog. Zielzellen) in vitro abtöten *(zytotoxische bzw. zytolytische Lymphozyten;* lymphocyte-mediated cytolysis, LMC). Dieser bei der klassischen zellulären Immunität zu beobachtende zytotoxische Effekt setzt in den meisten Fällen den engen Kontakt des T-Lymphozyten mit dem auf der Zielzelle lokalisierten Epitop voraus (S. 146). Der zur Lyse der Zielzelle führende Mechanismus ist noch nicht bekannt.

T-Zellen können aber auch auf andere Weise zytotoxisch wirken. Eine Subpopulation von T-Zellen verfügt über Fc-Rezeptoren zur Bindung von Immunglobulinen. Handelt es sich beim Antikörper um ein nicht komplementbindendes Immunglobulin, so kann die Interaktion des passiv sensibilisierten T-Lymphozyten mit dem Antigen zur Stimulation seiner zytotoxischen Effektormechanismen führen. Andererseits kann ein mit komplementbindendem Antikörper beladener T-Lymphozyt in Gegenwart von Komplement die Lyse der das spezifische Immunogen tragenden Zellen vermitteln (S. 147).

T-Zellen als Helfer bei der Antikörpersynthese

Obschon unser Wissen um die Existenz zahlreicher Subpopulationen von T- und B-Lymphozyten noch begrenzt ist, so lassen die bisher vorliegenden Beobachtungen doch vermuten, daß das nahtlose Zusammenwirken dieser Subpopulationen eine Voraussetzung für eine optimale Immunreaktivität darstellen. T-Zellen können die Antikörpersynthese der B-Lymphozyten in verschiedener Weise regulieren.

Besonders wichtig ist offensichtlich die Fähigkeit der T-Helferzelle, die B-Zelle zur Antikörpersynthese zu veranlassen. Das wird z. B. dadurch belegt, daß bestrahlte Tiere die Fähigkeit zur Antikörperbildung gegen Schaferythrozyten nur dann wieder erlangen, wenn ihnen sowohl Thymuslymphozyten als auch Knochenmarkszellen von syngenen Spendern verabreicht werden.

Gewisse Vorstellungen über die Art der Kooperation zwischen den verschiedenen Zellpopulationen ergeben sich aus der Verwendung von an verschiedene Träger (carrier) gebundenen Haptenen. Bei Kaninchen, denen eine erste Injektion von einem an ein Trägermolekül gebundenes Hapten, (z. B. an Rindergammaglobulin gebundenes Dinitrophenol; DNP) verabreicht worden war, wird eine zweite Injektion nur dann eine Sekundärantwort gegen das Hapten DNP auslösen, wenn wiederum dasselbe Trägermolekül verwendet wird. Voraussetzung für die Auslösung einer gegen das Hapten gerichteten anamnestischen Reaktion ist offenbar eine T-Zellpopulation, die Spezifität für das Trägermolekül besitzt; die B-Lymphozyten binden ihrerseits die Haptendeterminante.

In Betracht zu ziehen ist u. a. auch die Möglichkeit, daß der gelöste T-Zellrezeptor, der den Hapten-Träger-Komplex infolge seiner Spezifität für den Träger bindet, seinerseits an eine dritte Zelle, den Makrophagen, fixiert wird. Der an den Makrophagen gebundene Komplex vermag dann den B-Lymphozyten zu stimulieren.

Für die Zusammenarbeit zwischen T- und B-Lymphozyten sind außerdem die Histokompatibilitätsantigene von Bedeutung. Die Immunantwort wird nur ausgelöst, wenn T- und B-Zellen identische Histokompatibilitätsantigene tragen.

Ein enger Kontakt zwischen T- und B-Zellen ist offenbar für ihre Kooperation nicht unbedingte Voraussetzung. Das spricht für die Beteiligung von löslichen Faktoren. In der Tat sprechen verschiedene Beobachtungen für die Existenz von antigenspezifischen, auf das Stadium der Präsentation einwirkenden Faktoren, z. B. in Form des bereits erwähnten gelösten T-Zellrezeptors. Unspezifische mitogene Faktoren scheinen zudem die klonale Expansion der stimulierten B-Zelle zu begünstigen; außerdem vermögen die T-Lymphozyten oder ihre löslichen Produkte auch die Zahl der an der Immunreaktion beteiligten B-Zellen stark zu erhöhen und auf diese Weise die Immunantwort zu erweitern und zu verstärken. Die erwähnten Leistungen der T-Helferzelle setzen einen aktiven Zellstoffwechsel voraus.

Nach heute geltender Auffassung ist die Funktion der T-Helferzelle vor allem in der geeigneten Präsentation des Immunogens an die B-Zelle zu sehen. Es ist bekannt, daß nur relativ wenige, aus repetitiven Strukturen aufgebaute Antigene, z. B. Polysaccharide, die B-Zellen direkt, d. h. ohne Mithilfe der T-Zellen, zu stimulieren vermögen. Die meisten Antigene (sog. „thymusabhängige“ Antigene) benötigen die Mithilfe von T-Helferzellen zur Induktion einer humoralen Immunantwort. Der der Kooperation zugrunde liegende molekulare Mechanismus ist aber noch nicht geklärt.

Suppressorische T-Zellen

Es darf als gesichert gelten, daß als Gegenpart zur T-Helferzelle eine Subpopulation von T-Zellen existiert, die die Funktionen der B-Lymphozyten zu unterdrücken vermag. Die Suppressor-T-Zelle dient möglicherweise als Regulator in der zwischen humoraler und zellulärer Immunantwort bestehenden Wechselbeziehung. Die suppressorische Wirkung dieser Subpopulation von T-Lymphozyten kann sich nicht nur in einer Unterdrückung der Antikörpersynthese äußern, sondern auch als B-Zelltoleranz manifestieren.

Ein gut untersuchtes experimentelles Beispiel betrifft die Antikörpersynthese gegenüber Pneumokokkenpolysaccharid vom Typ III. Dieses aus sich wiederholenden identischen Disaccharideinheiten bestehende lineare Polymer vermag die B-Lymphozyten ohne Mithilfe von T-Helferzellen zu stimulieren („thymusunabhängiges“ Antigen). Bei der Maus löst eine erste Injektion von Pneumokokkenpolysaccharid innerhalb von 3–4 Tagen eine rasche klonale Proliferation von antikörperbildenden B-Zellen aus, die aber schnell wieder abfällt. Im Gegensatz dazu nimmt die Zahl der Antikörper produzierenden Zellen bei Mäusen, bei denen die T-Zellen mit einem spezifischen Anti-T-Zellantiserum funktionell ausgeschaltet worden sind, laufend zu. Diese Beobachtungen sprechen dafür, daß neben anderen Mechanismen (S. 89 ff.) auch Suppressor-T-Zellen zur Begrenzung der antigeninduzierten B-Zellproliferation beitragen.

Lymphokine

Durch Kontakt mit immunogenen oder mitogenen Stoffen stimulierte Lymphozyten geben lösliche Mediatorstoffe ab, die keine Immunglobulinstruktur aufweisen. Diese sog. Lymphokine werden auf die spezifische Interaktion zwischen Paratop und Epitop hin frei, ihre Wirkung ist aber unspezifisch. Diese Mediatoren zeigen ganz verschiedene Wirkungen und werden möglicherweise auch durch verschiedene Subpopulationen von T-Lymphozyten synthetisiert. Erwähnenswert sind die Hemmung der Makrophagen- und Granulozytenauswanderung, Wirkungen auf die Gefäß- und Membranpermeabilität, chemotaktische Anlockung von Monozyten, mitogene

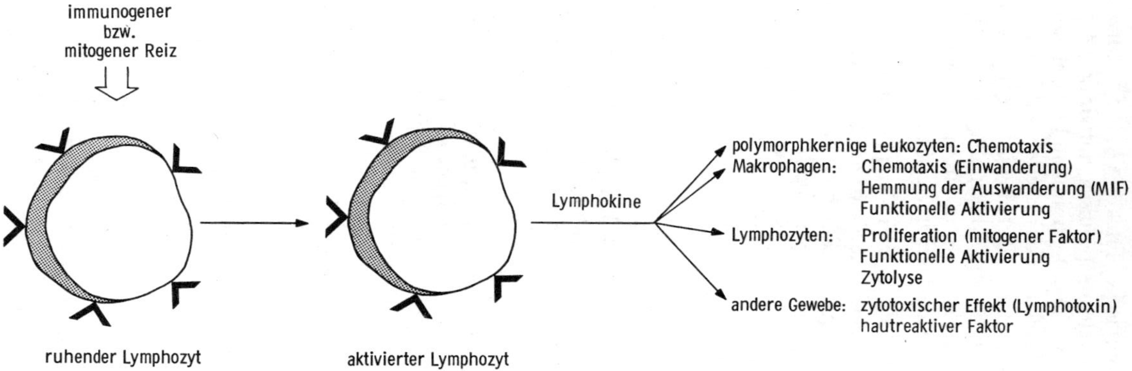

Abb. 5 Stimulierte Lymphozyten sezernieren Mediatorstoffe (Lymphokine), die andere Gewebe und Zellen verschiedenartig beeinflussen.

und zytotoxische Effekte (Abb. 5). Möglicherweise gehört auch Interferon, ein unspezifisch antiviraler Wirkstoff, zu den Lymphokinen (S. 8). Die Lymphokine tragen wahrscheinlich zu den bei gewissen Infektionskrankheiten auftretenden Äußerungen der zellulären Immunität (z. B. Tuberkulinreaktion, S. 145, 157) bei. Lymphokine sind auch fähig, Makrophagen zu aktivieren, so daß diese in die Lage versetzt werden, in ihrem Zytoplasma befindliche Mikroorganismen in unspezifischer Weise abzutöten (S. 146 f.).

Die Lymphokine vermögen offenbar auch die verschiedensten Effektorsysteme, wie Pinozytose, Phagozytose und Bakterizidie, die Blutgerinnung, die Entzündung, die Gefäßpermeabilität wie auch das Ausmaß der humoralen Immunantwort, nachhaltig zu beeinflussen.

B-Lymphozyten

Der Lebensweg der B-Lymphozyten ist infolge ihrer antigenspezifischen Oberflächenimmunglobuline bzw. ihrer Sekretionsprodukte, der *Antikörper* oder Immunglobuline, wesentlich besser erfaßbar als derjenige der T-Lymphozyten. Trotzdem sind eine Reihe von zentralen, die B-Lymphozyten betreffenden Aspekten, wie etwa ihre Herkunft, ihre Differenzierung bzw. der Zeitpunkt und das Ausmaß, in welchem diese vom antigenen Reiz abhängig ist, die Funktion der Immunglobulinrezeptoren auf ihrer Oberfläche, oder die Bedeutung und das Wirkungsspektrum von aus B-Lymphozyten stammenden Lymphokinen, noch ungenügend geklärt und sind Gegenstand lebhafter Auseinandersetzungen. Einige der sich dabei stellenden Probleme sind in den folgenden Abschnitten kurz aufgezeigt.

Herkunft und Reifung

Während die zentrale Rolle des Thymus bei der Bildung und Reifung von T-Lymphozyten unbestritten ist, bestehen über die primäre Bildungsstätte der B-Lymphozyten insbesondere beim Säuger keine gesicherten Vorstellungen. Bei den Vögeln ist die wichtige Rolle der Bursa bei der Vermehrung und Verbreitung von B-Lymphozyten allgemein anerkannt. Da die T-Lymphozyten in den peripheren lymphatischen Organen regelmäßig einige Tage vor den B-Lymphozyten erscheinen, muß auch die Möglichkeit, daß im Rahmen ihrer Entwicklung alle Lymphozytenvorläufer den Thymus passieren müssen, in Betracht gezogen werden.

Um auf einen bestimmten immunogenen Reiz spezifisch ansprechen zu können, muß der B-Lymphozyt, ähnlich wie der T-Lymphozyt, aus einer undifferenzierten Vorläuferzelle zur immunkompetenten Zelle ausgereift sein. Die wichtigsten Stadien, die der B-Lymphozyt des Säugers nach den geltenden Vorstellungen während seiner Differenzierung durchläuft, sind in Abb. 4 (S. 33) und Abb. 6 (S. 45) schematisch dargestellt. Daraus kann entnommen werden, daß die Differenzierung in 3 wesentlichen Schritten erfolgt.

1. Beim *Küken* erfolgt die Differenzierung der hämatopoetischen Stammzellen in der Bursa Fabricii. Sie entwickeln sich dort innerhalb von wenigen Tagen zu Lymphozyten, die auf ihrer Oberfläche Immunglobulin M (IgM) (S. 66) tragen. Zahlreiche Beobachtungen unterstützen die Vorstellung, daß während des Reifungsprozesses aus einer individuellen Vorläuferzelle nach einem festgelegten Programm zahlreiche Klone von spezifischen antigenbindenden Zellen entstehen können; ein exogener antigener Stimulus ist hierzu offenbar nicht nötig.

   Beim *Säuger* bestehen keine gesicherten Vorstellungen über die primäre Bildungsstätte der B-Lymphozyten. Bei der *Maus* erfolgt die Differenzierung offenbar multizentrisch, da die ersten Oberflächenimmunglobulin tragenden B-Lymphozyten etwa gleichzeitig in Leber, Milz und Knochenmark auftreten. Im Verlauf der Ontogenese tritt bei allen bisher untersuchten Spezies IgM als erstes Immunglobulin in Erscheinung. Es ist zunächst nur intrazellulär, einige Tage darauf als Oberflächenimmunglobulin nachweisbar. Das spricht dafür, daß jeder B-Lymphozyt während des Reifungsprozesses IgM synthetisiert und dieses dann als Rezeptor in die Zellmembran einbaut. Beim Erwachsenen reifen die hämatopoetischen Vorläuferzellen vor allem in der Leber und im Knochenmark zu immunkompetenten, IgM-tragenden B-Lymphozyten aus, die sich lokal vermehren.

2. Die IgM-tragenden B-Lymphozyten wandern aus der fetalen Leber und dem Knochenmark in andere Organe ein. Für ihre weitere Differenzierung scheint die *Milz* besonders geeignet zu sein. Die Lymphozyten proliferieren dort offenbar auch ohne antigenen Stimulus weiter und erlangen die Fähigkeit, neben IgM auch IgD (S. 67) zu synthetisieren und dieses als Rezeptor in die Plasmamembran einzubauen. Diese Zellen verfügen demnach gleichzeitig über Oberflächenrezeptoren der IgM- und der IgD-Klasse mit Paratopen identischer Spezifität. Die Bedeutung des Auftretens von Rezeptoren der IgD-Klasse für die weitere Differenzierung des B-Lymphozyten ist noch unklar; es ist denkbar, daß IgD nach Kontakt mit dem entsprechenden Antigen die weitere Differen-

zierung, insbesondere zu IgG-, IgA- bzw. IgE-synthetisierenden B-Lymphozyten, ermöglicht oder wesentlich erleichtert.

3. Mit IgM- und IgD-Rezeptoren versehene B-Lymphozyten wandern aus der Milz in die Lymphknoten, die Peyerschen Plaques und andere periphere lymphatische Organe ein. Auf einen antigenen Reiz können diese B-Lymphozyten entweder zu IgM-synthetisierenden Plasmazellen oder aber, vermutlich über nur Rezeptoren der IgD-Klasse tragende Zellen, zu IgG-, IgA- oder IgE-produzierenden Plasmazellen ausreifen (Abb. 6). Festzuhalten bleibt, daß die genetisch festgelegte Antigenspezifität, die Struktur des Paratops, während des ganzen Reifungsprozesses und den ihn begleitenden Wechsel von einer Immunglobulinklasse zur andern unangetastet bleibt.

Diese Vorstellungen sind noch ungenügend gesichert; sie berücksichtigen jedoch die bei verschiedenen Tierarten gemachte Feststellung, daß die in den B-Zellen im Verlauf der Ontogenese zuerst auftretenden Immunglobuline der IgM-Klasse angehören. Auch sprechen alle bisher verfügbaren Daten dafür, daß die B-Lymphozyten in einem besonders kritischen Zeitpunkt ihrer Differenzierung gleichzeitig IgM und IgD synthetisieren und als Rezeptoren auf ihrer Oberfläche tragen; die IgD-Rezeptoren sind möglicherweise eine Voraussetzung für ihre Differenzierung zur Plasmazelle. Bei der Maus tritt der IgD-ähnliche Rezeptor im Verlauf der Ontogenese des B-Lymphozyten deutlich später in Erscheinung als IgM; sein Auftreten ist offenbar unabhängig von Antigen oder von T-Zelleinfluß. Bei der erwachsenen Maus stellt IgD den überwiegenden Anteil an Oberflächenimmunglobulin auf peripheren B-Zellen; in der Milz tragen 60–70 %, in den Peyerschen Plaques 85–98 % der B-Zellen IgD, während der Rest IgM aufweist.

Während IgM und insbesondere IgD, das sich im Serum nur in Spuren vorfindet, eine wichtige Rolle als spezifische Rezeptormoleküle auf der Oberfläche von B-Lymphozyten zu spielen scheinen, sind die in die Körperflüssigkeiten und auf die Schleimhäute sezernierten Immunglobuline der Klassen IgG und IgA (S. 64) nur selten und in geringer Konzentration auf der Lymphozytenoberfläche nachzuweisen. Diese Beobachtungen sprechen dafür, daß zwischen Oberflächen- und sezernierten Immunglobulinen möglicherweise eine gewisse Arbeitsteilung besteht.

Nach diesen hypothetischen Vorstellungen erfolgt die Differenzierung des B-Lymphozyten in ihren frühen Schritten, von der Stammzelle zu immunkompetenten, IgM- bzw. IgM- und IgD-Rezeptormoleküle tragenden B-Lymphozyten, *unabhängig von Antigen* (s. Abb. 6); dagegen ist für die Induktion der späteren Differenzierungsschrit-

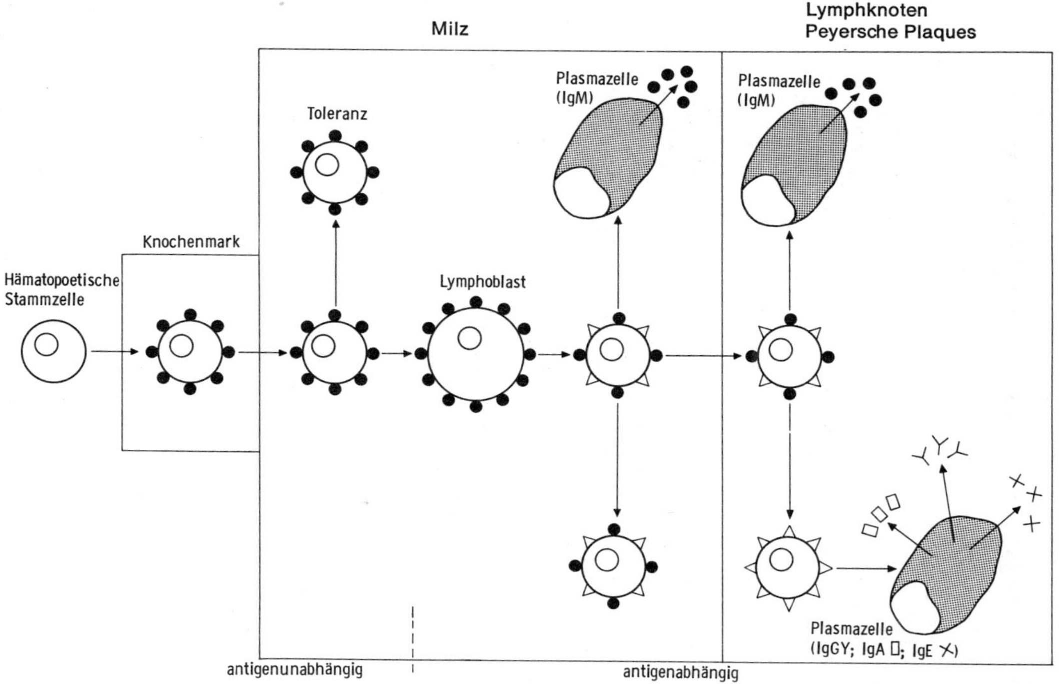

Abb. 6 Differenzierung der B-Lymphozyten. Immunkompetente Lymphozyten mit Oberflächen-Immunglobulin der Klasse IgM (●). Immunkompetente Lymphozyten mit Oberflächen-Immunglobulin der Klasse IgD (△).

te, insbesondere zur Plasma- und Gedächtniszelle, eine antigene Stimulation notwendig.

Antigenabhängige Differenzierung des B-Lymphozyten

Die Interaktion eines Teils der auf der Oberfläche des immunkompetenten B-Lymphozyten sitzenden etwa 10^5 Immunglobulinrezeptoren mit dem komplementären Antigen kann je nach dem Reifegrad der Zelle, der Struktur und der verfügbaren Menge an Antigen verschiedene Folgen zeitigen (Abb. 7). Ähnlich wie bei den T-Zellen können durch *klonale Proliferation* identische Tochterzellen entstehen, die z. T. als B-Gedächtniszellen längere Zeit am Leben bleiben können. Anders als bei den T-Zellen kann aber der antigene Reiz (selten allein, meist in Zusammenarbeit mit T-Helferzellen, S. 38 ff.) auch eine weitere *Differenzierung* des B-Lymphozyten einleiten: Der *kleine B-Lymphozyt* erreicht über das Zwischenstadium des großen Lymphozyten *(Lymphoblast* bzw. Plasmoblast) das Endstadium der Plasmazelle (s. Abb. 6 auf S. 45 und Abb. 8 auf S. 47). Während der kleine Lymphozyt nur die für den Eigenbedarf zur Erfüllung der

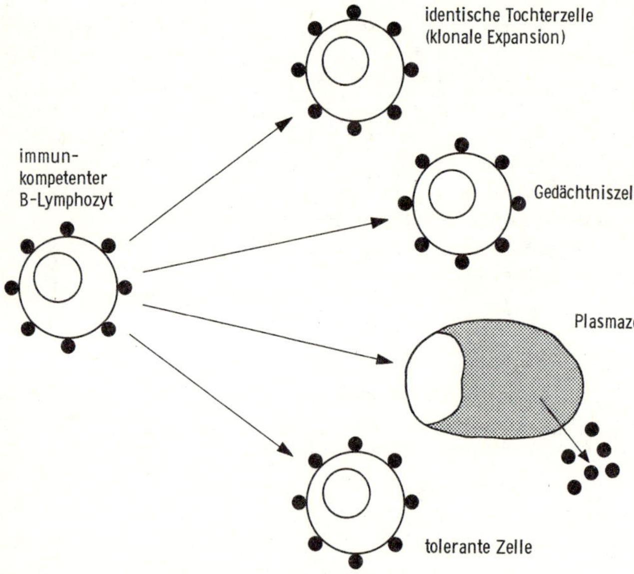

Abb. 7 Der antigene Reiz kann im immunkompetenten B-Lymphozyten verschiedene Entwicklungen auslösen.

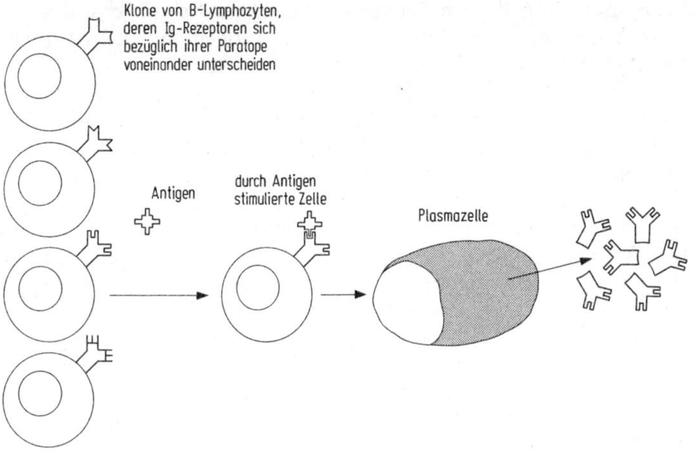

Abb. 8 Klonale Selektion und Expansion der Lymphozyten. Unter zahlreichen Klonen spricht nur derjenige auf das Antigen an, der über das komplementäre Paratop verfügt. Er differenziert sich zur Plasmazelle, die Antikörper derselben Spezifität sezerniert.

Rezeptorfunktion nötigen Immunglobuline produziert, synthetisiert der große Lymphozyt darüber hinaus auch in beschränktem Maße Immunglobulin für den Export. Die Struktur der *Plasmazelle* ist ganz auf die Synthese und Sekretion von Immunglobulin ausgerichtet. Das ergibt sich aus der großen Zahl von Polyribosomen sowie dem überaus gut entwickelten rauhen endoplasmatischen Retikulum und Golgi-Komplex. Die Plasmazelle synthetisiert pro Sekunde etwa 2000 identische Immunglobulinmoleküle derselben Spezifität; die Spezifität dieser Moleküle entspricht derjenigen des kleinen B-Lymphozyten, aus dem sich die Plasmazelle entwickelt hat. Plasmazellen weisen eine Lebenszeit von nur wenigen Tagen auf.

Beim Menschen können in jedem Differenzierungsstadium des B-Lymphozyten Neoplasmen entstehen. Diese neoplastischen B-Zellklone bleiben im jeweiligen Stadium der Differenzierung, in dem die maligne Transformation stattfindet, eingefroren (S. 114 ff.).

Der kleine B-Lymphozyt lagert, wie erwähnt, das von ihm synthetisierte Immunglobulin in die Plasmamembran ein. Die Immunglobulinmoleküle sind unregelmäßig über die ganze Zellmembran verteilt und besetzen etwa $^{1}/_{10}$ der Zelloberfläche. Eine B-Zelle, die auf ihrer Oberfläche Antikörper gegen ein T-Zell-unabhängiges multivalentes Antigen trägt, wie z. B. ein bakterielles Polysaccharid, reagiert auf den Kontakt mit diesem Antigen mit einer Reihe von charakteristischen Vorgängen. Die Interaktion von Antigen und zellständigem Antikörper führt zur Bildung von Antigen-Antikörper-Komplexen. Diese Immunkomplexe beginnen innerhalb weniger Minuten auf einen Zellpol hinzuwandern und vereinigen sich dort auf engem Raum (Kappenbildung). Jener Bereich der Zellmembran, der die Immunkomplexe trägt, wird dann rasch ins Innere der Zelle aufgenommen. Durch diesen Vorgang verliert die B-Zelle vorübergehend einen wechselnden Anteil ihrer Oberflächenimmunglobuline. Diese als „Antigenmodulation" bezeichnete Veränderung in den Immunglobulinen der Zellmembran trägt vermutlich wesentlich zur homöostatischen Regulation der Immunantwort bzw. der Zellkommunikation ganz allgemein bei; sie kann möglicherweise auch zum Zustandekommen einer Immuntoleranz (S. 96) beitragen. Bei in Kultur gehaltenen B-Zellen wird das Immunglobulin resynthetisiert und erscheint in Abwesenheit komplementärer Strukturen auch bald wieder als Rezeptor auf der Membran. Im Vergleich zum ausgewachsenen Tier ist die Fähigkeit zur Neubildung von Immunglobulin bei der neugeborenen Maus stark vermindert.

Erfolgt die Interaktion zwischen Immunogen und sensibilisierten Lymphozyten in vitro, so können verschiedene Stadien dieses als *Lymphozytentransformation* bezeichneten Vorganges unterschieden werden. Die Frühphase ist durch einen nach 30–120 Minuten erfaßbaren Anstieg in der RNS-Synthese charakterisiert. Die charakteristischen morphologischen Äußerungen der Transformation, wie Vergrößerung von Zelle und Zellkern, Basophilie des Zytoplasmas mit Zunahme der Lysosomen, beginnen nach etwa 20 Stunden erkennbar zu werden und sind von erhöhter Proteinsynthese begleitet. Nach 36–48 Stunden setzt die DNS-Synthese ein; die entstandenen Blastzellen beginnen nach 72–96 Stunden in Teilung zu gehen.

Die Bindung der sog. T-Zell-unabhängigen Antigene an das zellständige Rezeptor-Immunglobulin genügt, um die Stimulation und die ihr folgende klonale Vermehrung bzw. Differenzierung des B-Lymphozyten in Gang zu setzen. Bei der Mehrzahl der Antigene genügt jedoch die bloße Bindung an den zellständigen Antikörper nicht, um den B-Lymphozyten zu stimulieren. Sie benötigen hierzu zusätzliche Helferdienste, die ihnen von einer Subpopulation aktivierter T-Zellen, u. U. durch Vermittlung von Makrophagen, zukommen (S. 38). Ein solcher zusätzlicher, die Wirkung des T-Zell-abhängigen Antigens unterstützender Reiz scheint vor allem für die terminale Differenzierung des B-Lymphozyten zur Plasmazelle Voraussetzung zu sein, während die Ausbildung einer Immuntoleranz oder die Bildung von Gedächtniszellen oft auch ohne diese Hilfe möglich ist (s. Abb. 7 auf S. 46).

In der Kontrolle der humoralen Immunantwort ist die Verhinderung einer ungehemmten Proliferation von B-Zellen und einer Überproduktion an spezifischem Antikörper von Bedeutung, was vor allem durch einen Feedback-Mechanismus erreicht wird. Nach dem Wegfallen des antigenen Reizes infolge Abbinden des Antigens durch den Antikörper hemmt überschüssiger zirkulierender Antikörper die Proliferation des betreffenden Zellklones. Darüber hinaus können auch Makrophagen (S. 93) sowie spezielle Suppressor-T-Zellen (S. 40) eine Modulation der Immunreaktion bewirken.

Territorien der B-Lymphozyten

Die B-Lymphozyten sind im Gegensatz zu den T-Lymphozyten mehrheitlich seßhaft. Das Antigen, das mit ihnen zu reagieren und die Antikörpersynthese auszulösen vermag, muß also in die von ihnen besetzten Territorien gelangen. Gelöste wie partikuläre Antigene erreichen die sekundären lymphatischen Organe via Blut- oder Lymphwege. Das Antigen wird in den B-Zell-Territorien, die durch kompakte kortikale Lymphfollikel charakterisiert sind, an dendritischen Fortsätzen der Retikulumzellen festgehalten (S. 29). Wahrscheinlich beruht das selektive Abbinden des Antigens durch diese Zellen auf der Gegenwart von Antikörper. Funktionell wird auf diese Weise ein enger Kontakt zwischen Antigen und B-Lymphozyt ermöglicht, was zu klonaler Proliferation und/oder Differenzierung der B-Zellen führt. T-Zell-unabhängige Antigene, die eine überwiegend humorale Immunantwort induzieren, lösen in bestimmten Regionen der peripheren lymphatischen Organe, den sog. B-Zell-Territorien, charakteristische Veränderungen aus. In den Lymphknoten (s. Abb. 3 auf S. 29) betreffen sie 2 Regionen. Infolge der Proliferation von B-Lymphozyten in den Follikeln der Rinde entwickeln sich diese zu großen *Keimzentren*. Verschiedene Beobachtungen sprechen dafür, daß die hier gebildeten Lymphozyten vor allem der Erhaltung des B-Zell-Gedächtnisses dienen. In den *Marksträngen* hat der antigene Reiz in erster Linie eine Differenzierung der B-Zellen zu Plasmazellen zur Folge; diese Differenzierung zu antikörperbildenden Zellen tritt im Verlauf einer Sekundärreaktion besonders deutlich in Erscheinung (S. 21).

Oberflächeneigenschaften der B-Lymphozyten

Ähnlich wie die T-Zellen können auch die B-Lymphozyten aufgrund von Bestandteilen ihrer Zelloberfläche charakterisiert werden. Es ist schon verschiedentlich darauf hingewiesen worden, daß die B-Zellen zunächst zu einem Stadium ausreifen, in dem sie in nur beschränktem Ausmaß *Immunglobulin* synthetisieren und dieses als *Antigenrezeptor* in die Zellmembran inkorporieren. Als Antigenrezeptoren dienen vor allem IgM und IgD (S. 44); IgM liegt dabei vermutlich in monomerer Form vor. Verschiedene andere Zelltypen, die selbst kein Immunglobulin zu synthetisieren vermögen, können dieses mit entsprechenden Zellmembranrezeptoren binden. So verfügen nicht nur die kleinen B-Lymphozyten selbst, sondern auch die mononukleären Phagozyten und eine kleine Subpopulation von T-Lymphozyten über Oberflächenrezeptoren für den Fc-Teil von Immunglobulinen. Diese Zellpopulationen verfügen damit über die Fähigkeit, zirkulierende Immunglobuline im Fc-Abschnitt zu binden. Mit der Bindung dieser spezifischen Komponenten erweitern sie ihren funktionellen Wirkungsbereich erheblich; die mit Antikörper beladenen Zellen erlangen die Fähigkeit, über ihren angestammten Funktionsbereich hinaus auch mit dem komplementären Antigen reagieren zu können.

Die B-Lymphozyten verfügen neben den antigenspezifischen Immunglobulinen über zahlreiche weitere charakteristische Bestandteile auf der Zelloberfläche. Bei der Maus finden sich – als Gegenpart zum für die T-Lymphozyten charakteristischen Thy-1-Antigen – für die B-Lymphozyten spezifische antigene Determinanten („mouse specific B-lymphocyte antigen", MBLA). Außerdem sind auch die verschiedenen Entwicklungsstadien der B-Lymphozyten durch unterschiedliche, sog. Differenzierungsantigene gekennzeichnet. Die kleinen B-Zellen verfügen überdies nicht nur über Rezeptoren für den Fc-Teil von Immunglobulin, sondern wie viele andere Zelltypen auch über Rezeptoren für C3b (S. 14); sie sind deshalb zur Bindung von Antigen-Antikörper-Komplement-Komplexen befähigt.

Funktionen der B-Lymphozyten

Die als Antigenrezeptoren in der Zellmembran verankerten Immunglobuline, meist IgM in vermutlich monomerer Form, und die in der Folge sezernierten Antikörpermoleküle gewährleisten die Effektorleistungen des B-Zellsystems. Jeder B-Zelle sind bezüglich ihrer Spezifität, aber vermutlich auch bezüglich anderer charakteristischer Eigenschaften des Immunglobulins, die es produziert, etwa der Immunglobulinklasse oder des Typs der leichten Ketten, Beschränkungen auferlegt (S. 43 ff.). Eigenschaften der von den B-Lymphozyten sezernierten Effektormoleküle und der ihnen im immunologischen Geschehen zufallenden Aufgaben werden gesondert besprochen.

Null-Zellen

Beim Menschen wie beim Tier ergibt die Summe der T- und B-Zellen meist weniger als 100 % der gesamten Lymphozytenpopulation. Die verbleibenden Lymphozyten, bei denen die wichtigsten Oberflächenmerkmale der T-Lymphozyten und der B-Lymphozyten fehlen, werden als Null-Zellen bezeichnet. Diese Zellen verfügen offenbar über Fc-Rezeptoren. Ihre biologische Bedeutung und ihre mögliche Beziehung zu T- und B-Lymphozyten bzw. zum System der mononukleären Phagozyten ist noch ungeklärt. Verschiedene Beobachtungen haben ergeben, daß bei in vitro kultivierten Null-Zellen wieder Oberflächen-Immunglobuline auftreten können. Man hat deshalb postuliert, daß Null-Zellen ruhende Lymphozyten sind, die auf einen entsprechenden Reiz hin jederzeit in der Lage sind, ihre charakteristischen Oberflächenmerkmale wieder auszudrücken.

Literatur

Asherson, G. L., M. Zembala: Suppressor T cells in cell-mediated immunity. Brit. med. Bull. 32 (1976) 158

Bach, J.-F., C. Carnaud: Thymic factors. Progr. Allergy 21 (1976) 342

Davie, J. M., W. E. Paul: Antigen-binding receptors on lymphocytes. Contemp. Top. mol. Immunobiol. 3 (1974) 171

Edelman, G. M.: Cellular Selection and Regulation in the Immune Response. Raven Press, New York 1974

Feldman, M., A. Globerson: Immune Reactivity of Lymphocytes, Development, Expression and Control. Plenum Press, New York 1976

Greaves, M. F., J. J. T. Owen, M. C. Raff: T- and B-Lymphocytes: Their Origins, Properties and Roles in Immune Responses. North-Holland Publishing Co. Amsterdam 1973

Mäkelä, O., A. Cross, T. U. Kosunen: Cell Interactions and Receptor Antibodies in Immune Responses. Academic Press, London 1971

Möller, G.: Lymphocyte Activation by Mitogens. Transplantation Reviews, Bd. 11. Munksgaard, Kopenhagen 1972

Möller, G.: Concepts of B Lymphocyte Activation. Transplantation Reviews, Bd. 23. Munksgaard, Kopenhagen 1975a

Möller, G.: Subpopulations of B Lymphocytes. Transplantation Reviews, Bd. 24. Munksgaard, Kopenhagen 1975b

Möller, G.: Suppressor T Lymphocytes. Transplantation Reviews, Bd. 26. Munksgaard, Kopenhagen 1975c

Möller, G.: Specificity of Effector T Lymphocytes. Transplantation Reviews, Bd. 29. Munksgaard, Kopenhagen 1976

Nelson, D. S., R. A. Gatti: Humoral factors influencing lymphocyte transformation. Progr. Allergy 21 (1976) 261

Nossal, G. J. V., G. L. Ada: Antigens, Lymphoid Cells, and the Immune Response. Academic Press, New York 1971

Rosenthal, A. S.: Immune Recognition. Academic Press, New York 1975

Theml, H., H. Begemann: Lymphozyt und klinische Immunologie. Springer, Berlin 1975

Van Bekkum, D. W.: The Biological Activity of Thymic Hormones. Kooyker, Rotterdam 1975

Antikörper oder Immunglobuline

Während die T-Lymphozyten ihren Beitrag zur immunologischen Reaktivität mittels einer Reihe von verschiedenen Subpopulationen von Effektorzellen mit definierten Aufgabenbereichen leisten, sezernieren die B-Zellen zu diesem Zweck lösliche Effektormoleküle, die *Antikörper*. Antikörper finden sich sowohl in den Körperflüssigkeiten gelöst als auch an Zelloberflächen gebunden. Obschon der Hauptteil der Antikörper bei der elektrophoretischen Auftrennung des Serums in der Gammaglobulinfraktion gefunden wird, ist es nicht korrekt, die Antikörper schlechthin als Gammaglobuline zu bezeichnen. Andere elektrophoretische Fraktionen enthalten ebenfalls Antikörperaktivität; daher ist der Sammelbegriff *Immunglobuline* (Ig) für alle Klassen von Antikörpern vorzuziehen.

Bei der Charakterisierung der Immunglobuline standen zwei Kriterien im Vordergrund des Interesses: Grundstruktur bzw. Aminosäuresequenz und Lokalisation der für die biologischen Funktionen wichtigen Molekülabschnitte.

Grundstruktur der Immunglobuline

Die im Normalserum gelösten Immunglobuline sind nicht nur in ihrer Spezifität, sondern auch in bezug auf ihre physikalischen und biologischen Eigenschaften äußerst heterogen. In ihrer Gesamtheit können sie daher nicht als Ausgangsmaterial für die Analyse ihrer Grundstruktur verwendet werden. Hier hat ein Experiment der Natur weitergeholfen. Bei Mensch und Tier treten gelegentlich Plasmazelltumoren (multiples Myelom; S. 115) auf, die sich aus einer einzigen maligne entarteten Mutterzelle herleiten. Maligne Plasmazellklone produzieren riesige Mengen von untereinander identischen Immunglobulinmolekülen bzw. Polypeptidketten. Dieses monoklonale Immunglobulin überschwemmt das Serum dieser Patienten häufig in einem solchen Ausmaß, daß es sich aus diesem ohne Schwierigkeit in reiner Form isolieren läßt. Wesentliche Kenntnisse über die Struktur und die Struktur-Funktions-Beziehungen der Antikörper verdanken wir dem Studium monoklonaler Immunglobuline.

Die jedem Immunglobulin zugrunde liegende *Struktureinheit* umfaßt je 4 (2 identische schwere und 2 leichte) Polypeptidketten (Abb. 9). Bei einigen Klassen (IgG, IgE, IgD) besteht das Immunglobulinmolekül aus nur einer solchen Einheit; bei anderen sind fast

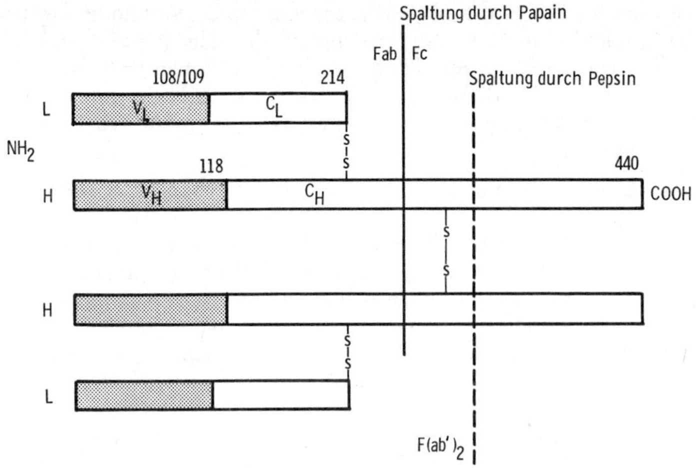

Abb. 9 Struktur von Immunglobulin G. Die zwei schweren (H) und zwei leichten (L; ϰ oder λ) Polypeptidketten werden durch Disulfidbrücken zusammengehalten. Die Spezifität wird durch das von den aminoterminalen variablen Abschnitten von schwerer und leichter Polypeptidkette (V_H und V_L) gemeinsam gebildete Paratop vermittelt. Die für die Immunglobulinklasse charakteristischen biologischen Eigenschaften werden dagegen durch die konstanten Abschnitte der schweren Ketten (C_H) determiniert.

regelmäßig entweder 5 (IgM) oder häufig 2 (IgA) solcher durch -S-S-Verknüpfung über eine zusätzliche Peptidkette (J-Kette) zu einem Immunglobulinmolekül zusammengefaßt. Das IgG-Molekül, das bisher am eingehendsten untersuchte Immunglobulin, besteht aus zwei, je 440 Aminosäuren umfassenden schweren Ketten (heavy chain, H; Molekulargewicht von je etwa 50 000) und 2 aus je 214 Aminosäuren aufgebauten leichten Ketten (light chain, L; Molekulargewicht von je etwa 25 000). Das in Abb. 9 schematisch dargestellte intakte, aus 4 Polypeptidketten aufgebaute IgG-Molekül hat somit ein Molekulargewicht von etwa 150 000 Daltons (s. Tab. 2 auf S. 62).

Die 4 Polypeptidketten, die ein Monomer bilden, werden in der Regel durch Disulfidbrücken sowie durch nicht-kovalente Kräfte zusammengehalten. Mit geeigneten chemischen Methoden gelingt es, diese Bindungen aufzuheben und die freien schweren und leichten Ketten voneinander zu trennen. Wird ein Immunglobulin mit einem Sulfhydrylreagens behandelt (z. B. einem Überschuß an Merkaptoaethanol), so werden die Disulfidbrücken aufgebrochen. Nachfolgendes Ansäuern (Edelman) oder der Zusatz geeigneter dispergierender

Agentien (z. B. Harnstoff) bewirken eine starke Verminderung der das Molekül noch immer zusammenhaltenden intermolekularen Kräfte: Das Molekül zerfällt in die einzelnen Polypeptidketten. Die freien schweren und leichten Ketten können aufgrund ihres unterschiedlichen Molekulargewichtes mittels Gelfiltration voneinander getrennt werden.

Spaltungsversuche mit proteolytischen Enzymen haben viel zur Lokalisierung verschiedener biologischer Funktionen in bestimmte Abschnitte des Immunglobulinmoleküls beigetragen. Klassisch sind die Arbeiten von Porter, der das IgG-Molekül durch Papain in drei *Fragmente* mit unterschiedlichen biologischen Eigenschaften spalten konnte. Zwei identische monovalente Fragmente vermögen Antigen zu binden, wobei lösliche Immunkomplexe entstehen. Jedes der antigenbindenden Antikörperfragmente (als *Fab* bezeichnet) verfügt über eine Bindungsstelle für das komplementäre Epitop. Das dritte bei der Papainbehandlung anfallende IgG-Fragment kann kein Antigen binden. Es ist kristallisierbar und wird deshalb als *Fc*-Fragment bezeichnet (s. Abb. 9 auf S. 53). Pepsin spaltet IgG im C-Terminal von der -S-S-Brücke gelegenen Abschnitt der H-Ketten (Nisonoff); dabei entsteht ein großes noch bivalentes Fragment, $F(ab')_2$, das mit Antigen präzipitiert (S. 77); der abgespaltene Fc-Abschnitt wird zu Oligopeptiden abgebaut. Aufgrund dieser Befunde hat Porter das in Abb. 9 (S. 53) wiedergegebene Strukturmodell für das Immunglobulinmolekül aufgestellt.

Aufbau der Polypeptidketten

Vergleicht man die Aminosäuresequenz der Polypeptidketten einer größeren Zahl von monoklonalen Immunglobulinen der IgG-Klasse miteinander, so ergibt sich für schwere wie für leichte Ketten im C-terminalen Anteil weitgehende Identität, im N-terminalen Anteil dagegen eine ausgesprochene Diversität. Man spricht daher von konstanten und variablen Regionen des Immunglobulinmoleküls.

Leichte Ketten

Die 214 Aminosäuren aufweisenden leichten Ketten von IgG bestehen aus einem konstanten und einem 108 bzw. 109 Aminosäuren umfassenden variablen Anteil (s. Abb. 9 auf S. 53). Bezüglich des Aufbaus des C-terminalen, konstanten Anteils findet man regelmäßig 2 sich voneinander deutlich unterscheidende Kappa- und Lambda-Varianten. Die konstanten Anteile der Kappa- bzw. Lambda-Ketten sind untereinander weitgehend identisch. Von einer einzigen Zelle synthetisierte Antikörpermoleküle enthalten stets nur eine Variante, entweder Kappa oder Lambda. Bei jeder Immunglobulinklasse kommen beide Varianten vor. Im normalen Serum des Menschen weisen etwa 65 % der Immunglobuline die Kappa-Variante, die restlichen die Lambda-Variante auf.

Ein ähnliches Verhältnis zwischen Kappa und Lambda findet man auch bei den Myeloproteinen. Gewisse Myelompatienten weisen eine erhebliche Proteinurie auf; sie beruht auf der Überproduktion leichter Ketten durch die entarteten, Immunglobulin synthetisierenden Zellen. Bei dieser *Bence-Jones-Proteinurie* finden sich im Urin meist Dimere von leichten Ketten (S. 116).

Schwere Ketten

Bei den schweren Ketten unterscheiden sich, im Gegensatz zu den leichten Ketten, die konstanten Regionen der verschiedenen Immunglobulinklassen deutlich voneinander und sind somit für die entsprechende Immunglobulinklasse charakteristisch. Aus dem Vergleich verschiedener schwerer Polypeptidketten von Myelom-IgG geht hervor, daß nahezu drei Viertel (322 der insgesamt 440 Aminosäuren) des C-terminalen Anteils eine konstante Aminosäuresequenz aufweisen (s. Abb. 9 auf S. 53); diese Konstanz wird nur vereinzelt durch genetisch determinierte Varianten, sog. *Allotypen,* durchbrochen, durch die sich Individuen innerhalb einer Spezies voneinander unterscheiden. Im Gegensatz dazu zeigt der N-terminale, etwa 118 Aminosäuren umfassende Bereich der schweren Ketten von IgG eine starke Variabilität in der Sequenz (s. Abb. 9 auf S. 53). Obschon auch hier die Position von etwa 50 Aminosäuren zur Erhaltung des Grundmusters der Polypeptidkette unverändert bleibt, zeigen die restlichen Aminosäuren eine starke und in 3 Abschnitten besonders hohe Variabilität. Diese eng umschriebenen Bereiche mit besonders hoher Variabilität innerhalb der variablen Anteile werden als hypervariable Regionen bezeichnet.

Aufbau des Antikörpermoleküls

Aus der in Abb. 9 (S. 53) schematisch wiedergegebenen Grundstruktur des Antikörpermoleküls ergibt sich, daß die beiden identischen schweren Ketten im Fc-Bereich in der Regel durch eine, oft auch mehrere Disulfidbrücken zusammengehalten werden. Etwas jenseits der Mitte, im N-terminalen Anteil der beiden schweren Ketten, ist über eine weitere Disulfidbrücke je eine leichte Polypeptidkette angehängt.

Disulfidbrücken tragen aber nicht nur zum Zusammenhalt zwischen den verschiedenen Ketten bei, sondern finden sich auch innerhalb jeder einzelnen Polypeptidkette. Sie führen zur Bildung von etwa 110 Aminosäuren umfassenden Kettenschlaufen mit einem Molekulargewicht von etwa 12 000, die wesentlich zur dreidimensionalen Struktur des Moleküls beitragen (Abb. 10). Das Immunglobulinmolekül G setzt sich aus 12 solcher Einheiten zusammen. Diese als *Domänen* („domains") bezeichneten, gegeneinander gut abgegrenzten Bereiche zeigen in den konstanten Abschnitten von schweren und leichten Polypeptidketten untereinander eine gewisse Ähnlichkeit in der Aminosäuresequenz. Man kann sich daher vorstellen, daß jede einzelne dieser Domänen von demselben durch Mutation und Reduplikation weiterentwickelten Ur-Gen abstammt. Das IgG-Molekül zählt 6 durch gegenüberliegende Abschnitte der leichten und schweren Ketten gebildete globäre Bereiche; zwei liegen im Fc-

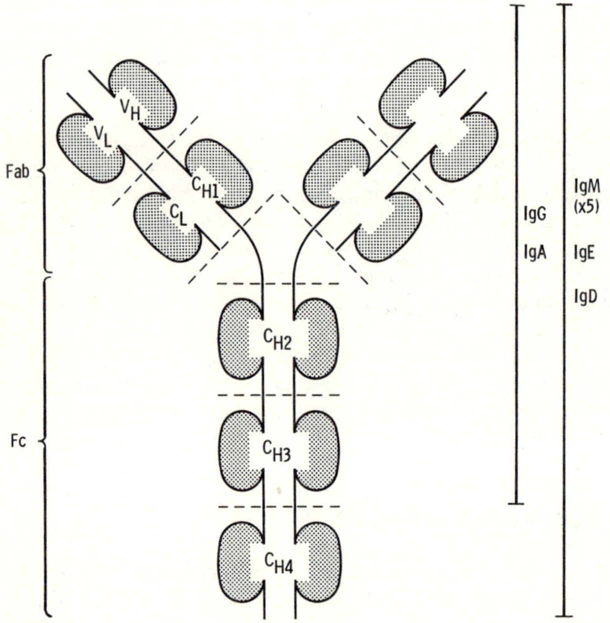

Abb. 10 Die monomeren Immunglobulinmoleküle setzen sich aus Domänen zusammen, die je etwa 110 Aminosäuren umfassen. Monomere von IgG und IgA bestehen aus 12, Monomere von IgM, IgE und IgD aus 14 Domänen.

Fragment, je 2 weitere in jedem der beiden Fab-Fragmente (s. Abb. 10). Jeder dieser Bereiche erfüllt bestimmte biologische Funktionen. β_2-Mikroglobulin, ein im Serum, in der Zellmembran und im Urin nachweisbares Eiweiß vom Molekulargewicht 12 000 (S. 69) weist eine den konstanten Domänen, insbesondere dem C_{H3}-Abschnitt von IgG ähnliche Aminosäuresequenz auf. Das spricht dafür, daß β_2-Mikroglobulin in der Phylogenese aus demselben Gen stammt wie die einzelnen Domänen.

Der Aufbau des Immunglobulinmoleküls gewährleistet ein enges Aneinanderliegen der schweren und leichten Polypeptidkette. Dadurch gelangen die variablen, N-terminalen Abschnitte der beiden Ketten mit ihren je 3 hypervariablen Bezirken in enge Nachbarschaft. Sie bilden gemeinsam eine für das betreffende Immunglobulin charakteristische taschenförmige Struktur, das Paratop, in die das komplementäre Epitop wie ein Schlüssel ins Schloß hineinpaßt.

Funktionen der Antikörper

Die Hauptfunktion aller Antikörpermoleküle liegt in ihrer Fähigkeit zur spezifischen Bindung des Antigens. Zahlreiche andere biologische Funktionen sind an das Fc-Fragment und damit an die Immunglobulinklasse gebunden.

Spezifische Bindung des Antigens

Die *spezifische Funktion* der Immunglobuline beruht auf ihrer Fähigkeit, mit Epitopen eine enge Bindung eingehen zu können. Jedes Immunglobulinmolekül verfügt am N-terminalen Ende über mindestens 2 identische, von variablen Anteilen einer schweren und einer leichten Polypeptidkette gemeinsam geformten Bindungsstellen. Die sich daraus ableitende Möglichkeit der gleichzeitigen Bindung an 2 identische Epitope ist eine wichtige Voraussetzung für eine Reihe von Effektorfunktionen des Immunglobulinmoleküls. Bivalente Bindung mit daraus resultierender Brückenbildung zwischen benachbarten Oberflächenrezeptoren ist beispielsweise für die Auslösung von zahlreichen die Zellen stimulierenden bzw. schädigenden Vorgänge eine unbedingte Voraussetzung.

Da die schweren Ketten im Bereich der papainempfindlichen Region türangelartig beweglich sind (s. Abb. 9 auf S. 53 und Abb. 10 auf S. 56), vermag das Immunglobulinmolekül mit den Enden der Fab-Fragmente auch sehr verschieden weit auseinanderliegende komplementäre Epitope zu binden. Dadurch erlangt ein multivalenter Antikörper wie IgM die Fähigkeit, ein Bakterium an mehreren Stellen binden zu können oder mehrere Bakterien gleichzeitig zu binden und zu agglutinieren; seine biologische Wirksamkeit wird dadurch nachhaltig verstärkt und erweitert.

Die zwischen Epitop des Immunogens und Paratop des Antikörpers zustande kommende Bindung beruht auf intermolekularen Kräften: elektrostatische Anziehungskräfte zwischen verschieden geladenen Aminosäureresten, Van-der-Waals-Kräfte, Wasserstoffbrücken, Dipol-Dipol-Kräfte und hydrophobe Wechselwirkungen. Diese intermolekularen Kräfte werden um so wirksamer, je näher sich die benachbarten Moleküle aneinander anlagern können. Bei den aufeinander abgestimmten Abschnitten von Antigen und Antikörper, von Paratop und Epitop, sind zumindest strukturell die Voraussetzungen für eine engnachbarliche Beziehung erfüllt. Je ausgedehnter die genau aufeinander passenden Anteile sind, desto besser können die Anziehungskräfte zur Geltung kommen und desto fester ist die Bindung zwischen den zwei Komponenten.

Da keine kovalenten Bindungen beteiligt sind, ist die Bindung zwischen Antigen und Antikörper grundsätzlich reversibel. Bei nicht genauem oder nur teilweisem Aufeinanderpassen der beteiligten Strukturen ist die Bindung schwach, so daß der Komplex leicht dissoziieren kann. Genaues Aufeinanderpassen von Paratop und Epitop verleiht dem Antigen-Antikörperkomplex Stabilität; ein solcher Antikörper verfügt über eine hohe *Avidität* zum entsprechenden Antigen.

Avidität, Spezifität und Fähigkeit zur Kreuzreaktion, d. h. zur beschränkten Ausweitung strenger Spezifitätsgrenzen, sind Antikörpereigenschaften, die in einer gewissen Beziehung zur Immunglobulinklasse stehen. Während Antikörper der IgM-Klasse oft über eine niedrige Avidität und Spezifität verfügen und deshalb zu Kreuzreaktionen neigen, weisen die bei einer anamnestischen Reaktion überwiegenden IgG-Antikörper meist eine hohe Avidität und Spezifität mit entsprechend beschränkter Fähigkeit zur Kreuzreaktion auf.

Von der Antikörperspezifität unabhängige Funktionen der Immunglobuline

Das Immunglobulinmolekül erfüllt neben seiner außergewöhnlichen Fähigkeit, die verschiedensten Antigene durch komplementäre Strukturen in spezifischer Weise binden zu können, noch verschiedene andere wichtige biologische Funktionen. Diese Funktionen sind an bestimmte Domänen im konstanten Anteil der schweren Ketten und damit an die Immunglobulinklasse gebunden (s. Tab. 2 auf S. 62). So ist beispielsweise im IgG-Molekül die Fähigkeit zur Bindung von C1q (S. 11) bzw. zur *Aktivierung von Komplement* im C_{H2}Abschnitt des Fc-Fragments lokalisiert (s. Abb. 10 auf S. 56). Die Aktivierung von Komplement kann aber möglicherweise erst erfolgen, nachdem das Antikörpermolekül infolge Interaktion mit dem Antigen oder durch Aggregation eine diese Bindungsstelle freilegende Konfigurationsänderung durchgemacht hat. Gewisse Zelltypen, wie die mononukleären Phagozyten (S. 94), die B-Lymphozyten (S. 49), die K-Zellen (S. 94) und eine kleine Subpopulation von T-Lymphozyten (S. 38), verfügen über Oberflächenrezeptoren zur Bindung von Fc. Die komplementäre Struktur für die Bindung an Fc-Rezeptoren der Zelloberfläche sitzt im C_{H3}-Bereich des Fc-Fragments von IgG (s. Abb. 10 auf S. 56). Über Fc-Rezeptoren verfügende Zellen vermögen gewisse „zytophile" Antikörper zu binden, so daß diese auf der Zelloberfläche mit dem Antigen in Reaktion treten können (Rosettentest, s. Abb. 19 auf S. 84).

Eine Reihe von anderen für eine bestimmte Immunglobulinklasse charakteristischen biologischen Eigenschaften beruhen ebenfalls allein auf der Struktur des konstanten Anteils der schweren Ketten. Beispiele für an bestimmte Immunglobulinklassen gebundene, antigenunabhängige Eigenschaften sind die Zytophilie (IgE) und die Sekretion aus Schleimhäuten (IgA).

Theorien der Antikörperbildung

Die Reaktionsfähigkeit des Immunsystems verändert sich bei wiederholtem Kontakt mit demselben Antigen in charakteristischer Weise (S. 21). Auf einen ersten Kontakt hin bilden sich Gedächtniszellen; der auf jede weitere Begegnung mit demselben Antigen synthetisierte Antikörper paßt jedes Mal genauer auf das Epitop, er wird avider. Das Immunsystem ist also fähig, aus der Erfahrung zu lernen. Im Verlauf des Lernprozesses werden in zunehmendem Maße Zellen mit den am besten passenden Paratopen selektioniert und zur Antikörpersynthese angeregt; in Zellen, die weniger avide Antikörper produzieren, wird dessen Synthese dagegen unterdrückt. Die diesem Vorgang zugrunde liegenden zellulären Mechanismen sind noch weitgehend unklar. Zur Erklärung der enormen Diversität der Antikörper sind 2 grundlegend verschiedene Theorien diskutiert worden.

Die *direktive (instruktive) Theorie*, welche verlassen wurde, beruhte auf der Vorstellung, daß sich das Paratop nach Eindringen des Epitops in die antikörperproduzierende Zelle an die fremde Struktur anzupassen vermöge. Das Antigen würde in der B-Zelle verbleiben und ihre weitere Antikörperproduktion regulieren.

Die *selektive Theorie* geht im Gegensatz dazu von der Vorstellung aus, daß sich das Epitop nur an jene wenigen B-Zellen binde, die bereits über ein komplementäres Paratop verfügen und sie so zur Differenzierung und zur Antikörpersynthese anzuregen vermöge (s. Abb. 8 auf S. 47). Die Theorie der *klonalen Selektion* von Burnet (1949 und 1959) beruht auf der Annahme einer außerordentlichen Vielfalt von B-Zellklonen, von denen ein jeder nur ein einziges oder nur sehr wenige Paratope synthetisieren kann; diese Zellklone könnten durch somatische Mutation des für den variablen Anteil verantwortlichen Gens entstehen. Es ist offensichtlich, daß die der primären und sekundären Immunantwort zugrunde liegenden Vorgänge mit der Selektionstheorie zwanglos erklärt werden können. Das gilt besonders für die zahlreichen Beobachtungen, die dafür sprechen, daß ein Individuum gegenüber Strukturen, mit denen es bereits in der Fetalperiode in Kontakt gekommen war, keine Immunantwort auslösen wird (Immuntoleranz, S. 96 ff.).

Es ist indessen nicht gesichert, ob die beim Erwachsenen bestehende Vielfalt in der Antikörperspezifität tatsächlich auf somatischer Mutation der B-Zellen beruht oder ob nicht vielmehr die hierfür erforderliche Information bereits in den ererbten Stammzellgenen und damit in allen B-Zellen enthalten ist; dabei wird allerdings nur 1 Gen exprimiert (Germ-line-Theorie). Verschiedene tierexperimentelle Beobachtungen sind auf jeden Fall schwerlich mit einer zufälligen somatischen Mutation der antikörperbildenden Zellen in Einklang zu bringen.

Man darf andererseits das Konzept, daß das Antigen bereits vorhandene, über den komplementären Rezeptor verfügende B-Zellen auswählt und mit ihnen reagiert, nicht allzu eng fassen. Auch wenn man davon ausgeht, daß der Mensch über etwa 10^{12} Lymphozyten mit begrenzter Fähigkeit zur Mutation verfügt, so ist doch kaum vorstellbar, daß sich für jedes denkbare Epitop a priori ein spiegelbildlich identisches komplementäres Paratop auf der Oberfläche eines Lymphozyten findet. Man nimmt deshalb an, daß ein Paratop eine Mehrzahl von Epitopen ähnlicher Struktur zu binden vermag. Nach Schätzungen sind zur Bindung aller möglichen Epitope 10^4–10^5 Paratope notwendig.

Eigenschaften der verschiedenen Immunglobulinklassen

Die gegen ein eindringendes Immunogen synthetisierten Antikörper sind in verschiedener Hinsicht uneinheitlich. Einerseits können sie sich gegen verschiedene Epitope auf dem gleichen Antigen richten. Die Spezifität des Antikörpers kann daher seine biologische Eigenschaft, z. B. die Fähigkeit zur Präzipitation oder zur Neutralisation eines Toxins, entscheidend beeinflussen. Andererseits kann die in Gang kommende Antikörperantwort in ihrer Verteilung auf die heute bekannten 5 Immunglobulinklassen unterschiedlich ausfallen. Der Anteil der verschiedenen Immunglobulinklassen an der Immunantwort ist u. a. von der Struktur, der Löslichkeit und der Konzentration des Antigens, dem Ort seiner Verabreichung, seiner Verweildauer sowie von der Existenz von Gedächtniszellen abhängig. Die Beziehung zwischen der Art des antigenen Reizes und dem Muster der Immunglobulinantwort erlaubt auch gewisse Rückschlüsse auf die von den einzelnen Ig-Klassen zu erfüllenden Aufgaben. Da sich diese Immunglobulinklassen und -subklassen, unabhängig von der immunologischen Spezifität, in ihren biologischen Eigenschaften stark voneinander unterscheiden, wird ihr Verteilungsmuster die biologischen Äußerungen der Immunantwort wesentlich mitbestimmen.

Die Immunglobulinklassen unterscheiden sich voneinander in ihrer Halbwertszeit, ihrer Fähigkeit zum Passieren von Membranen, zum Anhaften an gewisse Oberflächenrezeptoren und zur Sekretion sowie in zahlreichen weiteren biologischen Eigenschaften. Eine Zusammenstellung der wichtigsten physikalischen und biologischen Eigenschaften der Immunglobuline findet sich in Tab. 2. Einige weitere Charakteristika werden in der Folge kurz diskutiert.

Immunglobulin G

Der chemische Aufbau des IgG-Moleküls ist eingehend besprochen worden (S. 52 ff.). Im Serum des Menschen überwiegt IgG über die anderen Immunglobuline. Es hat eine relativ lange Halbwertszeit von 18–23 Tagen und weist daher einen im Vergleich zu IgM und IgA langsamen Katabolismus auf (Tab. 2). Bei einer primären Antigenstimulierung erfolgt immer zuerst eine IgM-Antwort; später tritt auch IgG auf. Bei einer Sekundärreaktion wird hingegen fast ausschließlich IgG gebildet (S. 89 ff.). Die biologische Bedeutung von IgG ergibt sich aus den folgenden Beispielen.

Tabelle 2 Physikalische und biologische Eigenschaften der Immunglobuline des Menschen*

	IgG	IgA	IgM	IgD	IgE
Schwere Ketten	γ	α	μ	δ	ε
Sedimentationskoeffizient	7	7	19	7	8
Molekulargewicht	150 000	160 000	950 000	185 000	190 000
Halbwertszeit (in Tagen)	21	6	5	3	2
Serumkonzentration (mg/100 ml)	900–1800	150–300	65–145	0,3–40	10–130 μg
Plazentapassage	+	0	0	0	0
Reaginaktivität	?	0	0	0	++++
Antibakterielle Lyse	+	+	+++	?	?
Virushemmung	+	+++	+	?	?
weitere Charakteristika	überwiegt in Körperflüssigkeiten und extravasal, bei der Sekundärreaktion	überwiegt in Sekreten und auf Schleimhäuten	Agglutination, erste Abwehr, natürliche Antikörper, Rezeptorfunktion, überwiegt bei der Primärreaktion	Rezeptorfunktion (?)	induziert durch Parasiten und gewisse Allergene

* Auf die Fähigkeit der verschiedenen Immunglobulinklassen, Komplement von C1 bzw. von C3 aus aktivieren zu können, wird in Abb. 1 (S. 11) hingewiesen.

Dank seiner Fähigkeit, Membranen passieren zu können, vermag IgG beim Menschen als einziges Immunglobulin durch die Plazenta in den fetalen Kreislauf zu gelangen. Die selektive Passage vom mütterlichen in den kindlichen Organismus beruht nicht auf einfacher Filtration, sondern auf aktivem Transport durch den Trophoblasten; für diese Selektivität des Transportsystems sind Strukturen im Fc-Anteil des IgG-Moleküls verantwortlich. Mütterliches IgG vermag dem Kind in den ersten Lebenswochen Schutz gegenüber jenen Infektionskrankheiten zu bieten, gegen die die Mutter immun ist (S. 105). IgG vermag die Plazenta nur beim Menschen und bei bestimmten Nagern zu passieren. Bei den anderen Spezies, z. B. beim Kalb, ist dies nicht der Fall; sie zeigen daher bei Geburt eine ausgesprochene Hypogammaglobulinämie.

Ähnlich leicht wie in den Fetus vermag IgG auch in den wirtseigenen extravaskulären Raum zu gelangen und kann dort zur Ausschaltung von Mikroorganismen beitragen. Das Aufeinandertreffen von Bakterien mit gegen sie gerichtetem IgG führt zur Bildung von Immunkomplexen; die freien Fc-Fragmente können mit entsprechenden Rezeptoren versehenen phagozytierenden Zellen als Ansatzpunkte für die Phagozytose dienen (S. 84). Mit IgG-Antikörper beladene Zellen können durch bestimmte, über Fc-Rezeptoren verfügende Zellen (K-Zellen, S. 94) oder aber infolge Aktivierung des Komplementsystems (S. 11) abgetötet werden; hierfür sind 2 auf der Zelloberfläche benachbart liegende IgG-Moleküle nötig (S. 12). Gewisse Befunde sprechen dafür, daß IgG unter bestimmten Voraussetzungen Komplement auch von C3 aus aktivieren kann, wobei die Aktivierung möglicherweise vom $F(ab')_2$-Abschnitt ausgeht.

Die Antigenanalyse von IgG aus menschlichen Myelomen hat weitere Unterschiede im Aufbau der schweren Ketten aufgezeigt, aufgrund derer 4 Subklassen von IgG unterschieden werden (S. 69). Diese zeigen verschiedene biologische Verhalten.

Subklassen von IgG

Die Antigenanalyse von IgG des Menschen (S. 69) hat gezeigt, daß die schweren (γ-)Ketten in 4 verschiedenen Formen vorkommen; diese 4 Subklassen, IgG_1, IgG_2, IgG_3 und IgG_4, können mittels spezifischer Antiseren, die Unterschiede im Fc-Anteil aufdecken, voneinander unterschieden werden. Die Moleküle dieser Subklassen von IgG unterscheiden sich auch bezüglich der Zahl und der Lage der Disulfidbrücken. Im Normalserum des Menschen gehören 65 % der IgG-Moleküle zu IgG_1, 23 % zu IgG_2, 8 % zu IgG_3 und 4 % zu IgG_4. Diese Subklassen zeigen auch ein unterschiedliches biologisches Verhalten, das aber noch ungenügend charakterisiert ist. Immerhin scheint gesichert, daß sowohl die von C1 ausgehende Aktivierung von Komplement wie die Fähigkeit zur Bindung an mononukleäre Phagozyten an die Subklassen IgG_1 und IgG_3 gebunden sind, während IgG_2 und IgG_4 hierzu nur in sehr beschränktem Grade fähig sind.

Immunglobulin A

Der vom IgM-Oberflächenimmunglobulin tragenden B-Lymphozyten ausgehende Differenzierungsprozeß führt in seinem terminalen Schritt zum IgA-produzierenden B-Lymphozyten (S. 44); dieser terminale Differenzierungsvorgang ist T-Zell-abhängig. B-Zellen, die genetisch für die Synthese von IgA geprägt sind, finden sich vor allem in den lymphatischen Organen der Schleimhäute und des Magen-Darm-Traktes (Peyersche Plaques, Appendix). Man nimmt an, daß diese immunkompetenten B-Zellen über den Ductus thoracicus und den Blutkreislauf die Lamina propria der Schleimhaut erreichen, wo sie sich zu IgA-produzierenden Plasmazellen entwickeln. Das von ihnen sezernierte IgA kann entweder auf die Schleimhaut oder über die Lymphwege ins Blut gelangen.

IgA kommt in monomerer, dimerer und polymerer Form vor. Das aus zwei schweren und zwei leichten Ketten bestehende monomere IgA-Molekül hat ein Molekulargewicht von etwa 170 000. Jede der schweren Polypeptidketten setzt sich, ähnlich wie beim IgG-Molekül, aus einer variablen und 3 konstanten Domänen zusammen. Bei bestimmten Allotypen der IgA_2-Subklasse fehlt auffallenderweise die Disulfidbrücke, die die leichte mit der schweren Kette verbindet; in diesen Molekülen sind die leichten Ketten durch nicht kovalente Bindung an die schweren Ketten gebunden. IgA-Monomere haben die Tendenz zur Bildung von Oligomeren. Dabei werden die einzelnen Monomere durch ein zysteinreiches Polypeptid mit einem Molekulargewicht von etwa 25 000, die sog. *J-Kette*, zusammengehalten (Abb. 11). Der Grad der Polymerisierung von IgA hängt daher wesentlich von der Verfügbarkeit von J-Ketten ab. Die J-Kette

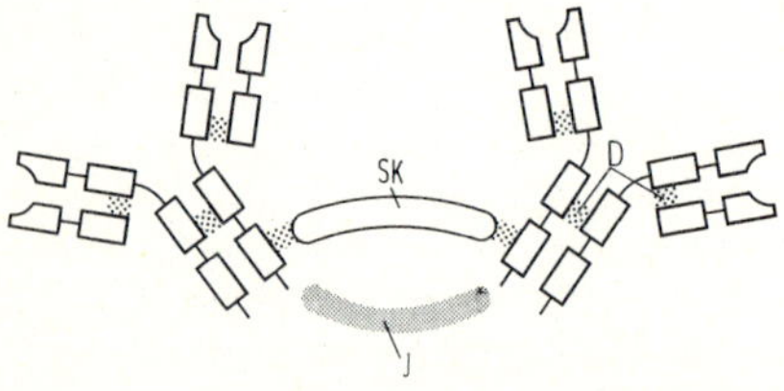

Abb. 11 Hypothetisches Strukturmodell des sekretorischen IgA. Es ist zur Zeit noch unklar, in welcher Weise die J-Kette (J) gebunden ist. SK = sekretorische Komponente, D = Disulfidbrücken.

ist das Produkt der gleichen Plasmazelle, die das oligomere Immunglobulin synthetisiert.

Man nimmt an, daß ein erheblicher Teil des im *Serum* vorhandenen IgA aus den schleimhautnahen lymphatischen Organen stammt; als weitere Quellen gelten Milz, Lymphknoten und Knochenmark. Beim Menschen findet sich IgA im Serum mehrheitlich in monomerer Form; daneben kommt es aber auch als Dimer vor (bis zu 35 μg/ml Serum).

Ein Großteil des von den Plasmazellen der exokrinen Drüsen und der Schleimhäute synthetisierten IgA wird als Dimer auf die Schleimhaut sezerniert. Dieses IgA-Dimer gelangt nach Passage des interstitiellen Gewebes und der Basalmembran in das Schleimhautepithel. Die Epithelzellen der Lieberkühnschen Krypten liefern ein weiteres, aus einer einzigen Peptidkette bestehendes Protein mit einem Molekulargewicht von 60 000, die *sekretorische Komponente.* Im Bereich der Epithelzelle bindet das IgA die sekretorische Komponente und kann in dieser Form, als sekretorisches IgA-Molekül mit einer Sedimentationskonstante von 11S, ins Lumen sezerniert werden. Die sekretorische Komponente ist ohne Zweifel für diesen spezifischen Transportmechanismus nötig; es mag ihr aber auch deshalb eine wichtige Rolle zufallen, weil sie vermutlich das einmal sezernierte Immunglobulinmolekül vor proteolytischem Abbau schützt und damit seine wichtige lokale biologische Funktion auf den Schleimhäuten überhaupt ermöglicht. IgA überwiegt in den exokrinen Sekreten bei weitem über die anderen Immunglobuline; so wird es in das Kolostrum, die Milch, den Speichel, die Tränenflüssigkeit, in die Sekrete der Schleimhäute von Respirations- und Gastrointestinaltrakt, sowie in die Galle und die Harnwege sezerniert. Es hat die Aufgabe, die Anlagerung und das Eindringen von Mikroorganismen und anderen Antigenen in die Schleimhaut zu verhindern.

IgA vermag die Komplementkette nicht von C1 aus zu aktivieren. Es verfügt aber anscheinend über Möglichkeiten, Komplement auf anderem Wege zu aktivieren. So weisen Beobachtungen darauf hin, daß IgA, vermutlich durch ein Zusammenwirken mit Lysozym, polymorphkernigen Leukozyten und Komplement, gramnegative Bakterien abzutöten vermag. Andere Beobachtungen zeigen, daß IgA von Myelompatienten sowie IgA der Maus Komplement von C3 aus aktivieren können; man hat daher in Betracht zu ziehen, daß durch Antigenbindung, Aggregation oder chemischen Einfluß modifiziertes IgA die Fähigkeit erlangt, Komplement von C3 aus aktivieren zu können (s. Abb. 1 auf S. 11). Durch welchen Anteil im IgA-Molekül diese Komplementaktivierung erfolgt, ist noch unklar.

Immunglobulin M

IgM kommt in 2 molekularen Formen vor: auf Zelloberflächen als Monomer, im Serum als Pentamer. Die schweren Polypeptidketten von IgM weisen im Vergleich zum IgG- und IgA-Molekül eine zusätzliche Domäne im konstanten Abschnitt auf, C_{H4} (s. Abb. 10 auf S. 56); das IgM-Molekül verfügt über einen relativ hohen Anteil von Kohlehydrat. Die IgM-Moleküle im Serum sind aus 5 Grundeinheiten bestehende, durch J-Ketten (S. 64) im Bereich der C_{H3}-Domäne zusammengehaltene Polymere mit einem Molekulargewicht von etwa 950 000 (Abb. 12) und einer Sedimentationskonstante von 19S. Das intakte IgM-Pentamer verfügt über 10 Bindungsstellen für das Epitop, von denen aber in der Regel gegenüber größeren Antigenen, wohl aus sterischen Gründen, nur 5–8 wirksam werden.

IgM erscheint sowohl in der Phylogenese als auch in der Ontogenese als erstes Immunglobulin; die im Verlauf einer Primärreaktion zuerst auftretenden Antikörper gehören zur Klasse IgM. Es ist anzunehmen, daß das phylogenetische Alter von IgM und die selektiven Kräfte, die zu seiner Erhaltung in der Wirbeltierentwicklung führten, in erster Linie auf der Rolle von monomerem IgM als Zelloberflächenrezeptor für Antigen beruhen.

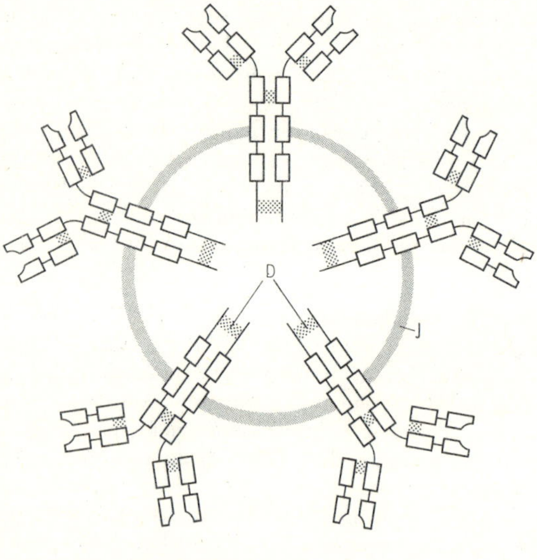

Abb. 12 Pentameres IgM. IgM-Monomere werden durch im Fc-Abschnitt bindende Polypeptide, die J-Ketten, zu Pentameren vereinigt. D = Disulfidbrücken.

Auf die Schlüsselrolle, die monomerem IgM (7S) als *Oberflächenimmunglobulin* bei der Reifung und Differenzierung der B-Lymphozyten zukommt, ist bereits eingehend hingewiesen worden (S. 43 ff.). Die meisten B-Zellen tragen auf der Zelloberfläche antigenspezifische Rezeptoren der IgM-Klasse.

Das pentamere IgM im *Serum* kann infolge seines hohen Molekulargewichtes normalerweise die Gefäßwand nicht passieren, wohl aber bei entzündlicher Erhöhung der Gefäßpermeabilität. Sein Wirkungsbereich ist daher im wesentlichen auf das intravasale Kompartiment beschränkt. Polymere IgM-Antikörper verfügen infolge ihrer zahlreichen Bindungsstellen über beträchtliche Fähigkeiten zur Opsonisierung (S. 84), Agglutination (S. 81) und Komplementaktivierung (S. 12); sie sind diesbezüglich wesentlich wirksamer als IgG. IgM kann, ähnlich wie IgG, Komplement von C1 aus aktivieren. Die Bindung von C1q an die C_{H4}-Domäne des IgM kann aber offenbar erst erfolgen, nachdem, entweder durch Bindung von Antigen an Fab oder durch unspezifische Aggregation von IgM, eine entsprechende Veränderung im Fc-Bereich eingetreten ist (Abb. 20 auf S. 86). Der Mechanismus, der diesem Vorgang zugrunde liegt, konnte noch nicht geklärt werden. Man hat gute Gründe für die Annahme, daß dem IgM bei der ersten Abwehr von in der Zirkulation auftretenden Mikroorganismen eine wesentliche Bedeutung zukommt; bei IgM-Mangel kommt es häufig zu Sepsis. Die biologische Bedeutung der IgM-Antikörper wird dadurch unterstrichen, daß die Isohämagglutinine (Anti-A, Anti-B; S. 132), viele der sog. „natürlichen" Antikörper, Antikörper gegen Endotoxine gramnegativer Bakterien und sog. „Wassermann"-Antikörper mehrheitlich der IgM-Klasse angehören. Die Tatsache, daß IgM nicht von der Mutter auf den Feten übergeht, kann u. U. auch diagnostische Bedeutung haben (Zytomegalie, Toxoplasmose, Röteln).

Immunglobulin D

Das IgD-Molekül ist wie IgG aus zwei schweren und zwei leichten Polypeptidketten aufgebaut und weist einen hohen Anteil an Kohlehydraten auf (s. Tab. 2 auf S. 62). Es verfügt aber, ähnlich wie IgM und IgE, über eine zusätzliche Domäne im konstanten Anteil der schweren Ketten, C_{H4} (s. Abb. 10 auf S. 56). Die biologische Bedeutung von IgD ist noch weitgehend unbekannt. Es ist im Serum nur in sehr geringer Konzentration nachweisbar, spielt aber offenbar als Oberflächenrezeptor in der Differenzierung der B-Lymphozyten eine entscheidende Rolle (S. 43 ff.). Man nimmt insbesondere an, daß die IgD-tragende B-Zelle sich auf einen antigenen Reiz hin in einen IgG-, IgA- oder IgE-synthetisierenden B-Lymphozyten differenzieren könne. Beim Umschalten der B-Zelle auf die Synthese einer anderen Immunglobulinklasse mit unveränderter Antikörperspezifität spielt möglicherweise die hohe Empfindlichkeit von IgD gegenüber Proteasen eine wichtige Rolle. Von Myelompatienten stammendes IgD vermag nach chemischer Aggregation, ähnlich wie IgA und IgE, Komplement von C3 aus zu aktivieren (s. Abb. 1 auf S. 11); die Aktivierung geht vom Fc-Fragment aus.

Immunglobulin E (Reagin)

Das IgE-Molekül setzt sich, wie das IgG-Molekül, aus 2 schweren und 2 leichten Polypeptidketten zusammen. Der konstante Abschnitt der schweren Ketten verfügt jedoch, wie im IgM und IgD, über eine zusätzliche Domäne, C_{H4}. IgE hat ein Molekulargewicht von 190 000 und weist, ähnlich wie IgM und IgD, einen relativ hohen Anteil an Kohlehydraten auf. Seine besonderen Eigenschaften verdankt es dem Aufbau seiner schweren Ketten (ε).

Im Organismus finden sich nur relativ wenige Plasmazellen, die IgE synthetisieren. Da sich dieses Immunglobulin nach seiner Sekretion rasch und fest an bestimmte Gewebe bindet, bleibt seine Konzentration im Serum üblicherweise äußerst gering. Gewisse spezialisierte Zelltypen, die Mastzellen und die basophilen Leukozyten, haben auf ihrer Oberfläche Rezeptoren für das Fc-Fragment von IgE. Diese Zellen vermögen aber nur homologes bzw. IgE von nahe verwandten Spezies zu binden. Zellgebundener IgE-Antikörper kann für Wochen oder gar Monate im Gewebe verbleiben, hat also eine wesentlich längere Halbwertszeit als IgE im Serum (s. Tab. 2 auf S. 62). Die Interaktion von zellständigen IgE-Molekülen mit dem entsprechenden Antigen kann die Symptome der *Anaphylaxie* auslösen (S. 120). Aggregiertes Myelom-IgE kann, ähnlich wie IgA und IgD, das Komplementsystem von C3 aus aktivieren (s. Abb. 1 auf S. 11). Die physiologische Bedeutung des IgE ist immer noch unbekannt. Es scheint jedoch zur Ausstoßung gewisser Darmparasiten beizutragen.

Immunglobulinvarianten

Die parenterale Verabreichung eines gereinigten Immunglobulins, z. B. von Myelomproteinen (S. 115), löst bei einer anderen Spezies eine Immunantwort aus. Die Spezifität der gebildeten Antikörper richtet sich erfahrungsgemäß in erster Linie gegen das für das betreffende Immunglobulin charakteristische Antigen, die schwere Polypeptidkette. Mit derartigen Antiseren ist die Existenz der verschiedenen Immunglobulinsubklassen (IgG_1, IgG_2, IgG_3, IgG_4 sowie IgA_1 und IgA_2) aufgedeckt worden.

Neben den zwischen den verschiedenen Immunglobulinklassen und -subklassen bestehenden antigenen Differenzen finden sich aber individuelle, etwa den Blutgruppen (S. 131) vergleichbare Unterschiede im Antigencharakter der schweren und leichten Ketten der Immunglobulinmoleküle. Diese genetisch festgelegten Unterschiede werden als *Allotypen* bezeichnet. Man kann zwischen den Gm- und den Inv-Gruppen unterscheiden. Bei den *Gm*-Gruppen findet sich in einem umschriebenen Bereich der schweren Kette von IgG eine unterschiedliche Aminosäuresequenz. Die *Inv*-Faktoren stellen individuelle Antigenvarianten dar, die in den leichten Polypeptidketten jeder Immunglobulinklasse vorkommen können.

Gelegentlich kann sogar die Immunisierung mit Immunglobulinen desselben Allotyps zur Bildung von Antikörpern führen. Die Spezifität dieser Antikörper richtet sich gegen immunogene Determinanten in den variablen Abschnitten der leichten und schweren Ketten. Antikörper verschiedener Spezifität unterscheiden sich in diesem Bereich in der Aminosäuresequenz und damit in ihrer Immunogenität voneinander. Diese als *Idiotypen* bezeichneten antigenen Determinanten sind für die Immunglobulinmoleküle eines bestimmten antikörperproduzierenden Zellklons charakteristisch.

β_2-Mikroglobulin

β_2-Mikroglobulin (β_2M) ist ein aus einer einzigen Polypeptidkette von etwa 100 Aminosäuren bestehendes Protein mit einem Molekulargewicht von ca. 12 000. Es wird hier im Zusammenhang mit den Immunglobulinen erwähnt, weil seine Aminosäuresequenz interessanterweise derjenigen eines als Domäne umschriebenen Kettenabschnittes im konstanten Anteil von IgG, insbesondere von C_{H3}, recht ähnlich ist (S. 56). Das hat zur Vermutung geführt, daß β_2-Mikroglobulin aus demselben Ur-Gen hervorgegangen sein könnte wie der erwähnte Kettenabschnitt des Immunglobulinmoleküls. β_2M findet sich beim Menschen als Bestandteil der Plasmamembran in allen kernhaltigen Zellen. Im Serum normaler Individuen ist seine Konzentration gering. Bei Patienten mit tubulärem Nierenschaden kann es in größeren Mengen im Urin erscheinen; bei intakter Nierenfunktion wird das glomerulär filtrierte Molekül tubulär rückresorbiert und katabolisiert.

β_2M ist immunologisch von besonderem Interesse, weil die auf der Zellmembran vorhandenen β_2M-Moleküle offenbar nichtkovalent an

Histokompatibilitätsantigene gebunden sind (S. 171). Daraus ergibt sich eine strukturelle Verwandtschaft zwischen den Effektormolekülen des humoralen Immunsystems (S. 52 ff.), den Immunglobulinen und dem Histokompatibilitätssystem. Das ist möglicherweise auf eine gemeinsame entwicklungsgeschichtliche Herkunft der beiden Systeme zurückzuführen.

Literatur

Capra, J. D., J. M. Kehoe: Hypervariable regions, idiotypy and antibody-combining site. Advanc. Immunol. 20 (1975) 1

Cinader, B., S. Dubiski: Suppression of immunoglobulin formation with antibody against immunoglobulin. Brit. med. Bull. 32 (1976) 171

Cohn, M.: A rationale for ordering the data on antibody diversification. In: Progress in Immunology II, Vol. II, hrgs. von L. Brent, J. Holborow. North-Holland Publishing Co., Amsterdam 1974 (S. 261)

Cunningham, A. J.: The Generation of Antibody Diversity. A New Look. Academic Press, London 1976

Day, E. D.: Advanced Immunochemistry, Williams & Wilkins, Baltimore 1972

Edelman, G. M.: Antibody Structure and Molecular Immunology. Science 180 (1973) 830

Gally, J. A.: Structure of immunoglobulins. In: The Antigens, hrsg. von M. Sela, Academic Press, New York 1974 (S. 161)

Lamm, M. E.: Cellular Aspects of Immunoglobulin A. Advanc. Immunol. 22 (1976) 223

Metzger, H.: Effect of antigen binding on the properties of antibody. Advanc. Immunol. 18 (1974) 169

Natvig, J. B., H. G. Kunkel: Human immunoglobulins: Classes, subclasses, genetic variants, and idiotypes. Advanc. Immunol. 16 (1973) 1

Oudin, J.: Idiotypy of antibodies, In: The Antigens, hrsg. von M. Sela. Academic Press, New York 1974 (S. 277)

Porter, R. R.: Structural studies of immunoglobulins. Science 180 (1973) 713

Sercarz, E. E., A. R. Williamson, C. F. Fox: The Immune System; Genes, Receptors, Signals. Academic Press, New York 1974

Spiegelberg, H. L.: Biological activities of immunoglobulins of different classes and subclasses. Advanc. Immunol. 19 (1974) 259

Tomasi, T. B.: The Immune System of Secretion. Prentice-Hall, Englewood Cliffs/N.J. 1976

Vitetta, E. S., J. W. Uhr: Immunoglobulin-Receptors Revisited. Science 189 (1975) 964

Interaktion von Antigen und Antikörper in vitro

Aus der Struktur der Immunglobuline geht hervor, daß das Antikörpermolekül über mindestens 2 identische Bindungsstellen für das Antigen verfügt, also mindestens bivalent ist. Die meisten Antigenmoleküle setzen sich aus unterschiedlichen, z. T. gelegentlich wiederholenden, z. B. etwa 8–12 Aminosäuren einer Polypeptidkette umfassenden Bereichen zusammen, die ein Epitop bzw. eine antigene Determinante darstellen. Die meisten Antigene sind also polyvalent. Da ein einzelner B-Lymphozyt nur Antikörper einer einzigen Spezifität synthetisieren kann, führt ein verschiedene Epitope aufweisendes Antigen über die Stimulation verschiedener B-Zellen zur Synthese von verschiedenen Antikörpern mit unterschiedlicher Spezifität.

Die In-vitro-Interaktion von Antigen und Antikörper kann entweder direkt oder anhand von Folgereaktionen nachgewiesen werden. Auf einige gebräuchliche Methoden wird in der Folge kurz eingegangen. Die meisten beruhen auf dem Prinzip, die Interaktion von Epitop und Paratop durch einen geeigneten Verstärkermechanismus leicht erfaßbar zu machen.

Methoden zur Erfassung der Interaktion von Antigen und Antikörper

Diese Methoden erlauben die quantitative Erfassung der eingetretenen Antigen-Antikörper-Reaktion durch exakte Bestimmung der Reaktionspartner im entstandenen Komplex. Nur in relativ seltenen Fällen (z. B. bei gewissen Polysaccharidantigenen) sind Antigen und Antikörper voneinander so verschieden, daß ihre quantitative Bestimmung ohne große Schwierigkeiten möglich ist. Meist wird es nötig sein, den einen oder anderen Reaktionspartner in der einen oder anderen Weise zu markieren. Neuerdings ist es auch möglich, mit anspruchsvollen physikalisch-chemischen Methoden Aufschlüsse über den quantitativen Verlauf der Antigen-Antikörper-Reaktion zu erhalten. Das kann z. B. durch Verfolgen der Tryptophanylfluoreszenz des Antikörpers, durch Messen der Veränderung der Fluoreszenzpolarisation (z. B. fluoreszierender Haptene), oder durch Verwendung anderer Verfahren, die Strukturveränderungen im Antikörpermolekül anzeigen, erreicht werden.

Methoden zur Bestimmung der Antigenbindungsfähigkeit

Wir verfügen über zahlreiche Methoden zur Ermittlung des Antikörpergehaltes. Sie beruhen auf der Bestimmung der Fähigkeit des Antiserums, ein radioaktiv markiertes Antigen zu binden oder an ein z. B. durch Vernetzen oder Kombination mit einem festen Träger unlöslich gemachtes Antigen, gebunden zu werden. Weil sich die im Serum vorhandene Antikörperpopulation bezüglich ihrer Avidität gegenüber einem Antigen regelmäßig recht uneinheitlich verhält, so werden die mit den vorliegenden Bestimmungsmethoden erhaltenen Ergebnisse sowohl von der Konzentration als auch von der Affinität der Antikörper sowie der Art und Empfindlichkeit des Tests abhängen. Sie geben daher nur ein relatives Maß für die Konzentration an spezifischem Antikörper.

Kritisch bei diesen Methoden ist die Trennung des gebundenen vom ungebundenen Reaktionspartner. Die folgenden Methoden unterscheiden sich in diesem kritischen Schritt.

Ammonsulfat-Präzipitation (Farr)

Nach Interaktion des radioaktiv markierten Antigens mit dem Antikörper wird der entstandene Immunkomplex durch gesättigtes Ammonsulfat gefällt; ungebundenes radioaktives Antigen bleibt dagegen in Lösung. Die Methode kann nur für jene Antigene angewendet werden, die bei dieser Salzkonzentration nicht ausfallen.

Kopräzipitation mit Anti-Immunglobulin

Bei dieser Technik wird das im Immunkomplex gebundene Antigen mittels Anti-Immunglobulinserum kopräzipitiert, während das ungebundene radioaktive Antigen gelöst bleibt. Mit spezifisch gegen bestimmte Immunglobulinklassen gerichteten Antiseren ist es so möglich, ein Verteilungsmuster der Antikörperaktivität auf die verschiedenen Klassen zu erhalten.

Quantitative Immunadsorption

Durch Vernetzen mit Glutaraldehyd oder Bisdiazobenzidin unlöslich gemachte Antigene binden aus Serum selektiv die komplementären Antikörper. Die Menge des adsorbierten Antikörpers kann auf verschiedene Weise erfaßt werden.

- Nach sorgfältigem Auswaschen kann das Präparat bei niedrigem pH in löslichen Antikörper und unlösliches Antigen, das durch Zentrifugation abgetrennt wird, dissoziiert werden. Die Menge an

Antikörper und seine Zugehörigkeit zu den einzelnen Immunglobulinklassen kann im sonst proteinfreien Überstand ermittelt werden. Dieser Test findet bei rheumatischen Erkrankungen zur Routinebestimmung von Antiglobulinfaktoren Anwendung.

- An ein unlösliches Antigen gebundener Antikörper kann auch quantitativ erfaßt werden, indem man ihn mit einem radioaktiv markierten Anti-Immunglobulin-Antikörper reagieren läßt und die Radioaktivität des gewaschenen Komplexes bestimmt. Praktisch wird dieser Test zur Ermittlung von IgE-Antikörpern bei Allergikern verwendet (S. 120 ff.). Das Antigen oder Allergen wird kovalent an ein Filterpapier gebunden und dann mit Patientenserum versetzt. Die Menge an spezifisch gebundenem IgE ergibt sich aus der Radioaktivität des in einem weiteren Schritt gebundenen, radioaktiv markierten Anti-IgE (Abb. 13, S. 74).

Radioimmunologische Methoden

Bei den radioimmunologischen Methoden sind Spezifität, Genauigkeit und Einfachheit in nahezu idealer Weise vereinigt. Sie haben daher im vergangenen Jahrzehnt, insbesondere auch im klinisch-diagnostischen Bereich, eine immer breitere Anwendung gefunden.

Das Prinzip des sog. *„Radioimmunassay“ (RIA)* beruht darauf, daß die Interaktion von Antigen und Antikörper infolge radioaktiver Markierung eines der beiden Reaktionspartner quantitativ erfaßt werden kann. Dieser Test ist für den praktischen Gebrauch in verschiedener Weise variiert und modifiziert worden. So wird z. B. die Fähigkeit eines Antikörpers zur Bindung des komplementären, radioaktiv markierten Antigens durch nicht markiertes Antigen konzentrationsabhängig gehemmt. Das Ausmaß der durch das nicht markierte Antigen erzeugten Hemmung kann anhand des ungebundenen radioaktiv markierten Antigens quantitativ erfaßt werden. Methodisch entscheidend ist dabei die zuverlässige Trennung von freiem und gebundenem radioaktiv markiertem Antigen. Dabei gelangen u. a. Kopräzipitation der Immunkomplexe mittels Anti-Immunglobulin-Antiserum, sowie Adsorption von freiem Antigen an oberflächenaktive Stoffe, z. B. Holzkohle, zur Anwendung. Mit dem RIA lassen sich zahlreiche, auch niedermolekulare Verbindungen, wie z. B. Steroide und Peptidhormone bestimmen; weitere Anwendungen findet diese Methode in der Tumorimmunologie und der Virusdiagnostik.

Die Trennung von gebundener und ungebundener Radioaktivität kann auch dadurch erleichtert werden, daß Antigen oder Antikörper an eine feste Phase gekoppelt werden. Ein solcher, sog. *Radio-*

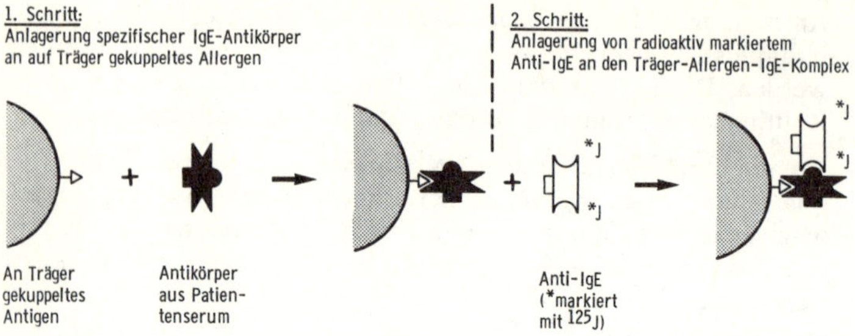

Abb. 13 Radioallergosorbent-Test (RAST). Quantitative Bestimmung von gegen ein bestimmtes Allergen gerichtetem IgE-Antikörper (mit frdl. Genehmigung von Prof. *L. Kerp*, Med. Univ.-Klinik, Freiburg).

immunsorbent-Test (RIST) kann ebenfalls in verschiedener Weise variiert werden. Ein Beispiel hierfür ist der als Screening-Test zum Nachweis und zur Titration von Tetanusantitoxin in Humanseren entwickelte RIST. Dabei bindet an Zellulose gekoppeltes Tetanustoxoid bei Inkubation mit Serum das darin vorhandene Tetanusantitoxin. Der gebundene, unlösliche Antikörper (das Antitoxin) wird mit radioaktiv markiertem Anti-Immunglobulin-Antikörper nachgewiesen. Die nach wiederholtem Waschen am Sorbens gebunden bleibende Aktivität ist direkt proportional zum Tetanus-Antitoxingehalt des Serums. Eine entsprechende Methode wird zur routinemäßigen Bestimmung des IgE-Spiegels im Serum verwendet. Hier konkurrieren Serum-IgE und radioaktiv markiertes Myelom-IgE um die Bindung durch Anti-IgE-Antikörper. Der IgE-Gehalt des Serums ist indirekt proportional der Menge des gebundenen markierten IgE.

Zum Nachweis von spezifischem, gegen ein bestimmtes Allergen gerichtetem IgE-Antikörper dient der sog. *Radioallergosorbent-Test (RAST;* Abb. 13). Das Patientenserum wird mit dem an eine feste Phase (z. B. Sephadexpartikel) gekoppelten Allergen inkubiert. Die gewaschenen Partikel werden dann mit radioaktiv markiertem Anti-IgE-Antikörper gemischt; die nach erneutem Waschen gebunden bleibende Radioaktivität ist dem Antikörpergehalt proportional (Abb. 13).

Markierte Antikörper zur Lokalisation von Antigenen

Die Interaktion von Antigen und Antikörper kann auch durch Sichtbarmachen des Antikörpers lokalisiert werden. Dies kann dadurch erreicht werden, daß z. B. Fluorochrome oder Enzyme, die zu sichtbaren Reaktionsprodukten führen, oder aber große, im Elektronenmikroskop erkennbare Moleküle an das Antikörpermolekül gekuppelt werden.

Immunfluoreszenz

Bei mit Fluorochromen (Fluoreszein, Rhodamin) konjugierten Antikörpern ist die Fähigkeit zur spezifischen Bindung des Antigens unverändert erhalten. Im Gewebe können sie lichtmikroskopisch aufgrund ihrer Fluoreszenz im UV-Licht lokalisiert werden. Diese Methode kann sowohl zur Erfassung des Verteilungsmusters einer antigenen Struktur im Gewebe wie auch der gegen bestimmte Gewebestrukturen gerichteten Antikörper verwendet werden (s. Abb. 14).

Die Methode wird im wesentlichen in drei Varianten angewendet. Im einfachsten Fall wird ein gegen eine bestimmte Gewebestruktur gerichteter Antikörper vorerst markiert und anschließend direkt mit dem Gewebe in Kontakt gebracht *(direkter Test)*. Als Alternative kann man das Gewebe zuerst mit dem unmarkierten, spezifischen Antikörper reagieren lassen und diesen dann nachweisen *(indirekter Test)*. Dieser Test hat den Vorteil, daß die Fluoreszenz dank der Bindung mehrerer fluoreszierender Antikörpermoleküle an ein einziges Antigenmolekül deutlich stärker ausfällt und daß dasselbe fluoreszierende Anti-Immunglobulin-Antiserum zum Nachweis zahlreicher, verschiedener Antikörper dienen kann. Zur Sicherung der Spezifität dieser Reaktion sind allerdings die nötigen Kontrollen einzubauen. Schließlich können zum Nachweis von Antikörpern auf Zelloberflächen diese zunächst mit löslichem Antigen und anschließend mit einem gegen dieses Antigen gerichteten fluorochromierten Antikörper behandelt werden. Da dabei das Antigen zwischen zellständigen und zugegebenen Antikörpermolekülen eingeklemmt wird, bezeichnet man dieses Vorgehen als Sandwich-Technik.

Andere Methoden zur Lokalisation der Antigen-Antikörper-Reaktion

An Antikörper gekuppelte Enzyme (Peroxydase, Phosphatase) können mit histochemischen Methoden sichtbar gemacht werden; ihre Anwendung hat sich in der Licht- und Elektronenmikroskopie bewährt.

An Antikörper gekuppeltes Ferritin, ein Eisenhydroxyd enthaltendes Eiweiß mit einem Molekulargewicht von ca. 750 000, eignet sich zur Lokalisierung von Antigenen auf der Zelloberfläche. Aufgrund der elektronendichten Eigenschaften des Eisenhydroxydkerns kann dieses Markermolekül elektronenmikroskopisch identifiziert werden (Abb. 14).

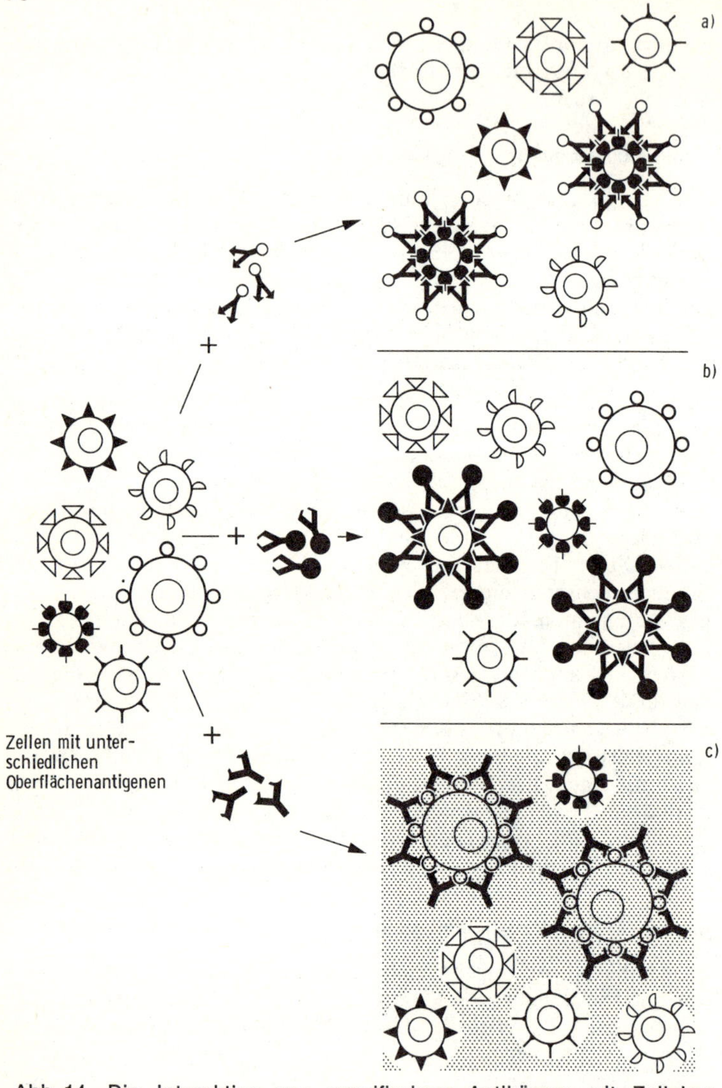

Abb. 14 Die Interaktion von spezifischem Antikörper mit Zelloberflächenantigenen. Diese kann mit verschiedenen Methoden erfaßt werden:

a) mit fluoreszierendem Antikörper (o),
b) mit Ferritin markiertem Antikörper (●),
c) durch Aufnahme von Farbstoff durch Zellen, die durch zytotoxische Antikörper geschädigt worden sind.

Methoden zur Erfassung von sekundären, der Antigen-Antikörper-Interaktion nachfolgenden Vorgängen

Im Gegensatz zu den im vorangehenden Kapitel besprochenen Methoden, welche auf der Interaktion zwischen Antigen und Antikörper an sich beruhen, erfassen andere Methoden Reaktionen, die der Interaktion von Paratop und Epitop nachfolgen. Zu diesen sekundären Äußerungen der Antigen-Antikörper-Interaktion sind u. a. die Präzipitation, die Agglutination, Komplementfixation und -lyse sowie die passive kutane Anaphylaxie zu zählen.

Präzipitation

Treffen Antigen und ein zur Präzipitation fähiger Antikörper in gelöster Form aufeinander, so bilden sich Antigen-Antikörper-Komplexe (Immunkomplexe). Die Art der dabei entstehenden Komplexe wird weitgehend durch das Verhältnis von Antigen und Antikörper bestimmt. Entsprechen sich die Reaktionspartner mengenmäßig einigermaßen, so bilden sich große, netzwerkartige Komplexe, die ausfallen: es entsteht ein von bloßem Auge erkennbares Präzipitat. Im Gegensatz dazu bilden sich im Antigen- oder Antikörperüberschuß kleine Immunkomplexe mit nur geringer oder ohne erkennbare Präzipitatbildung.

Quantitative Präzipitinreaktion

Mit der quantitativen Präzipitinreaktion (Heidelberger, 1930) wird die Folge der Interaktion verschiedener Mengenverhältnisse von Antigen und Antikörper quantitativ erfaßt. Dies wird durch Zufügen steigender Mengen Antigen zu konstanten Mengen Antiserum erreicht. Nach Inkubation und Zentrifugation wird die Menge des in jedem Röhrchen entstandenen Präzipitats ermittelt. Aus Abb. 15 ist ersichtlich, daß die Menge an Präzipitat weitgehend vom Verhältnis zwischen Antigen und Antikörper abhängt. Im Antikörperüberschuß bindet das polyvalente Antigenmolekül mehrere Immunglobulinmoleküle; es entstehen relativ kleine, meist unlösliche Gebilde, die ein nur geringes Präzipitat ergeben. Liegt das Antigen in deutlichem Überschuß vor, so sättigt es alle freien Valenzen der Antikörper ab; die für die Bildung unlöslicher Komplexe unerläßliche Netzwerkbildung ist nicht mehr möglich, so daß kein oder nur wenig Präzipitat entstehen kann. Liegen Antigen und Antikörper da-

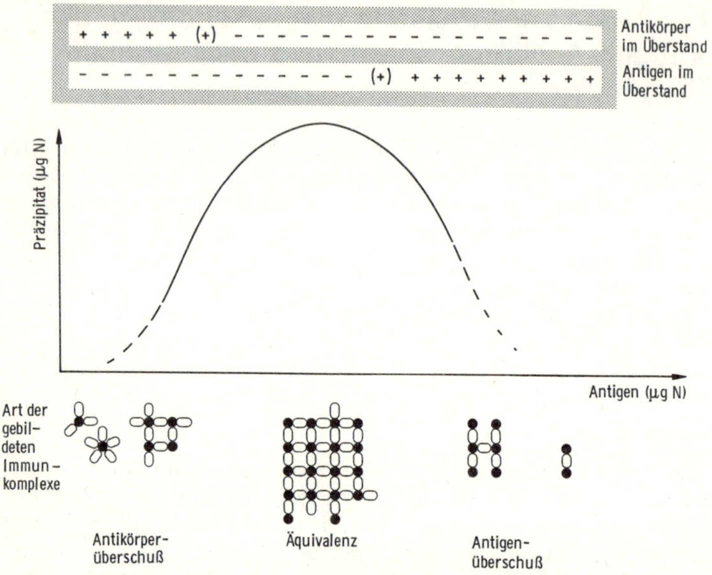

Abb. 15 Quantitative Präzipitinreaktion. Die Menge an Präzipitat und die Zusammensetzung wie auch die biologische Aktivität der Immunkomplexe sind von den Eigenschaften des Antikörpers sowie vom aktuellen Verhältnis von Antigen und Antikörper abhängig. Im vorliegenden Beispiel sind konstante Mengen von präzipitierendem Antikörper mit steigenden Mengen Antigen versetzt worden.

gegen in einem mehr oder weniger ausgewogenen Verhältnis vor (Äquivalenz), so führen die durch das Antigen vermittelten Bindungen zwischen benachbarten Antikörpermolekülen zu großen, netzwerkartigen Immunkomplexen (Abb. 15).

Weitere Informationen über die Interaktion der Reaktionspartner ergeben sich aus der Analyse der durch Zentrifugation gewonnenen Überstände. Durch Zufügen von Antigen kann die noch verbliebene Menge von Antikörper, durch Zufügen von Antikörper die Menge an im Überstand verbliebenem Antigen bestimmt werden. Äquivalenz besteht an jenem Punkt, wo im Überstand weder Antigen noch Antikörper nachweisbar sind (Abb. 15). Da bei diesem Mengenverhältnis Antigen und Antikörper vollständig im Präzipitat gebunden sind, kann hieraus auf den Antikörpergehalt des Serums geschlossen werden. Andererseits vermittelt die Analyse des im Antikörperüberschuß gebildeten Präzipitats, d. h. unter Bedingungen, unter denen alle Kombinationsstellen des Antigens mit Antikörper abgesättigt sind, Angaben über das im Immunkomplex vorliegende molare Verhältnis von Antigen und Antikörper und damit auch über die Wertigkeit des Antigens.

Die biologischen Eigenschaften der Immunkomplexe hängen entscheidend von ihrer Größe und von ihrer Löslichkeit ab. Die Größe des Komplexes wird einerseits durch die Größe des Antigenmoleküls und die Zahl seiner Epitopen, andererseits, wie oben dargelegt, durch das relative Mengenverhältnis von Antigen und Antikörper bestimmt. Die Löslichkeit der Komplexe wird durch die Natur der sie bildenden Komponenten und ihre Größe festgelegt. Wie erwähnt, ist grundsätzlich jede Interaktion zwischen Paratop und Epitop reversibel. Ein Immunpräzipitat kann deshalb durch Zufügen eines Überschusses von Antigen oder Antikörper wieder aufgelöst werden.

M Anti-Humanserum vom Pferd
a Humanserum
b Hämopexin 1 mg/ml
c Humanserum
d Rinderserum
e Mäuseserum
f β_1A-Globulin 2 mg/ml

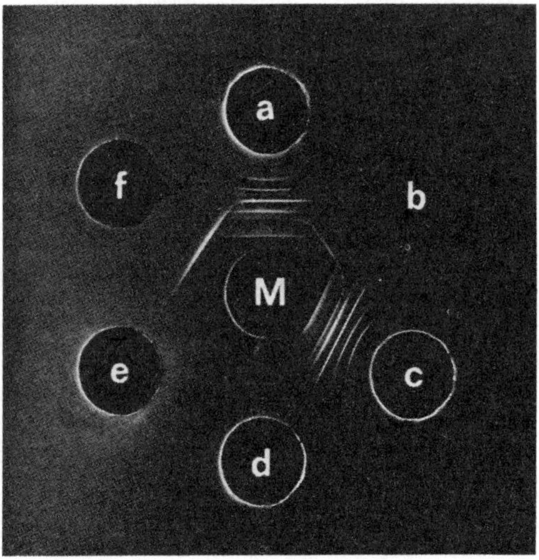

Abb. 16 Doppeldiffusion nach Ouchterlony.

Die aus der Agargelplatte ausgestanzten Löcher werden mit Antiserum bzw. mit verschiedenen Antigenen gefüllt; die zugedeckte Petri-Schale wird zur Ausbildung der Immunpräzipitate für 2–3 Tage bei Zimmertemperatur stehen gelassen. Jedes einzelne Antigen bildet eine isolierte Präzipitationslinie, die je nach der Diffusionsgeschwindigkeit und Konzentration des betreffenden Antigens näher oder weiter von der Ausgangsstelle entfernt liegt. Immunologisch identische Proteine ergeben lückenlos ineinander übergehende Präzipitationslinien (a, b und c bzw. a und f). Eine partielle immunologische Identität äußert sich in nur teilweise ineinanderlaufenden Präzipitationslinien (Spornbildung) (aus Behring Laboratoriumsblätter 3, Juli 1971).

Gelpräzipitation

Die Präzipitation in einem durchsichtigen Agargel stellt eine elegante und vielfach bewährte Modifikation der Präzipitinreaktion dar. Lösungen von Antigen und Antikörper, die in aus dem Agargel gestanzte Löcher einpipettiert worden sind, diffundieren in das Gel hinaus. Wo sich im Bereiche ihrer Begegnung Äquivalenz ergibt, entsteht ein Präzipitat, das häufig die Form einer scharf umschriebenen Linie aufweist *(Elek, Oudin)*.

Mittels Immundiffusion kann z. B. die Frage nach dem Bestehen einer immunologischen Verwandtschaft zwischen verschiedenen Antigenen beantwortet werden (s. Abb. 16). Falls die Antigene immunologisch identisch sind, so gehen die sich bildenden Präzipitinlinien ohne erkennbare Diskontinuität vollständig ineinander über; bei teilweiser Identität tritt ein Sporn in Erscheinung, während sich die mit nicht verwandten Antigenen formenden Präzipitinlinien überkreuzen (z. B. Doppeldiffusion nach Ouchterlony, 1946; s. Abb. 16).

Zahlreiche Verfeinerungen haben die Leistungsfähigkeit der Immundiffusion weiter erhöht. Bei der Immunelektrophorese (Grabar und Williams, 1953) werden die Antigene in einem ersten Schritt im

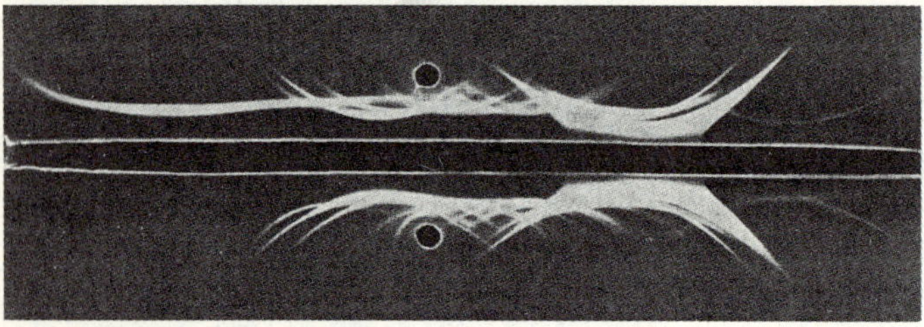

Abb. 17 Immunelektrophorese.
HS normales Humanserum
aH Anti-Humanserum vom Kaninchen
S1 Serum eines Patienten mit Agammaglobulinämie

Proteingemische, wie Serum und andere Körpersäfte, werden in Agargel elektrophoretisch aufgetrennt; dann läßt man ein präzipitierendes Antiserum gegen die elektrophoretisch aufgetrennten Proteine diffundieren. Dort, wo Antigen und Antikörper im Agar aufeinandertreffen, bilden sich gut erkennbare Präzipitate. Die Immunelektrophorese eignet sich u. a. zum Nachweis von Defekten in der Synthese von Plasmaproteinen. In der Abbildung ist oben die Immunelektrophorese eines normalen Humanserums (HS), unten diejenige eines Patienten mit Agammaglobulinämie (S_1; S. 109) wiedergegeben. Zur Entwicklung diente ein Anti-Humanserum (aH) vom Kaninchen (aus Behring Laboratoriumsblätter 3, Juli 1971).

elektrischen Feld aufgrund ihrer Ladung aufgetrennt. Ihre Lage wird anschließend durch Diffusion gegen ein geeignetes, multivalentes Antiserum in Form von typischen Präzipitationslinien sichtbar gemacht (Abb. 17). Diese Methode hat sich zur Charakterisierung von Serumeiweißen, insbesondere von Immunglobulinen, bewährt. Dabei hat sich gezeigt, daß sich die Moleküle einer bestimmten Immunglobulinklasse in bezug auf ihre elektrophoretische Wanderungsgeschwindigkeit keineswegs homogen verhalten; beim IgG, das diesbezüglich besonders uneinheitlich ist, reicht die Präzipitinlinie von Gamma- bis in den Alpha-2-Globulinbereich. Nicht weniger wichtig sind die *quantitativen Methoden der Immunpräzipitation,* bei denen das Antigen in ein gleichmäßig antikörperhaltiges Gel wandert. Aus dem bis zur völligen Bindung an den Antikörper zurückgelegten Weg lassen sich Rückschlüsse auf die Menge der vorhandenen Antigene ziehen (quantitative Radialpräzipitation nach Mancini, zweidimensionale Immunelektrophorese nach Laurell, Rocket-Elektrophorese).

Agglutination

Das Antikörpermolekül verfügt über mindestens 2 identische Bindungsstellen für das Antigen, mit denen es infolge seiner scharnierähnlichen Beweglichkeit sowohl mit nahe beieinander wie mit relativ weit auseinander liegenden Epitopen zu reagieren imstande ist. Daher können Antikörpermoleküle nicht nur lösliche Antigene zu Präzipitaten vernetzen, sondern sie vermögen durch Brückenbildung benachbart liegende Partikel zu aggregieren (Abb. 18). Antikörper, die über die Fähigkeit zur Aggregation bzw. Agglutination von Partikeln, insbesondere von Erythrozyten, verfügen, werden als *Agglutinine* bezeichnet. Die oft von bloßem Auge erkennbare Agglutination partikulärer Antigene durch Antikörper ist der einfachste Weg zur Bestimmung der Antikörperkonzentration in einem Serum. Bei den Partikeln kann es sich um Mikroorganismen oder Körperzellen handeln, die das Antigen als natürlichen Bestandteil auf ihrer Oberfläche tragen. Antigene können aber auch künstlich an die Oberflächen von Zellen oder von synthetischen Partikeln (Latex, Bentonit) gekuppelt werden (sog. passive Agglutination; S. 83).

Werden Zellen in vitro mit einem gegen eines ihrer Oberflächenantigene gerichteten Antikörper inkubiert, so bilden sich auf ihrer Oberfläche Antigen-Antikörper-Komplexe. Die Folgen einer Beladung der Zelle mit Immunkomplexen ist wesentlich von der Dichte des Antigens sowie von der Art und der Menge des zur Verfügung stehen-

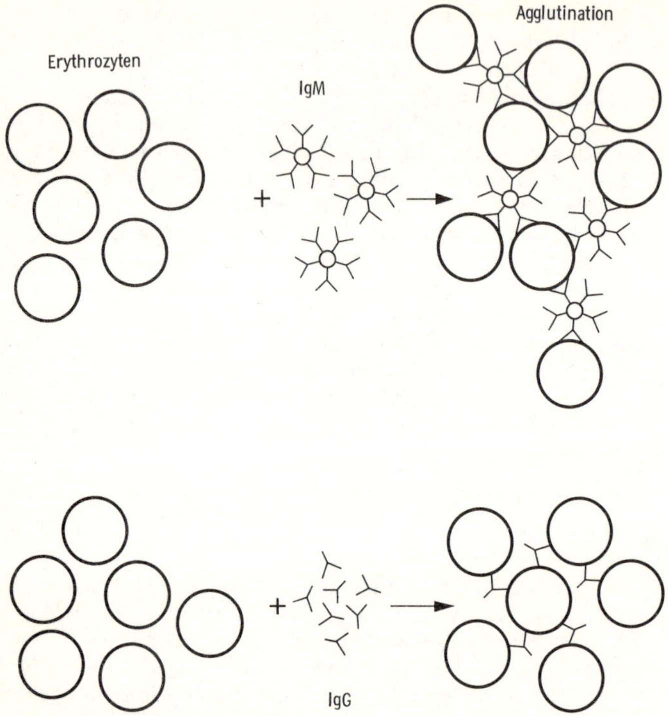

Abb. 18 Agglutination. Werden Partikel, wie z. B. Erythrozyten, mit einem agglutinierenden Antikörper gemischt, so kann es zur Agglutination der Partikel kommen. Polyvalente Antikörper vom Typ des IgM sind diesbezüglich besonders aktiv.

den Antikörpers abhängig. Der engen Annäherung von Zellen, wie sie die Agglutination voraussetzt, wirken der die Zellen umgebende Hydratationsmantel und die elektrostatische Abstoßung der negativen Oberflächenladung entgegen. Zu ihrer Überwindung ist auch bei gutem Aufeinanderpassen von Paratop und Epitop eine gewisse minimale Beladung mit Antikörper nötig. Die Erhöhung der Zahl der Bindungen zwischen benachbarten Partikeln oder das Vorliegen eines polyvalenten aviden Antikörpers, z. B. von IgM anstelle von IgG, begünstigen die Agglutination. So führt z. B. das Zufügen von gegen ein starkes Oberflächenantigen (z. B. Blutgruppenantigene des AB0-Systems) gerichteten Antikörpern zu einer Suspension von Blutzellen in vitro in Abwesenheit von Komplement zu multiplen

Brückenbildungen zwischen benachbarten Erythrozyten, was sich in makroskopisch erkennbarer Agglutination der Zellen äußert (s. Abb. 18). Bei ungenügender Beladung mit Antikörper unterbleibt die Agglutination; sie kann aber u. U. mit gewissen Kunstgriffen, z. B. mit Hilfe eines Anti-Immunglobulin-Antikörpers, herbeigeführt werden (*Coombs-Test,* S. 133).

Agglutinationsreaktionen finden wegen ihrer Einfachheit und hohen Empfindlichkeit breite praktische Anwendung. Sie dienen in der Blutgruppenserologie zur Typisierung von Erythrozyten, eignen sich aber auch zum Nachweis von Agglutininen kernhaltiger Zellen sowie zur Typisierung von Mikroorganismen.

Als Trägerpartikel bei der *passiven Agglutination,* die es gestattet, auch lösliche Antigene mit Hilfe der Agglutinationsreaktion zu erfassen, haben sich menschliche und tierische Erythrozyten besonders bewährt. An sie können eine Vielzahl von Antigenen gebunden werden; solche beladenen Erythrozyten sind sehr empfindliche Indikatoren für die entsprechenden Antikörper. Eine Stabilisierung der Erythrozytenoberfläche kann durch Vorbehandlung mit Formaldehyd, Glutaraldehyd oder Tannin erreicht werden; Glutaraldehyd und Tannin werden aber, neben Bisdiazobenzidin, auch zur Kupplung des Antigens an die Erythrozytenoberfläche verwendet. Der passive Hämagglutinationstest erlaubt das Titrieren von Antikörpern in kleinsten Volumina. Wenn unspezifische Faktoren durch geeignete Kontrollen ausgeschlossen werden, so weist sein positiver Ausfall mit hoher Spezifität auf das Vorliegen von Antikörpern gegen das auf dem Erythrozyten fixierte Antigen hin.

Der Agglutinationstest spielt in der *klinischen Diagnostik* eine wichtige Rolle. Zu den klassischen Anwendungen gehört neben der Typisierung von Erythrozyten in der Blutgruppenserologie (S. 131 ff.) der Nachweis von Serumantikörpern gegen Salmonellosen (quantitative Agglutinationsreaktion nach Gruber und Widal). Mit Antigen beladene Erythrozyten oder inerte Partikel (z. B. Latexpartikel) dienen in zahlreichen diagnostischen Testsystemen dem Nachweis von Antikörpern. Auf diese Weise können in Patientenseren Autoantikörper gegen Thyreoglobulin oder gegen IgG (sog. „Rheumafaktor") nachgewiesen werden; Patientenseren, die Autoantikörper gegen IgG enthalten, bewirken eine Agglutination von mit Kaninchen-IgG beladenen Schaferythrozyten (Waaler-Rose-Test). Die durch Antikörper ausgelöste Agglutination von mit Hormon beladenen Partikeln wird in Gegenwart von Hormon dosisabhängig gehemmt; auf diese Weise können Hormone, z. B. bei der Schwangerschaftsdiagnose, quantitativ bestimmt werden.

Opsonisierung und Immunadhärenz

Die immunologisch unspezifische Anlagerung zahlreicher Strukturen an die Zelloberfläche erfolgt häufig über komplementäre Rezeptoren. Zahlreiche Zelltypen, namentlich polymorphkernige Leukozyten, Makrophagen und B-Lymphozyten, verfügen u. a. über Rezeptoren für den Fc-Anteil von IgG (Fc-Rezeptoren). Diese Bindungsstellen, die gegenüber dem freien IgG-Molekül nur eine mäßige Affinität zeigen, sind für das im Immunkomplex gebundene IgG hochaffin. Zum Nachweis von Oberflächenrezeptoren für Fc werden Erythrozyten verwendet, die in einem komplementfreien System mit einem gegen sie gerichteten Antikörper in spezifischer Weise reagiert haben; solche Erythrozyten werden, meist in größerer Zahl, an die Oberfläche von Fc-Rezeptoren tragenden Zellen gebunden *(Rosettentest;* Abb. 19).

Die Beladung mit gegen Oberflächenantigene gerichtetem IgG-Antikörper macht auch Partikel, gegen die sich Phagozyten mit Fc-Rezeptoren sonst inert verhalten, phagozytierbar. Der Fc-Rezeptor vermittelt den engen Kontakt zum antikörperbeladenen Partikel und ermöglicht damit seine Phagozytose und Ausschaltung. Eine solche, den engen Kontakt mit Phagozyten begünstigende Modifikation der Oberfläche, die *Opsonisierung,* kann nicht allein durch spezifische Antikörper, sondern auch durch verschiedene unspezifische Mechanismen erreicht werden. Unter *Immunadhärenz* versteht man die Fähigkeit von Immunkomplexen, sich durch Vermittlung des Komplementsystems (S. 10) an Zellen anzulagern.

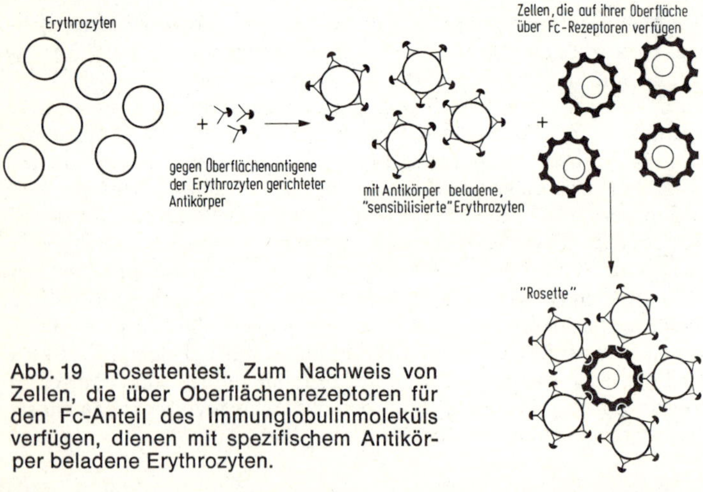

Abb. 19 Rosettentest. Zum Nachweis von Zellen, die über Oberflächenrezeptoren für den Fc-Anteil des Immunglobulinmoleküls verfügen, dienen mit spezifischem Antikörper beladene Erythrozyten.

Zytolyse durch Antikörper

Die Bindung von spezifischem Antikörper an Zelloberflächenantigene kann je nach den gewählten Bedingungen verschiedene Folgen zeitigen. In Abwesenheit von Komplement kann Opsonisierung und Agglutination beobachtet werden; die Bindung von kleinen Mengen Antikörper an die Zelloberfläche kann u. U. auch zu einer Stimulierung zellulärer Funktionen führen.

Die Interaktion von Bestandteilen der Zellmembran mit komplementbindenden Antikörpern der IgG- oder IgM-Klasse kann in Gegenwart von *Komplement* schwerwiegende Folgen haben. Es ist postuliert worden, daß die Bindung von Antigen von einer Konfigurationsänderung im Bereich des Fc-Fragments des Immunglobulinmoleküls begleitet sei (S. 59). Vermutlich sind es jedoch vor allem mehrere auf der Zelloberfläche benachbart liegende, unveränderte Fc-Fragmente, die die Bindung der ersten Komponenten des im normalen Serum vorhandenen Komplementsystems ermöglichen. Bei der dadurch eingeleiteten Aktivierung der Komplementkette werden die einzelnen Komponenten in festgelegter Reihenfolge gebunden (S. 11). An den Stellen der Zelloberfläche, an denen Antigen-Antikörper-Reaktionen stattgefunden haben, wird die Zellmembran permeabel und schließlich als Folge einer osmotischen Lyse auch für hochmolekulare Stoffe passierbar; dabei verliert die Zelle ihre Integrität (s. Abb. 14 auf S. 76); zytotoxische Immunreaktion (S. 128 ff.).

Immunhämolyse. Werden mit zytotoxischem Antikörper (Ambozeptor) beladene Erythrozyten mit Komplement versetzt, so bewirkt die zytotoxische Immunreaktion Hämolyse (Abb. 25, S. 129). Das Freiwerden des Hämoglobins ist makroskopisch an der Veränderung der Transparenz erkennbar. Die Methode kann zur Titration von Anti-Erythrozyten-Antikörpern oder der Komplementaktivität verwendet werden.

Lyse von kernhaltigen Zellen. Intakte, lebende kernhaltige Zellen sind für eine Reihe von Vitalfarbstoffen (z. B. Trypanblau) nicht permeabel. Im Anschluß an eine humorale zytotoxische Immunreaktion in vitro können sie die Zellmembran ungehindert passieren und die Zellinhaltsstoffe anfärben (s. Abb. 14 auf S. 76); angefärbte Zellen sind nicht mehr lebensfähig. Der Test findet breite Anwendung zur raschen Beurteilung des Anteils an toten Zellen in einer Zellsuspension. Für die quantitative Messung zytotoxischer Vorgänge stehen verschiedene Methoden zur Verfügung, bei denen das Freiwerden eines mit Radioisotopen vormarkierten Zellinhaltsstoffes (z. B. Proteine, Nukleinsäuren) im Verlaufe der Reaktion ermittelt wird.

Komplementfixation

Während die Konsequenzen einer zellständigen Interaktion von Antigen, Antikörper und Komplement mit diesen einfachen Methoden leicht abzulesen sind, bleiben andere komplementbindende Immunreaktionen ohne sichtbare Folgen. Die Menge des im Verlauf einer Antigen-Antikörper-Reaktion gebundenen bzw. verbrauchten Komplements kann aber in einem zweiten als Indikator für die Gegenwart von Komplement dienendem System quantitativ bestimmt

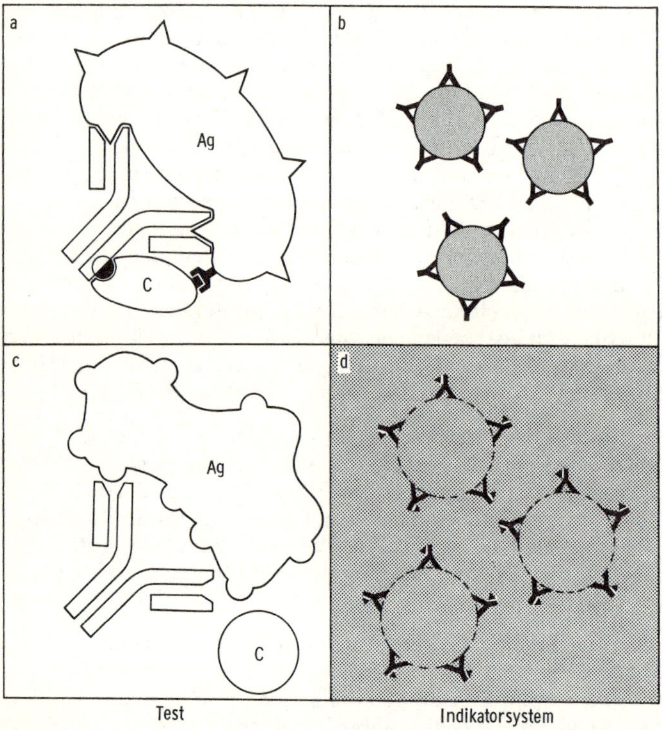

Abb. 20 Die Komplementbindungsreaktion. Die Reaktion erfolgt in 2 voneinander unabhängigen, aufeinanderfolgenden Schritten. In einem ersten Schritt werden Antigen (Ag) und Antikörper in Gegenwart von Komplement inkubiert. Dann wird das Gemisch zum hämolytischen System, d. h. mit Antikörpern beladenen Schaferythrozyten, zugegeben. Falls im ersten Schritt Komplement (C) verbraucht worden ist (a), so bleibt die Hämolyse im Indikatorsystem aus (b). Wurde hingegen im ersten Schritt kein Komplement gebunden (c), so wird dieses im Indikatorsystem Hämolyse bewirken (d).

werden. Die sog. *Komplementbindungsreaktion* (KBR) ist ein relativ einfacher, gut standardisierter derartiger Test, dem z. B. in Form der Wassermann-Reaktion bei der Lues-Diagnostik große praktische Bedeutung zukommt.

Die KBR ist eine häufig verwendete Methode zum qualitativen Nachweis von Antigenen und Antikörpern; Voraussetzung ist allerdings, daß der gebildete Immunkomplex Komplement zu aktivieren vermag. Praktisch werden Antigen und Antikörper in verschiedenen geeigneten Mengenverhältnissen gemischt und das für eine bestimmte Zeitdauer, z. B. während 60 Minuten bei 37 °C, mit frischem Meerschweinchenserum als Komplementquelle inkubiert. Falls der komplementbindende Antikörper mit dem spezifischen Antigen reagiert hat, wird Komplement gebunden und verbraucht (Abb. 20). Ob dies der Fall ist, wird in einem zweiten Schritt untersucht. Als Indikator für die Gegenwart von Komplement dient das sog. *hämolytische System*. Es besteht aus Schaferythrozyten, die in Abwesenheit von Komplement mit gegen die Erythrozytenoberflächenantigene gerichtetem Antikörper („Ambozeptor“, sog. zytotoxischer Antikörper, S. 128 ff.) beladen worden sind. Wird das hämolytische System mit Komplement versetzt, so tritt Hämolyse ein. Zufügen des hämolytischen Systems zum vorinkubierten Reaktionsgemisch erlaubt somit den Nachweis, ob Komplement noch vorhanden oder ob es gebunden worden ist (s. Abb. 20). Selbstverständlich sind Kontrollen miteinzubeziehen, aus denen hervorgeht, daß der Komplementverbrauch auf die spezifische Interaktion von Antigen und Antikörper und nicht etwa auf einen unspezifischen Effekt eines der Reaktionspartner zurückzuführen ist.

Neutralisation der biologischen Aktivität als Indikator einer Immunreaktion

Gewisse biologische Reaktionen werden in Gegenwart von spezifischem Antikörper blockiert. Diese Eigenschaft wird in verschiedenen diagnostischen Testsystemen ausgenützt. So bewirken z. B. zahlreiche Viren, darunter Influenza-, Mumps-, Parainfluenza-, Adeno-, Reo- und Enteroviren eine Aggregation von Erythrozyten. Eine Hemmung dieser Hämagglutination durch Patientenserum spricht für die Gegenwart von Anti-Virusantikörper im Serum. Antivirale Antikörper können Viren auch an der Entfaltung ihrer infektiösen Eigenschaften hindern; auf diese Weise kann die Mindestmenge an Antikörpern, die zur Neutralisation des zytopathogenen Effektes von Virusinfektionen nötig ist, austitriert werden. Ähnlich können auch

Antikörper gegen bakterielle Toxine oder Hämolysine titriert werden.

Eine Reihe weiterer zur Erfassung von Antigen-Antikörper-Reaktionen entwickelter diagnostischer Testmethoden sind auf spezielle Fragestellungen zugeschnitten. Beispiele sind der Nachweis spezifischer Antikörper gegen Treponema pallidum (Nelson-Test), der auf der Immobilisierung von Spirochaeten beruht sowie von Antikörpern gegen Toxoplasmen (Sabin-Feldman-Test); dieser Farbtest basiert auf der Feststellung, daß sich mit Antikörper behandelte Toxoplasmen im Gegensatz zu den unbehandelten Erregern mit basischem Methylenblau nicht mehr färben lassen.

Literatur

Axelsen, N. H., J. Krøll, B. Weeke: A Manual of Quantitative Immunoelectrophoresis. Universitetforlaget, Oslo 1973

Friemel, H.: Immunologische Arbeitsmethoden. VEB Fischer, Jena 1976

Lang, H., W. Rick, L. Roka: Anwendung immunologischer Methoden. Springer, Berlin 1975

Parker, C. W.: Radioimmunoassay of Biologically Active Compounds. Prentice-Hall, Englewood Cliffs/N.J. 1976

Vorlaender, K. O.: Praxis der Immunologie. Thieme, Stuttgart 1976

Weir, D. M.: Handbook of Experimental Immunology, 2. Aufl. Blackwell, Oxford 1973

Williams, C. A., M. W. Chase: Methods in Immunology and Immunochemistry, Vol. I–IV. Academic Press, New York 1967–1975

Ablauf einer Immunreaktion

Wir haben wiederholt festgestellt, daß ein wichtiges Charakteristikum der Immunantwort darin besteht, daß eine erste Begegnung mit einem immunogenen Fremdstoff ein Engramm hinterläßt, das die durch eine spätere Wiederbegegnung mit demselben Antigen ausgelöste Immunantwort anders verlaufen läßt. Diese Änderung tritt bei der humoralen Immunantwort besonders augenfällig in Erscheinung. Auf einen ersten Kontakt mit einem Antigen erscheint zuerst IgM und erreicht innerhalb von 10–20 Tagen ein Maximum; sein Spiegel fällt aber rasch wieder ab. Der IgG-Spiegel erreicht im Verlauf der Primärreaktion erst wesentlich später ein niedriges Maximum (s. Abb. 2 auf S. 21). Bei einem zweiten Kontakt mit demselben Antigen bleibt der zeitliche Ablauf der IgM-Antwort im Vergleich zur Primärreaktion unverändert, die Menge an IgM ist aber meist deutlich höher. Dagegen erreicht die IgG-Synthese rasch einen hohen Titer, der über lange Zeit erhalten bleibt. Eine ähnliche Veränderung zwischen Primär- und Sekundärantwort ist auch bei den zellulären Immunreaktionen erkennbar. Diese Leistungen des Immunsystems beruhen auf dem ausgeklügelten, fein aufeinander abgestimmten Zusammenwirken zahlreicher löslicher und zellulärer Komponenten.

Afferenter und efferenter Schenkel

Bei der Immunreaktion kann man zwischen Afferenz, zentraler Verarbeitung und Efferenz unterscheiden. Die *afferente Phase* umfaßt die Erkennung der Fremdstruktur, d. h. die Interaktion von Epitop und zellgebundenem Paratop, und die ihr folgende Stimulation des Lymphozyten. In den Organismus eindringende Fremdstoffe werden üblicherweise in den lokalen oder regionalen lymphatischen Organen, den Lymphknoten, Tonsillen, Peyerschen Plaques, der Milz oder der Leber abgefangen (S. 29). In diesen, durch ihren Aufbau für einen engen Kontakt zwischen Antigen und Immunapparat besonders geeigneten Organen werden sie entweder direkt oder im Anschluß an Phagozytose, eventuelle Modifikation und geeignete Präsentation durch mononukleäre Phagozyten, mit immunkompetenten Lymphozyten konfrontiert. Unter diesen werden sich einige wenige finden, die auf ihrer Oberfläche das komplementäre Paratop tragen, das eine spezifische Interaktion mit epitopen Bezirken im Antigenmolekül ermöglicht.

Die humorale Immunantwort nimmt ihren Anfang regelmäßig in einem der peripheren lymphatischen Organe. Im Gegensatz dazu können die z. T. frei zirkulierenden T-Lymphozyten auch außerhalb des lymphatischen Gewebes mit einem komplementären Epitop in Kontakt treten und eine zelluläre Immunreaktion auslösen. Es darf daran erinnert werden, daß die meisten Antigene sowohl eine humorale als auch eine zelluläre Immunreaktion in Gang bringen; einige wenige vermögen jedoch selektiv nur die T- oder B-Zellen zu stimulieren. Die Interaktion von Epitop und zellständigem Paratop führt zur Blasttransformation und zur Teilung der Zelle (S. 46). In Gegenwart des Antigens entstehen durch fortgesetzte Proliferation der stimulierten Zellen in den ihnen zugewiesenen Territorien der peripheren lymphatischen Organe zahlreiche identische Tochterzellen *(klonale Expansion)*, von denen ein Teil Gedächtnisfunktionen übernimmt. Durch klonale Expansion wird die Zahl der auf das entsprechende Epitop ansprechbaren T- bzw. B-Zellen erheblich vergrößert. Die B-Lymphozyten können darüber hinaus einen antigenen Reiz auch mit der Differenzierung zur Plasmazelle beantworten (S. 46), die identische Antikörpermoleküle in großer Zahl produziert (s. Abb. 8 auf S. 47).

Mit der Bereitstellung von zahlreichen über das kritische Paratop verfügenden Tochterzellen sowie lösliche Antikörpermoleküle sezernierenden Plasmazellen wird die *efferente Phase* der Immunreaktion eingeleitet. Die immunkompetenten Lymphozyten und die löslichen Antikörpermoleküle können nun mit Unterstützung zahlreicher, z. T. unspezifischer Hilfsmechanismen, den Fremdstoff angreifen. Partikuläre Antigene, insbesondere Mikroorganismen, werden meist durch zytotoxische Mechanismen geschädigt bzw. abgetötet; mit löslichen Antigenen bilden sich Immunkomplexe, die durch Phagozytose und intrazellulären Abbau unschädlich gemacht werden.

Klonale Selektion

Das lymphatische System des Wirtsorganismus verfügt offenbar über eine ausgedehnte, genetisch festgelegte Sammlung von Paratopen, die ihn in die Lage versetzen, mit jedem denkbaren Epitop in Reaktion treten zu können. Bei einer ersten Begegnung trifft ein Epitop auf Zellen mit genau und Zellen mit weniger genau passenden zellständigen Paratopen, regt diese Zellen zur Proliferation bzw. zur Differenzierung an und löst somit eine heterogene Immunantwort aus. Da nur einige wenige Zellen über genau passende Paratope verfügen, überwiegt mengenmäßig anfänglich zwar die Stimulation von Zellen mit ungenau passenden Paratopen. Zellen, die über Paratope mit hoher Affinität zum Epitop verfügen, gehen aber mit diesem eine festere Bindung ein und werden deshalb besonders wirksam und langdauernd stimuliert. Avide Paratope werden insbesondere auch dann noch Epitope abfangen können, wenn für Paratope niedriger Avidität infolge Abfalls des Antigenspiegels längst kein Epitop mehr zur Verfügung steht. Durch das Überhandnehmen von Zellen mit Paratopen hoher Avidität fällt in steigendem Ausmaß Antikörper hoher Avidität an, der nicht nur das Epitop abbindet, sondern auch die Antikörperproduktion durch Zellen mit weniger avidem Paratop unterbindet. Man bezeichnet diesen Vorgang als *klonale Selektion* (S. 46; s. Abb. 8 auf S. 47).

Abhängigkeit der Immunreaktion von Form, Menge und Eintrittspforte des Antigens

Das Ausmaß der durch einen Stoff ausgelösten Immunreaktion wird in erster Linie durch den Grad der Differenz zwischen seiner Struktur und derjenigen der Komponenten des Wirtsorganismus bestimmt und außerdem auch durch sein Molekulargewicht beeinflußt. Die Fähigkeit zur Auslösung einer Immunreaktion kann auf verschiedene Weise modifiziert, verstärkt oder abgeschwächt werden. Bei großen Molekülen, z. B. einem Eiweiß, ist natürlicherweise nur immer ein Teil der Epitopen exponiert, während andere, infolge der Faltung der Polypeptidketten, an unzugänglichen Stellen des Moleküls liegen. Durch Denaturierung oder enzymatische Spaltung können diese Stellen zugänglich gemacht und die Zahl der antigenen Valenzen vermehrt werden. Möglicherweise wird durch Spaltung innerhalb der Phagolysosomen der Phagozyten auf analoge Weise eine Steigerung der Immunogenität eines Stoffes erreicht.

Die natürliche Fähigkeit eines Fremdstoffes zur Auslösung einer Immunreaktion kann durch sog. *Adjuvantien* wesentlich verstärkt werden. Man versteht darunter Maßnahmen, durch die das Antigen dem Immunapparat in besonders geeigneter Form präsentiert wird. Durch die Adsorption des Antigens an einen Träger, z. B. Aluminiumhydroxyd, werden vermutlich die Kontaktmöglichkeiten mit den Oberflächenparatopen der Lymphozyten verbessert; zudem wird an Partikel gebundenes Antigen eher durch Makrophagen aufgenommen und den immunkompetenten Zellen möglicherweise in besonders geeigneter Form präsentiert. Unter den zahlreichen im Tierexperiment erprobten Methoden zur Steigerung der Antikörperproduktion hat sich die Applikation des Immunogens in Form einer Emulsion mit Mineralöl (Freundsches Adjuvans) als besonders wirksam erwiesen. Die Emulsion bildet ein Depot von großer Oberfläche, aus dem über lange Zeit kontinuierlich kleine Mengen Immunogen abgegeben werden. Durch die Verwendung geeigneter Adjuvantien ist es mit einer einmaligen Verabreichung des Immunogens möglich, eine Primär- und Sekundärreaktion auszulösen und den Antikörpertiter über lange Zeit hoch zu halten.

Die Dosis des Immunogens kann den Ablauf der Immunantwort entscheidend beeinflussen. So vermögen zahlreiche Proteinantigene in einer Dosis von einigen Milligramm die Antikörperproduktion kräftig anzuregen. Wesentlich höhere oder niedrigere Dosen können die Antikörpersynthese u. U. auch spezifisch paralysieren (Immuntoleranz, S. 96).

Die Immunantwort ist auch vom Eintrittsort des Antigens in den Organismus abhängig. Nach intravenöser Injektion stammt der Antikörper vorwiegend aus der Milz, zum kleineren Teil auch aus der Lunge und dem Knochenmark. Nach intradermaler oder subkutaner Verabreichung und nach Eindringen über Inhalation gelangt das Antigen über die Lymphbahnen in die lokalen bzw. regionalen Lymphknoten und löst in diesen die Immunantwort aus.

Zellkooperation bei der Immunantwort

Die Immunantwort ist das Resultat einer Zusammenarbeit zwischen verschiedenen Zellpopulationen und ihren löslichen Mediatoren. Neben den entscheidenden spezifischen, spielen unspezifische Komponenten bei der Modifikation, Verstärkung oder Abschwächung eine bedeutende Rolle. Auf zellulärer Ebene sind neben den Lymphozyten vor allem die Makrophagen von Bedeutung für den Ablauf der Immunreaktion.

Zusammenarbeit zwischen T- und B-Lymphozyten

Man darf annehmen, daß zwischen T- und B-Zellen bzw. ihren Subpopulationen auf zellulärer wie auf humoraler Ebene ein dichtes Geflecht von Kommunikationsbahnen besteht, das eine eng aufeinander abgestimmte Kooperation gewährleistet. Mäuse, die ihre immunologische Reaktionsfähigkeit im Anschluß an eine Ganzkörperbestrahlung weitgehend verloren haben, können einen antigenen Reiz nur dann in einigermaßen normalem Ausmaß beantworten, wenn ihnen gleichzeitig T- und B-Zellen verabreicht werden. Auf die wichtige Rolle von T-Helferzellen bei der Antikörpersynthese gegenüber zahlreichen Antigenen ist bereits hingewiesen worden (S. 38). Daneben verfügt der Organismus offensichtlich auch über andere Subpopulationen, die regulierend in die Immunantwort einzugreifen vermögen (S. 40). Sowohl bei der Auslösung wie bei der Beendigung einer Immunreaktion sorgen aller Wahrscheinlichkeit nach zahlreiche Regulationsmechanismen dafür, daß die Immunreaktion innerhalb gewisser Bahnen abläuft und nicht in der einen oder anderen Weise überbordet. Wie und wo diese Regulationsvorgänge in den Ablauf des immunologischen Geschehens eingreifen, ist noch unbekannt.

Rolle der Makrophagen

Es darf als gesichert gelten, daß die grundlegenden Funktionen des Immunsystems wie Gedächtnis, Spezifität und Erhaltung der Individualität, auf der Leistung des lymphatischen Apparates beruhen. Es gelingt insbesondere nicht, die Immunität mittels einer reinen Makrophagenpopulation adoptiv auf ein anderes Tier zu übertragen. Trotzdem ist der Beitrag der Makrophagen zur Immunantwort vielfältig und bedeutungsvoll und kann den afferenten wie den efferenten Schenkel betreffen. Auf die wichtige Rolle der Makrophagen beim Abfangen, der Modifikation und der Präsentation des Antigens in besonders immunogener Form ist bereits hingewiesen worden (S. 29). Für die Auslösung der Antikörpersynthese gegenüber zahlreichen Antigenen, wie Mikroorganismen, fremden Zellen oder verschiedenen Enzymen, sind neben den Lymphozyten auch Makrophagen nötig. Die Tatsache, daß das Molekulargewicht oder der Aggregationsgrad, z. B. eines Proteinantigens, zumindest in vitro weitgehend die Abhängigkeit von den Makrophagen bei der Antikörperbildung beeinflussen, weist darauf hin, daß der physikalische Zustand des Antigens wesentlich ist. Erfahrungsgemäß bedürfen schwache Antigene zur Auslösung einer Immunantwort der Makrophagen, kräftige Antigene hingegen nicht. Schwach immunogene Stoffe benötigen außerdem häufig die zusätzliche Mithilfe von T-Helferzellen (S. 38). In welcher Weise der Makrophage zur Steigerung der Immunantwort beiträgt, ist noch unklar. Verschiedene Beobachtungen sprechen dafür, daß Antigen nach seiner Aufnahme und eventuellen Modifikation in Form eines hochimmunogenen Komplexes auf der Oberfläche von Makrophagen den immunkompetenten Zellen präsentiert wird.

Neuere Daten lassen vermuten, daß sich der Einfluß der Makrophagen auf den afferenten Schenkel der Immunantwort nicht nur auf das Abfangen und die geeignete Präsentation des Antigens beschränkt. Makrophagen scheinen außerdem unter physiologischen Bedingungen die durch Antigen oder durch mitogene Stoffe induzierte Proliferation von Lymphozyten zu begünstigen. Sie dürften auf diesem Wege die Immunantwort fördern.

Der Makrophage vermag aber auch die efferente Phase der Immunantwort nachhaltig zu beeinflussen. So wandern bei einer lokalen zellulären Immunreaktion (Tuberkulinreaktion, S. 145) die Makrophagen nicht nur in den Herd ein, sondern sie werden durch verschiedene Komponenten, insbesondere durch Mediatoren, die aus stimulierten Lymphozyten frei werden (S. 40), auch funktionell aktiviert. Während dieser zeitlich beschränkten Periode der funktionellen Aktivierung verfügen die Makrophagen über die Fähigkeit, andere Zellen in unspezifischer Weise zerstören zu können. In speziellen Fällen kann dieser zytolytische Effekt auch körpereigene Strukturen betreffen (S. 157 ff.).

Der Beitrag der Makrophagen zur Immunreaktion ist, wie eingangs festgestellt, unspezifisch. Die Makrophagen verfügen jedoch auf ihrer Oberfläche über Rezeptoren für den Fc-Abschnitt des Immunglobulinmoleküls. Sie können daher mit Immunglobulin bestückt werden. Mit Antikörper „bewaffnete" Makrophagen („armed macrophages") vermögen das komplementäre Epitop tragende partikuläre Antigen (Mikroorganismen, Zellen) wesentlich besser zu phagozytieren oder über einen zytolytischen Mechanismus abzutöten. Beladung mit spezifischem Antikörper gestattet es dem Makrophagen, seine unspezifischen Effektorleistungen wie Phagozytose, intrazelluläres und extrazelluläres Abtöten in den Bereich der spezifischen Immunantwort hineinzutragen.

K-Zellen

In den letzten Jahren mehren sich die Anhaltspunkte dafür, daß eine Population von normalen, nicht sensibilisierten lymphoretikulären Zellen gelegentlich wesentlich zur Effektorleistung der Immunantwort beitragen kann. Diese Zellen sind weder zur Phagozytose befähigt, noch verfügen sie über die für die T- oder B-Lymphozyten typischen Eigenschaften, weisen aber auf ihrer Oberfläche Fc-Rezeptoren für IgG auf. Es ist noch offen, ob sie von der myeloiden oder lymphatischen oder von beiden Zellreihen herstammen. Ihre Fc-Rezeptoren gestatten es ihnen, mit Zellen, deren Oberflächenantigene mit den entsprechenden Antikörpern reagiert haben, in sehr engen

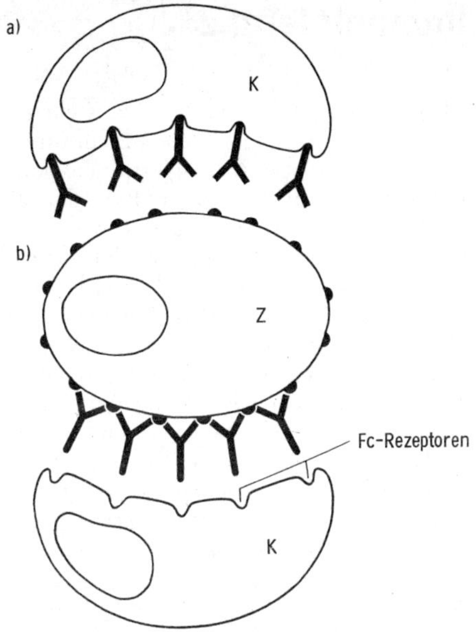

Abb. 21
Die K-(Killer-)Zelle. Fc-Rezeptoren gestatten es der K-Zelle (K),
a) infolge Beladung mit Antikörper, oder
b) infolge Beladung der Zielzelle (Z) mit gegen deren Oberflächenantigene gerichtetem Antikörper mit der Zielzelle in engen Kontakt zu treten und diese durch einen extrazellulären Mechanismus abzutöten.

Kontakt zu gelangen und sie dabei durch einen extrazellulären Mechanismus wirksam abzutöten (Abb. 21). Wegen dieser Effektorleistung werden sie als K-(Killer-)Zellen bezeichnet.

Literatur

Claman, H. N., D. E. Mosier: Cell-cell interactions in antibody production. Progr. Allergy 16 (1972) 40

Diener, E., R. E. Langman: Antigen recognition in induction of immunity. Progr. Allergy 18 (1975) 6

Edelman, G. M.: Cellular Selection and Regulation in the Immune Response. Raven Press, New York 1974

Fitch, F. W.: Selective suppression of immune responses. Progr. Allergy 19 (1975) 195

Liacopoulos, P., S. Ben-Efraim: Antigenic competition. Progr. Allergy 18 (1975) 97

Nelson, D. S.: Macrophages and Immunity. North-Holland Publishing Co., Amsterdam 1969

Nelson, D. S.: Immunobiology of the Macrophage. Academic Press, New York 1976

Rosenthal, A. S.: Immune Recognition. Academic Press, New York 1975

Immuntoleranz

Es war zunächst schwer zu verstehen, weshalb der lymphatische Apparat fremd empfundenen Strukturen gegenüber regelmäßig mit einer Immunantwort reagiert, den genetisch festgelegten, körpereigenen Strukturen gegenüber dagegen normalerweise stumm bleibt. Erste Vorstellungen darüber, wie der Organismus die Fähigkeit zur Unterscheidung zwischen körpereigenen und körperfremden Strukturen erlange, haben sich aus einem Experiment der Natur ergeben (Owen, 1945). Bei zweieiigen Rinderzwillingen kann es infolge gemeinsamer Plazenta zu Anastomosen zwischen dem Blutkreislauf des einen Feten und demjenigen des anderen Feten kommen, so daß jeder Fetus in regelmäßigen Kontakt mit den Blutzellen des anderen Feten gelangt (Chimären). Bei diesen Tieren bleiben die Erythrozyten des anderen Zwillings in der Postnatalperiode auch dann in Zirkulation, wenn die Blutgruppen der beiden Zwillinge verschieden sind; die Immunreaktion gegen die immunologisch fremden Blutzellen des anderen Zwillings unterbleibt. Burnet und Fenner haben deshalb 1949 postuliert, daß der Immunapparat gegenüber Strukturen, mit denen er im Verlauf der ontogenetischen Reifung in regelmäßigen Kontakt komme, eine Reaktionsunfähigkeit bzw. Toleranz erwerbe. Wenig später konnten Billingham, Brent und Medawar (1953) zeigen, daß Mäuse gegenüber Fremdstoffen, mit denen sie während der Embryonalzeit in Kontakt gebracht worden waren, tolerant geworden sind. Inzwischen haben zahlreiche weitere Experimente gezeigt, daß die Verabreichung großer Mengen wirtsfremder Stoffe dann zur Ausbildung einer Toleranz führt, wenn sie vor der Reifung eines kompetenten Immunsystems erfolgt. Man nimmt an, daß der Kontakt mit dem Antigen in diesem frühen Zeitpunkt der Ontogenese anstatt zu einer Proliferation zur Ausschaltung bzw. Unterdrückung von das komplementäre Paratop aufweisenden Klonen von Lymphozyten führt. Die Ausschaltung dieser Klone macht eine gegen körpereigene Strukturen gerichtete Immunreaktion unmöglich.

In der Zwischenzeit hat man erkannt, daß das Phänomen der Toleranz von allgemeiner immunologischer Bedeutung ist. Dabei kommt der Entwicklung einer angeborenen Toleranz gegenüber Transplantationsantigenen in der Frühphase der Ontogenese zweifellos besondere Bedeutung zu. Aber auch die Induktion einer Toleranz gegen wirtsfremde Antigene gelingt in der Embryonalperiode besonders leicht. Beim immunologisch kompetenten Wirtsorganismus kann gegenüber schwachen Antigenen in praktisch allen Altersstufen eine Toleranz erzeugt werden.

Es ist klar, daß sich die nachfolgend diskutierten Beobachtungen fast ausschließlich auf experimentelle Untersuchungen stützen. In diesem Zusammenhang muß auf das Bestehen eines grundsätzlichen Unterschiedes zwischen natürlicher Toleranz und experimentell induzierter Toleranz beim Versuchstier hingewiesen werden. Während bei der natürlichen, angeborenen Toleranz das Antigen (Tolerogen) während des ganzen Zeitabschnittes, während dem die Lymphozyten aus undifferenzierten Stammzellen zu immunkompetenten Zellen ausreifen, gegenwärtig ist, erfolgt im Experiment die Präsentation des Antigens üblicherweise gegenüber Zellen des Immunsystems, die bereits im Besitz der vollen Immunkompetenz sind. Angesichts der Tatsache, daß die heutigen Kenntnisse weitgehend aus Beobachtungen am immunkompetenten Tier abgeleitet sind, bleibt es ungewiß, welche Mechanismen bei der Ausbildung einer natürlichen Immuntoleranz gegenüber körpereigenen Strukturen bestimmend sind. Es gibt immerhin Anhaltspunkte dafür, daß zwischen neugeborener und postnatal erworbener Toleranz kein grundsätzlicher Unterschied besteht.

Voraussetzungen für die Ausbildung einer Immuntoleranz

Unter den zahlreichen Faktoren, die die Induktion der Toleranz wesentlich beeinflussen können, spielt das Ausmaß der Fähigkeit des Immunsystems, auf einen antigenen Reiz ansprechen zu können, eine wichtige Rolle. Die in der Embryonalperiode nur schwach ausgebildete *Immunkompetenz* begünstigt die Ausbildung einer Toleranz, während das reaktionsfähige Immunsystem des Erwachsenen die Toleranzinduktion erschwert. Immunsuppression, wie sie z. B. im Verlauf einer Virusinfektion, nach Behandlung mit immunsuppressiv wirkenden Pharmaka bzw. Anti-Lymphozyten-Antikörper, nach Ductus-thoracicus-Drainage bzw. Röntgenbestrahlung zu beobachten ist, erleichtert die Induktion einer Toleranz.

Neben der Immunkompetenz spielt das *Antigen* eine determinierende Rolle bei der Toleranzinduktion. Die Frage, wann ein immunkompetenter Organismus auf ein bestimmtes Antigen mit einer Immunantwort bzw. mit der Ausbildung einer Immuntoleranz reagiert, läßt sich allerdings nur unvollständig beantworten. Die meisten Versuche sind mit löslichen heterologen Serumeiweißen durchgeführt worden, die einfach aufgebaute, schwache Antigene darstellen. Aus diesen Untersuchungen kann der Schluß gezogen werden, daß auch die Art des Antigens (löslich v. v. partikulär), sein physikalischer Zustand (z. B. aggregiert v. v. nicht aggregiert), die Dosis (hohe v. v. niedrige Dosen) und die Art (allein bzw. mit Adjuvans) und der Weg der Applikation zur Ausbildung einer Toleranz beitragen.

Die Fähigkeit zur Toleranzinduktion geht mit der *Immunogenität* weitgehend parallel. Die Immunogenität ihrerseits ist von der Größe des Moleküls, der Anzahl der Epitopen, seiner Phagozytierbarkeit und den Möglichkeiten seines Abbaus abhängig. Die Toleranzinduktion gelingt erwartungsgemäß leichter mit schwachen, den Wirtsantigenen strukturell nahestehenden Antigenen. Darüber hinaus kann die Immunogenität vom physikalischen Zustand des Antigens abhängen. So sind gelöste, monomere Gammaglobulinmoleküle üblicherweise tolerogen, aggregierte Gammaglobuline dagegen immunogen. Das beruht vermutlich darauf, daß die aggregierten Gammaglobuline rasch und fast vollständig von den Makrophagen aufgenommen und dem Immunsystem auf ihrer Oberfläche in konzentrierter, immunogener Form präsentiert werden (S. 93). Monomeres Antigen scheint in direkten Kontakt mit B-Lymphozyten zu kommen und dadurch die Ausbildung einer Toleranz zu begünstigen (s. Abb. 6 auf S. 45).

Die *Antigendosis* ist ein weiterer wichtiger Faktor in der Toleranzinduktion. Allgemein begünstigen sehr hohe Antigendosen (high zone tolerance) oder extrem niedrige Antigendosen (low zone tolerance) die Entwicklung einer Immuntoleranz.

Spezifität und Dauer der Immuntoleranz

Man spricht von Immuntoleranz, wenn die Immunreaktion gegenüber einem immunogenen Stoff abgeschwächt ist oder unterbleibt; sie umfaßt also alle Grade der Unterdrückung der Äußerungen der Immunreaktion. Die Abschwächung bzw. das Ausbleiben der Immunreaktion ist vor allem an der Beeinträchtigung der Sekundärreaktion (Booster-Effekt) erkennbar. Immuntoleranz ist demnach keinesfalls einer völligen Unterdrückung bzw. einer Reaktionslosigkeit des Immunsystems gleichzusetzen. Viel eher ist Toleranz als eine spezielle Form der Immunantwort zu betrachten, die sich anstelle einer gesteigerten Reaktionsfähigkeit in scheinbarer Reaktionslosigkeit äußert.

Die Immuntoleranz ist im allgemeinen *antigenspezifisch,* d. h. der Wirt ist nur gegenüber jenem Antigen tolerant, gegenüber dem sie induziert wurde. Die Dauer der Toleranz ist wesentlich von der Gegenwart des Antigens abhängig. Sie bleibt in Gegenwart des Tolerogens erhalten, erlischt aber nach seiner Elimination. Die Dauer der Toleranz ist somit stark vom Katabolismus des Antigens abhängig; Antigene mit langer Verweildauer führen zu einer lange anhaltenden Toleranz. Die Toleranz kann mit chemisch leicht modifiziertem Antigen durchbrochen werden.

Während die im Verlaufe des postnatalen Lebens erworbene Toleranz gegenüber exogenen Strukturen von zeitlich begrenzter Dauer ist, bleibt die angeborene Toleranz gegenüber körpereigenen Antigenen normalerweise lebenslänglich erhalten. Unter besonderen Umständen kann es jedoch zu einem *Verlust* der Toleranz gegenüber wirtseigenen Antigenen kommen. Die Gründe für das Auftreten von sog. Autoimmunkrankheiten (S. 176 ff.) sind vielfältig. Man glaubt, daß infolge somatischer Mutation Lymphozytenklone entstehen, die mit den körpereigenen Antigenen reagieren können (sog. verbotene Klone). Möglicherweise können aber gewisse körpereigene Antigene in tolerogener oder immunogener Form vorliegen; in diesem Falle wäre die Art der Immunreaktion von der Struktur des Wirtsantigens abhängig.

Die Toleranz kann, wie erwähnt, mit einem in seiner Struktur nur geringfügig veränderten Antigen gebrochen werden. Der Organismus reagiert in der Folge nicht nur gegen das modifizierte, sondern auch gegen das nicht modifizierte Antigen (kreuzreagierende Antigene). Auf entsprechende Beispiele wird bei der Besprechung der Autoimmunkrankheiten hingewiesen (S. 176 ff.). Zahlreiche Beobachtungen unterstützen die Annahme, daß wirtseigene Strukturen natürlicherweise durch chemische und physikalische Einflüsse oder infolge Infektionen mit Bakterien, Viren, Parasiten oder Pilzen entsprechend verändert werden können.

Mechanismen der Immuntoleranz

Die Immuntoleranz beruht, ähnlich wie z. B. das Zustandekommen der Immunität gegenüber Infektionen, auf einem Zusammenspiel verschiedener Mechanismen. Man kann überdies verschiedene Typen der Toleranz voneinander unterscheiden (Tab. 3). Es ist deshalb verständlich, daß Begriffe wie Selbsttoleranz, Reaktionsunfähigkeit, Anergie, oder Immunparalyse synonym für den Begriff der Immuntoleranz verwendet werden. Einige der Mechanismen, die zum Zustandekommen der Immuntoleranz beitragen können, werden in der Folge kurz erwähnt. Aus diesen Beispielen geht vor allem klar hervor, daß die Immuntoleranz in den meisten Fällen nicht etwa die

Tabelle 3 Typen der spezifischen Immuntoleranz

A. Irreversible Toleranz durch Elimination bzw. Inaktivierung des Zellklons
   1. Geeignete Verabreichung des Antigens („klassische“ Toleranz)
   2. Selektion der Lymphozyten (Affinitätschromatographie)

B. Reversible Toleranz
   1. Blockierung der Rezeptoren der Lymphozyten durch einen Überschuß an Antigen bzw. Hapten
   2. Blockierung der Rezeptoren der Lymphozyten durch Antigen-Antikörperkomplexe (spezifische suppressorische Lymphozyten)
      a) Beteiligung von T-Zell-Produkten
      b) Beteiligung von B-Zell-Produkten

C. Periphere Blockierung
   1. Neutralisation: Persistierendes Antigen eliminiert Antikörper
   2. Afferentes und efferentes „Enhancement“

(aus *I. G. Howard, N. A. Mitchison:* Progr. Allergy 18 [1975] 43)

Folge einer Reaktionslosigkeit ist, sondern das Resultat einer aktiven Leistung des Immunapparates darstellt.

Elimination von Klonen von Lymphozyten
(irreversible Toleranz)

In gewissen Fällen beruht die Toleranz darauf, daß die sich gegen das betreffende Antigen richtenden immunologisch kompetenten Zellen eliminiert werden, bevor sich eine Immunreaktion entwickeln kann. Bei der humoralen Immunantwort ist eine solche Möglichkeit für antikörperbildende Zellen recht gut belegt; nach Kontakt mit dem Antigen verschwindet der das betreffende Antigen bindende Zellklon. Nach vollständiger Elimination der antigenreaktiven Zellen ist die Toleranz irreversibel. Ob eine entsprechende Unterdrückung der zellulären Immunität durch Elimination der antigenspezifischen T-Zellen möglich ist, konnte bisher nicht beweiskräftig belegt werden. Immerhin gibt es gute Gründe dafür, daß T- und B-Zellen bei der Induktion und Erhaltung der Toleranz, ähnlich wie z. B. bei der humoralen Immunantwort, zusammenarbeiten. Dabei scheinen die T-Zellen ein größeres Spektrum von Epitopen erkennen zu können und auch eine größere Tendenz zur Kreuzreaktion aufzuweisen als die B-Zellen. Der Mechanismus der Elimination bzw. Unterdrückung der immunkompetenten Zellen durch das Immunogen ist während langer Zeit als einzige Möglichkeit zur Erlangung einer Immuntoleranz betrachtet worden.

Reversible Immuntoleranz

Man kennt verschiedene Mechanismen, die zur Entwicklung einer Toleranz von zeitlich beschränkter Dauer führen können.

Blockierung von Lymphozyten

Gewisse Antigene, insbesondere hochmolekulare Polysaccharide (Levane), induzieren eine längere Zeit anhaltende, reversible B-Zell-Toleranz. Man glaubt, daß diese Antigene sich an die auf der Oberfläche von B-Lymphozyten vorfindenden Immunglobulin-Rezeptoren binden und diese damit immobilisieren. Die B-Zelle kann auf das betreffende Antigen solange nicht ansprechen, als das intakte Antigenmolekül in Zirkulation bleibt. Ein solcher Mechanismus ist bisher erst in vereinzelten, besonderen Fällen nachgewiesen worden. Die Annahme ist naheliegend, daß der Immunapparat im Verlaufe seiner phylogenetischen Entwicklung nach Wegen gesucht hat, die es den Mikroorganismen schwer machen, eine derartige Blockade zu erzeugen.

Immerhin scheint erwiesen, daß die in gewissen Fällen von fortgeschrittenem Karzinom zu beobachtende Blockade von zytotoxisch wirkenden Lymphozyten auf fortlaufend in die Zirkulation abgegebenem Antigen bzw. zirkulierenden Antigen-Antikörperkomplexen beruht (S. 187).

Aktive Unterdrückung der Immunreaktion

Eine aktive Unterdrückung der Immunreaktion kann durch die Einwirkung von Suppressor-T-Zellen (S. 40), durch blockierende Serumfaktoren oder durch zirkulierende Antigen-Antikörper-Komplexe zustande kommen.

Ein antigener Reiz kann selektiv oder bevorzugt die Proliferation von *suppressorisch wirkenden Lymphozyten* fördern und dadurch die Entfaltung einer Immunreaktion gegen dieses Antigen behindern. Ein die humorale Immunantwort betreffendes derartiges Beispiel ist in anderem Zusammenhang kurz diskutiert worden (S. 40); die immunologische Reaktionsfähigkeit von T-Zell-Subpopulationen kann offenbar in ähnlicher Weise unterdrückt werden. Die Möglichkeit der Existenz von B-Zellen mit suppressorischer Funktion muß ebenfalls in Betracht gezogen werden. Der Wirkungsmechanismus der Suppressorzellen ist noch nicht näher bekannt.

Es besteht kein Zweifel, daß der Zustand der Immuntoleranz häufig von einer verminderten Ansprechbarkeit der Lymphozyten begleitet ist. In vielen Fällen sind hierfür von B-Zellen stammende *blockierende Serumfaktoren* verantwortlich. Solche blockierenden Serumfaktoren können vor allem beim Tumorwachstum, gelegentlich aber auch bei der Transplantatabstoßung von Bedeutung sein.

Ähnlich den blockierenden Serumfaktoren sind auch die *Antigen-Antikörper-Komplexe* fähig, die Erkennungsstrukturen von gegen allogene Zellen oder Tumorzellen gerichteten zytotoxischen Lymphozyten zu blockieren. Ihre biologische Bedeutung und die hierbei beteiligten Wirkungsmechanismen sind aber noch ungenügend geklärt.

Literatur

Howard, J. G., N. A. Mitchison: Immunological tolerance. Progr. Allergy 18 (1975) 43

Katz, D. H., B. Benacerraf: Immunological Tolerance. Academic Press, New York 1975

Krech, U.: Immuntoleranz. In: Praxis der Immunologie, hrsg. von K. O. Vorlaender. Thieme, Stuttgart 1976 (S. 86)

Nossal, G. J. V.: The Cellular and Molecular Basis of Immunological Tolerance. In: Essays in Fundamental Immunology, Bd. I. Blackwell, Oxford 1973 (S. 27)

Weigle, W. O., B. J. Skidmore: Immunological unresponsiveness. Advanc. Immunol. 16 (1973) 61

Phylogenese der Immunreaktivität

Die Erkennungs- und Abwehrmechanismen haben sich im Laufe der Phylogenese mehr und mehr entwickelt und perfektioniert. Die wesentliche Vorbedingung zur Erhaltung der Integrität des Organismus, die Fähigkeit zur Unterscheidung zwischen eigen und fremd, findet sich bei allen Tierarten. Die der Erkennung und Abwehr dienenden Mechanismen sind äußerst vielgestaltig und beruhen, wie im Falle der Zellaggregation bei Schwämmen oder der Ernährung durch Phagozytose, nicht notwendigerweise auf immunologischen Vorgängen.

Die *Wirbellosen* verfügen allem Anschein nach nicht über klassische Immunglobuline, häufig aber über hämagglutinierende Proteine. Diese Hämagglutinine sind strukturell uneinheitlich, sind nicht durch Immunisierung induzierbar, zeigen jedoch oft opsonisierende Eigenschaften und eine gewisse Spezifität, die sich besonders gegenüber aus Kohlehydraten aufgebauten Oberflächenrezeptoren manifestiert. Gleichzeitig verfügen sie meist über ein breites Reaktionsspektrum. Ob und inwieweit zwischen Hämagglutininen und klassischen Immunglobulinen eine biologische Verwandtschaft besteht, ist noch völlig offen. Offenbar haben die Wirbeltiere diese primitiven Faktoren trotz der Entwicklung der Immunglobuline beibehalten. Die spezifische zelluläre Immunität hat sich im Verlauf der Evolution zweifellos viel früher entwickelt als die humorale Immunität. Höhere Wirbellose, wie z. B. die Echinodermen, sind sehr wohl imstande, zwischen eigenem und fremdem Gewebe zu unterscheiden: allogene oder xenogene Transplantate werden regelmäßig abgestoßen.

Alle *Wirbeltiere* sind fähig, auf einen antigenen Reiz hin eine spezifische Immunreaktion einzuleiten. Auch beim primitivsten bisher untersuchten Wirbeltier, dem kalifornischen Hexenfisch, können sowohl T- als auch B-Zellreaktionen ausgelöst werden. Mit dem Erwerb der Fähigkeit zur Synthese von Immunglobulinen und zur klonalen Expansion der antikörperbildenden Zellen wird sowohl die Erkennungskapazität wie der Einflußbereich der Immunantwort wesentlich ausgeweitet. Nur bei den frühesten Wirbeltierformen, z. B. dem Neunauge (Petromyzon marinus), finden sich noch primitive, aus nicht kovalent verknüpften μ-Ketten aufgebaute Antikörper. Die übrigen Wirbeltiere sind zur Synthese klassischer, aus 2 schweren und 2 leichten Ketten bestehenden Immunglobulinmolekülen befähigt (S. 52). Als erstes Immunglobulin tritt allgemein IgM in Erscheinung. Seine Bedeutung dürfte darauf beruhen, daß seine 7S-

Untereinheiten als Oberflächenrezeptoren funktionieren können. Für die Bedürfnisse der niederen Vertebraten ist offenbar das humorale, polymere IgM mit seinen zahlreichen Bindungsstellen besonders geeignet. Anscheinend haben sich das klassische Immunglobulinmolekül (S. 52 ff.) und das Komplementsystem (S. 10) im Verlauf der Evolution etwa gleichzeitig entwickelt. Die bereits bei den Wirbellosen vorhandene Fähigkeit zur zellulären Immunität wird bei den Wirbeltieren weiter ausgebildet. Reaktionsfähigkeit, Reaktionsgeschwindigkeit und Gedächtnisfunktion werden verbessert. Während den niederen Wirbellosen eine einzige genetische Region zur Kontrolle der Transplantatreaktion (S. 171 ff.) genügt, wird diese bei den Wirbeltieren zunehmend polymorph und an andere Fähigkeiten, z. B. die Immunreaktivität, gebunden. Höhere Wirbeltiere verfügen über stark ausgeprägte Transplantationsantigene; fremde Transplantate werden daher rasch abgestoßen (S. 171 ff.).

Niedrige Wirbeltiere, wie das Neunauge, können trotz dem Fehlen klar abgrenzbarer lymphatischer Gewebe humorale und zelluläre Immunreaktionen auslösen. Eine hochdifferenzierte Struktur der lymphatischen Organe ist demnach hierfür nicht eine unbedingte Voraussetzung.

Ontogenese der Immunreaktion

Beim Menschen setzt die Entwicklung der lymphatischen Organe und der immunologischen Funktionen relativ früh ein und schreitet im Verlaufe der Fetalperiode stetig fort. Die wichtigsten morphologischen und funktionellen Etappen in der immunologischen Entwicklung sind in Abb. 22 wiedergegeben.

Die Plazenta ist eine wirksame Barriere gegen das Eindringen von Fremdstoffen, insbesondere von Mikroorganismen. Die Möglichkeit einer antigenen Stimulation des fetalen Immunapparates wird dadurch stark eingeschränkt. Trotzdem erlangt der kindliche Organismus bereits während der Schwangerschaft Immunkompetenz, ist also fähig, auf einen antigenen Reiz anzusprechen. Das zeigt sich einmal bei kongenitalen Infektionen, z. B. Rubeolen; andererseits entwickelt sich gegenüber einem während der Fetalperiode verabreichten, hochdosierten Antigen, z. B. allogeneischen Zellen, eine Immuntoleranz (S. 96).

Obschon das Kind bei der Geburt immunkompetent ist und der Thymus und daher auch die Fähigkeit zur Transplantatabstoßung gut ausgebildet sind, ist seine immunologische Reaktivität noch deutlich vermindert. Die peripheren lymphatischen Organe sind erst wenig entwickelt; die in ziemlich hoher Konzentration auftretenden Antikörper der IgG-Klasse sind fast ausschließlich mütterlicher Her-

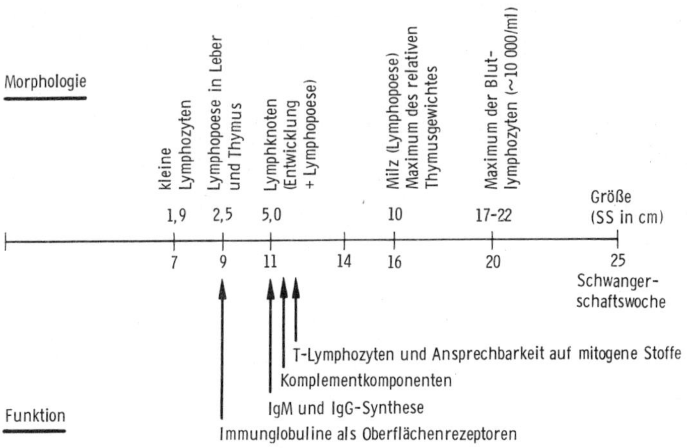

Abb. 22 Ontogenese des Immunsystems beim Menschen.

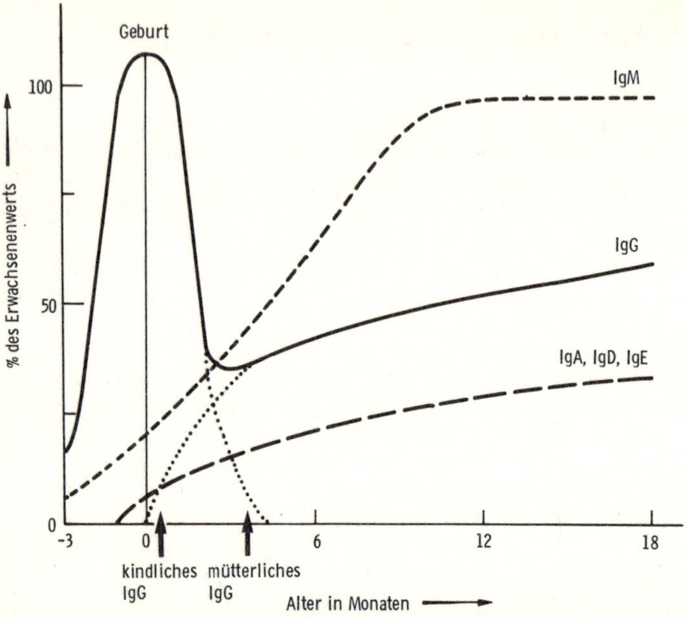

Abb. 23 Serumimmunglobulinspiegel beim Kleinkind (aus *I. M. Roitt:* Essential Immunology, 2. Aufl. Blackwell, Oxford 1975, S. 74).

kunft (Abb. 23). Sie werden mit einer Halbwertszeit von etwa 20 Tagen abgebaut und ihr Spiegel fällt deshalb während der ersten drei Monate laufend ab. Eine kleine Menge von mütterlichem IgG und IgA kann den Säugling auch über das Kolostrum erreichen. Später beginnt die Synthese von kindlichem IgG den Abbau von mütterlichem IgG zu übersteigen, so daß seine Konzentration im Serum wieder ansteigt. Die Serumspiegel der anderen Immunglobulinklassen zugehörigen Antikörper, die die Plazentaschranke nicht zu passieren vermögen, bleiben relativ lange Zeit niedrig; IgM erreicht im Alter von 9 Monaten Erwachsenenwerte (s. Abb. 23). Der mütterliche IgG-Antikörper vermag dem Säugling in den ersten Lebenswochen einen gewissen Schutz gegen eindringende Mikroorganismen zu geben.

Die Schwangerschaft, eine Transplantat-Wirt-Beziehung

Weil die Hälfte seines genetischen Materials vom Vater stammt, ist der Fetus immunologisch ein Fremdkörper für den mütterlichen Organismus. Es überrascht deshalb, daß der Fetus trotz seiner im Bereich der Plazenta engnachbarlichen Beziehung zum mütterlichen Gewebe und trotz seiner fortschreitenden Entwicklung zum immunkompetenten Organismus vom Immunapparat der Mutter nicht angegriffen und abgestoßen wird. Die Gründe für diese außergewöhnliche Stellung des Fetus sind noch nicht eindeutig geklärt. Jedenfalls kann man ausschließen, daß der Uterus, ähnlich dem Gehirn oder der Augenvorderkammer, eine sog. immunologisch privilegierte Region darstelle, in der Immunreaktionen infolge Seltenheit oder Fehlen ableitender Lymphbahnen höchstens in abgeschwächter Form auftreten könnten. Aus der Vergrößerung der regionalen Lymphknoten kann nämlich geschlossen werden, daß das mütterliche Immunsystem durch den Feten stimuliert wird; außerdem verfügt die Mutter über Lymphozyten, die gegenüber fetalem Antigen sensibilisiert sind. Man darf daraus den Schluß ziehen, daß die Mutter wohl eine gegen den Fetus gerichtete Immunantwort auslöst, daß diese den kindlichen Organismus jedoch üblicherweise nicht zu erreichen vermag. Es wird angenommen, daß der Trophoblast die entscheidende Barriere bilde. Dafür spricht, daß eine Transplantation des Trophoblasten in eine anatomisch fremde Region keine Immunreaktion in Gang setzt und daß sich der Fetus unter Umständen auch nach Implantation an einer abnormen Stelle, etwa im Eileiter oder der Peritonealhöhle, normal entwickeln kann. Außerdem können aus dem kindlichen Trophoblasten hervorgehende Chorionkarzinome ohne weiteres in mütterliche Gewebe metastasieren. Trophoblastzellen und ihre malignen Abkömmlinge sind gegenüber den Äußerungen der Transplantationsimmunität offenbar erstaunlich resistent, obschon auch sie auf ihrer Oberfläche Transplantationsantigene (S. 171) aufweisen. Es ist denkbar, daß ein Teil dieser Resistenz auf der Abdeckung der Transplantationsantigene durch eine besonders entwickelte Glykokalyx beruht.

Interessant sind Beobachtungen, aus denen hervorgeht, daß eine immunologische Schädigung oder Abstoßung des Fetus bei einer zweiten Schwangerschaft eher seltener ist als bei einer ersten. Bei Ratten mit bikornem Uterus ist die Immunisierung des einen Hornes mit väterlichem Gewebe von einer Erhöhung der Reproduktionsfähigkeit in diesem Horn gefolgt. Man hat weiter festgestellt, daß der Grad des Eindringens des Trophoblasten in das Uterusgewebe, das Ausmaß der Reaktion der Dezidua sowie die Ausdehnung und das Gewicht der Plazenta von den zwischen den Partnern bestehenden immunologischen Beziehungen abhängig sind. Je größer die genetische Differenz zwischen Mutter und Kind, desto tiefer dringt der Trophoblast ins mütterliche Gewebe ein und desto größer ist die Plazenta. Die diesen Vorgängen zugrundeliegenden Mechanismen bedürfen der weiteren Abklärung. Fest steht zur Zeit, daß die Schwangerschaft, ähnlich wie ein Organtransplantat (S. 171), eine Transplantat-Wirt-Beziehung darstellt, die aber insofern ungewöhnlich ist, als der Embryo der Immunreaktion der Mutter gegenüber indifferent bleibt.

Literatur

Billingham, R. E., A. E. Beer: Immunobiology of Mammalian Reproduction. Prentice-Hall, Englewood Cliffs/N.J. 1976

Brambell, F. W. R.: The Transmission of Passive Immunity From Mother to Young. North-Holland Publishing Co., Amsterdam 1970

Cooper, E. L.: Comparative Immunology. Prentice-Hall, Englewood Cliffs/N.J. 1976

Hildemann, W. H., A. A. Benedict: Immunologic Phylogeny. Plenum Press, New York 1975

Manning, M. J., F. J. Turner: Comparative Immunobiology. Blackie, Glasgow 1976

Marchalonis, J. J.: Comparative Immunology. Blackwell, Oxford 1976

Wright, R. K., E. L. Cooper: Phylogeny of Thymus and Bone Marrow-Bursa Cells. North-Holland Publishing Co., Amsterdam 1976

Immunologische Defektzustände

Die Funktionsfähigkeit der zahlreichen zur Immunantwort beitragenden Komponenten, namentlich der T- und B-Lymphozyten, der Phagozyten und des Komplementsystems kann durch angeborene Defekte oder durch erworbene Erkrankungen beeinträchtigt werden. Daraus können sich klinisch manifeste Störungen der Immunreaktivität ergeben.

Angeborene Immundefekte

Angeborene immunologische Ausfallserscheinungen manifestieren sich häufig bereits im frühen Kindesalter. Das Studium der besonders ausgeprägten klassischen Beispiele, die in Tab. 4 zusammengefaßt sind, hat nicht nur zur Abgrenzung dieser Krankheitsbilder geführt, sondern auch wesentlich zum Verständnis der Funktion des intakten Immunsystems beigetragen; die Analyse der ihnen zugrunde liegenden immunologischen Ausfallserscheinungen hat insbesondere zum Konzept beigetragen, daß der Immunapparat bis zu einem gewissen Grad in ein T- und ein B-Zellsystem aufgeteilt sei.

Defekte des B-Zellsystems

Infantile, geschlechtsgebundene Agammaglobulinämie

Bei diesem erstmals von Bruton (1952) beschriebenen Krankheitsbild findet sich ein nahezu vollständiger Ausfall der humoralen Immunität; die Funktionen der T-Lymphozyten sind hingegen meist intakt. Die B-Lymphozyten aller Entwicklungsstadien fehlen weitgehend; das lymphatische Gewebe, vor allem in der Appendix und den Peyerschen Plaques, ist arm an Zellen. Im Anschluß an einen antigenen Reiz bilden sich in den regionalen Lymphknoten weder Keimzentren noch Plasmazellen (S. 49) und die Bildung humoraler Antikörper bleibt aus. Die Immunglobuline im Serum (IgG, IgM, IgA) sind extrem vermindert. Charakteristisch für diese Patienten sind in den ersten Lebensjahren auftretende rezidivierende, vor allem durch pyogene Bakterien verursachte Infekte. Die Infekte befallen sowohl die äußere Haut als auch die Schleimhäute von Respirations- und Intestinaltrakt, sind also polytop.

Tabelle 4 Extreme Formen von angeborenem, primärem Immunversagen bei Kindern

Betroffener Zelltyp	Beispiel	Änderung in der Immunreaktivität humoral	zellulär	Resistenzverminderung gegenüber	Therapiemöglichkeiten
B-Zelle	infantile, geschlechtsgebundene Agammaglobulinämie (Bruton)	↓↓	normal	Staphylokokken Streptokokken Pseudomonas Haemophilus Candida	Gammaglobulin
T-Zelle	Thymushypoplasie (di-George-Syndrom)	↓	↓↓	Virusinfekte, BCG, Tbc, Candida	Thymustransplantat Transferfaktor
Stammzelle	kombinierter Ausfall von B- und T-Zelle	↓↓	↓↓	allen pathogenen Keimen	Knochenmark fetale Leber

Da alle Entwicklungsstadien der B-Lymphozyten betroffen sind, wird angenommen, daß bei diesem Krankheitsbild der Differenzierungsschritt von der primären lymphatischen Vorläuferzelle zum immunkompetenten B-Lymphozyten blockiert ist. Das Leiden wird geschlechtsgebunden rezessiv vererbt; die phänotypisch gesunden Mütter sind Konduktorinnen, die Erkrankung wird nur bei den Söhnen manifest.

Selektiver Immunglobulinmangel

Es sind zahlreiche, eine einzige Immunglobulinklasse betreffende Defekte beschrieben worden. Von praktischer Bedeutung ist nur der IgA-Mangel, der bei etwa 0,7 % der Bevölkerung vorkommt. Von *selektivem IgA-Mangel* wird gesprochen, wenn der IgA-Spiegel im Serum deutlich erniedrigt ist (~ 5 mg%), die übrigen Immunglobuline mengenmäßig und funktionell normal sind und die zelluläre Immunität voll erhalten bleibt. In diesen Fällen sind regelmäßig B-Lymphozyten mit Oberflächenimmunglobulin der Klasse IgA vorhanden. Man hat deshalb die Möglichkeit in Betracht gezogen, daß die IgA-Synthese intakt ist, daß seine Sekretion hingegen, z. B. infolge Fehlens der sekretorischen Komponente (S. 65), schwer beeinträchtigt ist. Da bei zahlreichen dieser Patienten gegen Subklassen von IgA gerichtete Autoantikörper (S. 176) nachgewiesen wurden, beruht der Defekt möglicherweise auch auf einer Autoimmunreaktion.

Ein hoher Prozentanteil der Patienten, die am autosomal rezessiv vererbten Bild der *Ataxia teleangiectatica* (Louis-Bar-Syndrom) leiden, das durch zerebelläre Ataxie, okulokutane Teleangiektasien und ausgeprägte Neigung zu Infektionen der Atemwege charakterisiert ist, zeigen ebenfalls einen IgA-Mangel.

Verminderung von IgG und IgA bei erhöhtem IgM-Spiegel

Bei diesem ebenfalls X-chromosomal rezessiv vererbten Krankheitsbild zeigen die lymphatischen Gewebe keine charakteristischen Abweichungen. Die überwiegende Mehrzahl der Plasmazellen produziert jedoch IgM, das Serumspiegel bis zu 1000 mg% erreichen kann, während gleichzeitig die IgG- und IgA-Spiegel deutlich vermindert sind. Das daraus resultierende partielle Antikörpermangelsyndrom ist häufig mit hämatologischen Ausfallserscheinungen, insbesondere einer Neutropenie, kombiniert. Die Patienten sind vor allem gegenüber Infektionen mit pyogenen Mikroorganismen anfällig. Häufig kommt es auch zu einer malignen Entartung der IgM-produzierenden Plasmazellen.

Immundefekt mit Thrombozytopenie und Ekzem

Das nur Knaben befallende, geschlechtsgebunden rezessiv vererbte *Wiskott-Aldrich-Syndrom* ist durch Thrombozytopenie, Ekzem und Infektanfälligkeit gekennzeichnet. Der Immundefekt beruht wahrscheinlich auf einer Störung im afferenten Schenkel der Immunreaktion, möglicherweise auf einer Beeinträchtigung der Leistungen der mononukleären Phagozyten.

Defekte des T-Zellsystems

Dem von di George (1965) beschriebenen Syndrom der *Thymushypoplasie* liegt eine embryonale Entwicklungshemmung der 3. und 4. Schlundtasche zugrunde. Das Syndrom ist daher häufig von weiteren Mißbildungen begleitet. Kinder mit diesem Defekt vermögen wohl Antikörper zu produzieren, leiden aber unter dem Ausfall der zellulären Immunreaktionen; sie sind gegenüber Virusinfektionen besonders anfällig. Das seltene Syndrom ist vor allem als natürliches humanmedizinisches Modell eines T-Zellausfalls von Interesse.

Schwerer kombinierter Defekt

Patienten mit schwerem kombinierten T- und B-Zelldefekt leiden unter schweren Ausfallserscheinungen der zellulären und der humoralen Immunreaktion. Im Blutbild findet man eine hochgradige Lymphopenie, der Thymus ist hypoplastisch, periphere lymphatische Organe sind kaum erkennbar und enthalten nur selten Lymphozyten.

Auffallend ist die außerordentlich hohe Infektanfälligkeit. Die Infekte sind ähnlich wie bei der infantilen, geschlechtsgebundenen Agammaglobulinämie polytop. Die Anfälligkeit betrifft sowohl Infektionen mit pyogenen Bakterien wie auch mit Viren, Protozoen und Pilzen. Die meisten dieser Patienten sterben deshalb schon in den ersten Lebenswochen.

Weil der kombinierte Immundefekt das T- und das B-Zellsystem in ähnlichem Ausmaß betrifft, hat man als Ursache eine Störung der Stammzellen in Betracht gezogen. Kürzlich ist bei etwa einem Drittel dieser Patienten eine starke Verminderung der Adenosindeaminase in den Erythrozyten, den Lymphozyten und im Plasma nachgewiesen worden.

Immundefekte infolge gestörter Phagozytenfunktion

Es sind zahlreiche seltene Syndrome, die auf Störungen in der Funktion der phagozytierenden Zellsysteme beruhen, beschrieben worden. Erwähnenswert sind die nachfolgenden repräsentativen Beispiele.

Progressive septische Granulomatose

Bei diesem meist X-chromosomal rezessiv vererbten Krankheitsbild vermögen die neutrophilen Granulozyten und die mononukleären Phagozyten die pathogenen Keime wohl zu phagozytieren, aber intrazellulär nicht abzutöten. Solche Zellen vermögen kein H_2O_2 bzw. keinen aktiven Sauerstoff zu bilden (S. 16).

Chediak-Higashi-Syndrom

Auch beim autosomal rezessiv vererbten Chediak-Higashi-Syndrom ist bei neutrophilen Granulozyten und mononukleären Phagozyten die Phagozytosefähigkeit häufig erhalten, die bakterizide Wirkung jedoch beeinträchtigt; in den Zellen finden sich große Zytoplasmaeinschlüsse. Die Anfälligkeit für pyogene Infektionen ist stark erhöht.

Erworbene Ausfallserscheinungen der Immunantwort

Vorübergehende oder anhaltende Verminderung in der Reaktionsfähigkeit des Immunapparates ist eine unspezifische Begleiterscheinung zahlreicher Krankheiten. Andauernde massive Proteinurie oder mit Proteinverlust einhergehende chronische Enteropathie kann zu einem Antikörpermangelsyndrom führen. Therapeutische Maßnahmen, wie operative Entfernung von Anteilen des lymphoretikulären Systems, Einwirkung von ionisierenden Strahlen, Verabreichung von Zytostatika, Immunosuppressiva, Antibiotika, gehen, ähnlich wie Verbrennungen und Virusinfektionen, häufig mit einer verminderten immunologischen Reaktivität einher.

Lymphoretikuläre Neoplasien

In diesem Rahmen ist es nicht möglich, eine Übersicht über die lymphoretikulären Neoplasien zu geben. Auf einige mit einer mehr oder weniger charakteristischen Beeinträchtigung der Immunreaktivität einhergehende Krankheitsbilder wird aber kurz hingewiesen.

Lymphoma malignum Hodgkin

Obschon weder die Frage nach der Ätiologie noch nach dem Grad der Malignität dieses Leidens zuverlässig beantwortet werden kann, so verdient doch die Tatsache Interesse, daß bei diesen Patienten die Fähigkeit zur Auslösung von Überempfindlichkeitsreaktionen vom Spättyp (S. 144) und zur Abstoßung von Allotransplantaten (S. 171) beeinträchtigt ist. Diese *Ausfallserscheinungen des T-Zellsystems* finden sich bereits bei lokalisiertem *Morbus Hodgkin;* sie nehmen mit dem Fortschreiten der Erkrankung zu. Das äußert sich z. B. darin, daß die zellulären Überempfindlichkeitsreaktionen gegenüber bakteriellen Antigenen (Tuberkulinreaktion, S. 145) abgeschwächt wird oder gar ganz ausfallen. Lymphozyten von Hodgkin-Patienten können in vitro durch mitogene Stoffe oder das Antigen kaum oder überhaupt nicht stimuliert werden. Diese Patienten sind gegenüber Infektionen sehr anfällig; dabei stehen Virusinfektionen, insbesondere durch Viren vom Herpes-Typ, im Vordergrund.

Neoplasien des B-Zellsystems

Die Symptomatologie der Neoplasien des B-Zellsystems hängt wesentlich davon ab, in welchem Stadium der Differenzierung die maligne Transformation erfolgt. In der Regel wird nämlich der B-Lymphozyt in jenem Differenzierungsstadium fixiert bleiben, in dem er von der Transformation erfaßt wird (Tab. 5). Die maligne Entartung kann den kleinen Lymphozyten, den Lymphoblasten oder die Plasmazelle betreffen (s. Abb. 6 auf S. 45). Bei den kleinen Lymphozyten geht die maligne Transformation nicht (z. B. akute lymphatische Leukämien) oder nur gelegentlich (z. B. chronische lymphatische Leukämien) mit einer Erhöhung der Gammaglobulinsynthese einher. Betrifft die Transformation hingegen einen weiter differenzierten, zur Synthese und den Export von Immunglobulin befähigten B-Zellklon, so führt seine ungehemmte Proliferation zu einer Überschwemmung des Organismus mit dem monoklonalen Immunglobulin. Diese Beobachtung ist ein wertvoller Hinweis auf die monoklonale Natur des

Tabelle 5 Lymphoproliferative Erkrankungen des B-Zellsystems

Betroffener Zelltyp	Folgen der Störung	Krankheitsbilder
B-Lymphozyt	ungehemmte Proliferation des transformierten Zellklons, evtl. monoklonale Gammapathie (IgM)	akute und chronische lymphatische Leukämien, Burkitt-Lymphom, Karzinom, Lymphosarkom
Lymphoblasten, unreife Plasmazelle	meist vom Knochenmark ausgehende ungehemmte Zellproliferation mit Auftreten von monoklonalem IgM	Makroglobulinämie (Morbus Waldenström)
Reife Plasmazelle	Überproduktion von intaktem monoklonalem Ig (55 % IgG; 23 % IgA), Überproduktion von leichten Ketten, Überproduktion von Fc bzw. von Teilen von Fc	multiples Myelom, Proteinurie Bence-Jones, Heavy chain disease

neoplastischen Prozesses und ist deshalb von grundsätzlicher Bedeutung für die onkologische Forschung. Die vom malignen Zellklon sezernierten Immunglobuline sind untereinander identisch und unterscheiden sich in ihrem Aufbau nicht von physiologischen Immunglobulinmolekülen. Dank eingehender struktureller Untersuchungen an derartigen monoklonalen Immunglobulinen war es möglich, zahlreiche gesicherte Vorstellungen über den Aufbau, die Spezifität und die Antigeneigenschaften der Antikörpermoleküle zu gewinnen (S. 52 ff.). Auf einige der B-Zell-Neoplasien wird wegen ihrer immunologischen Bedeutung etwas näher eingegangen.

Makroglobulinämie Waldenström und multiples Myelom

Bei Patienten mit *Morbus Waldenström* finden sich im Blut B-Lymphozyten mit Oberflächenimmunglobulin der IgM- und IgD-Klasse meist deutlich vermehrt. Die Makroglobulinämie Waldenström kann daher als Folge einer malignen Entartung betrachtet werden, die die B-Zelle während ihrer Differenzierung zur Plasmazelle erfaßt (s. Tab. 5; S. 42 ff.). Die Krankheit tritt bevorzugt im höheren Lebensalter auf, beruht auf der Expansion eines entarteten B-Zellklons im Knochenmark und ist durch das Auftreten von monoklonalem IgM-Makroglobulin gekennzeichnet.

Das *maligne Myelom* (Plasmazytom) beruht auf der ungehemmten Proliferation eines einzelnen maligne entarteten Plasmazellklons.

Eine große Zahl von identischen Tochterzellen produziert identische Immunglobulinmoleküle, die den Organismus überschwemmen. Die frequenzmäßige Zugehörigkeit der Myelome zu den einzelnen Ig-Klassen entspricht etwa ihrer Konzentration im Normalserum (s. Tab. 5 auf S. 115). Klinische Kardinalsymptome des Myeloms sind osteolytische Skelettveränderungen sowie eine Vermehrung von entarteten Plasmazellen. Im Patientenserum ist monoklonales Immunglobulin (M-Komponente) anhand eines scharf umschriebenen Gipfels im Elektrophoresediagramm nachweisbar. Der Anteil der Immunglobulin tragenden Blutlymphozyten liegt mehrheitlich im Normalbereich. Immunglobulin-Mangelzustände finden sich bei etwa 40 % der Patienten. Sie sind bakteriellen Infektionen, vor allem im oberen Respirationstrakt (Pneumokokken, Hämophilus, Streptokokken), ausgesetzt.

Mehr als die Hälfte der Myelompatienten scheiden im Urin leichte Ketten des monoklonalen Immunglobulins als Dimere aus *(Bence-Jones-Proteinurie);* ein kleiner Prozentsatz der maligne entarteten Plasmazelltumoren synthetisiert ausschließlich leichte Polypeptidketten.

Während die beim *Morbus Waldenström* und beim multiplen Myelom im Übermaß synthetisierten monoklonalen Immunglobuline an sich normal aufgebaut sind, sind bei der sog. *Schwerketten-Krankheit* die schweren Polypeptidketten abnorm. Es fehlt ihnen der größte Teil der C_{H1}-Domäne und ein Teil der variablen Region V_H. Der Defekt ist vermutlich die Folge eines fehlerhaften Zusammenkoppelns von variablem und konstantem Abschnitt. Da diesen defekten schweren Ketten die hierfür nötige Struktur fehlt, können sie keine leichten Ketten binden. Das klinische Krankheitsbild wird durch den Typ der schweren Ketten (μ, γ, α, ε, δ) mitgeprägt.

Literatur

Azar, H. A., M. Potter: Multiple Myeloma and Related Disorders. Hagerstown, Harper and Row, New York 1973

Braun, H. J.: Gammopathien. In: Praxis der Immunologie, hrsg. von K. O. Vorlaender. Thieme, Stuttgart 1976 (S. 216)

Frangione, B., E. C. Franklin: Heavy chain diseases: Clinical features and molecular significance of the disordered immunoglobulin structure. Semin. Hemat. 10 (1973) 53

Geiger, H.: Immunologische Defektsyndrome. In: Praxis der Immunologie, hrsg. von K. O. Vorlaender. Thieme, Stuttgart 1973 (S. 146)

Good, R. A., D. Bergsma: Immunologic Deficiency Diseases in Man. National Foundation Press, New York 1974

Hitzig, W. H.: Konnatale Defektzustände des lymphatischen Systems. In: Lymphozyt und klinische Immunologie, hrsg. von H. Theml, H. Begemann. Springer, Berlin 1975 (S. 112)

Seligmann, M., J. C. Brouet: Antibody activity of human myeloma globulins. Semin. Hemat. 10 (1973) 163

Stiehm, E. R., V. A. Fulginiti: Immunologic Disorders in Infants and Children. Saunders, Philadelphia 1973

Waldenström, J. G.: Monoclonal and Polyclonal Hypergammaglobulinemia: Clinical and Biological Significance. Cambridge University Press, London 1968

Überempfindlichkeitsreaktionen

Der Organismus kann auf Fremdstoffe unterschiedlich ansprechen. Immer wiederkehrender Kontakt mit zahlreichen Fremdstoffen wie Nahrungsmitteln, Bekleidung, Kosmetika usw. führt üblicherweise zu keiner erkennbaren Abwehrreaktion. Andere Fremdstoffe lösen dagegen regelmäßig eine Immunreaktion aus. Ein erster Kontakt mit einem solchen Stoff induziert eine Primärreaktion mit Bildung von Gedächtniszellen, die es erlauben, einen späteren Kontakt mit demselben Fremdstoff rasch, intensiv und präzis zu beantworten (Sekundärreaktion, S. 21). Deshalb vermag die Immunreaktion gegenüber zahlreichen pathogenen Mikroorganismen einen wirksamen Schutz zu vermitteln und damit entscheidend zur Erhaltung der Integrität des Organismus beizutragen (S. 52 ff.).

Fremdstoffe können unter bestimmten Bedingungen Immunreaktionen auslösen, die mit einer Schädigung des Wirtsgewebes einhergehen. Diese auf einer gesteigerten bzw. veränderten Reaktivität gegenüber dem antigenen Stoff beruhenden Krankheitserscheinungen werden als Überempfindlichkeitsreaktionen oder *Allergien* bezeichnet. Eine erstmalige parenterale Verabreichung an sich nicht toxischer Fremdstoffe (Fremdeiweiße, Pharmaka) wird anstandslos ertragen, kann aber den Wirtsorganismus sensibilisieren; ein zweiter, nach einem Intervall erfolgender Kontakt mit demselben Antigen führt zu schweren Zwischenfällen oder gar zum Tode (Anaphylaxie; Rhesusinkompatibilität). Der Versuch des Organismus, über längere Zeit persistierende Antigene durch Antikörper auszuschalten, kann Ablagerungen von Immunkomplexen und Gewebeschädigungen (Immunvaskulitis; Immunkomplex-Nephritis) nach sich ziehen. In gewissen Fällen können Schädigungen körpereigener Strukturen auftreten, weil sich die immunologische Abwehrreaktion nicht auf die pathogenen Mikroorganismen beschränkt (Tuberkulose; S. 157 ff.). Gelegentlich kann es zur Stimulation von Immunvorgängen kommen, die ihrerseits die Immunabwehr zu blockieren vermögen (Virusinfektionen, maligne Tumoren).

Ähnlich wie bei den physiologischen lassen sich auch bei den krankhaften Immunvorgängen humorale und zelluläre Reaktionstypen voneinander abgrenzen. Von den durch Antikörper vermittelten Krankheitsbildern werden in der Folge die Anaphylaxie, die humorale zytotoxische Immunreaktion und die durch Immunkomplexe verursachten Schädigungen besprochen. Diese humoral vermittelten Überempfindlichkeitsreaktionen werden häufig unter dem Begriff der *Sofortreaktionen* zusammengefaßt. Diese Bezeichnung ist für die Anaphylaxie und die zytotoxische Immunreaktion zutreffend, weil dort die schädigenden Folgereaktionen wenige Minuten nach Kontakt des Antigens mit dem bereits sensibilisierten Organismus in Erscheinung treten. Bei gewissen durch Immunkomplexe verursachten Krankheitsformen kann ein Intervall von Stunden bis Tagen zwischen Interaktion von Antigen und Antikörper und Auftreten der Krankheitssymptome liegen. Die durch Zellen vermittelten Überempfindlichkeitsreaktionen benötigen nach Kontakt des Antigens mit dem sensibilisierten Gewebe mindestens 24 Stunden zu ihrer vollen Entfaltung und werden daher oft unter dem Begriff der *Spätreaktion* zusammengefaßt.

Die Abgrenzung der verschiedenen Typen der Überempfindlichkeit gegeneinander ist in der Klinik nicht immer einfach. Einmal muß man von der Tatsache ausgehen, daß die meisten antigenen Stimuli gleichzeitig oder in zeitlicher Staffelung verschiedene Typen der immunologischen Überempfindlichkeit in Gang bringen können; eine Kombination von humoraler und zellulärer Immunantwort ist häufig zu beobachten. Andererseits ist es nicht immer einfach, aufgrund des klinischen Bildes auf die Pathogenese zu schließen: zytotoxische Schäden können durch humorale oder zelluläre Immunvorgänge bedingt sein; ein Freiwerden von biologisch aktiven Stoffen aus Mastzellen kann auf anaphylaktische Sensibilisierung, auf Anaphylatoxinwirkung (etwa in der Folge der Aktivierung von Komplement durch Immunkomplexe) oder auf beim Zerfall von polymorphkernigen Leukozyten frei werdendes basisches Protein zurückzuführen sein. Diese Beispiele legen dar, wie schwierig sich die diagnostische Aufgabe für den Kliniker oft stellt.

Obschon sich eine gegenüber einem Fremdstoff in Gang kommende Immunreaktion fast regelmäßig aus humoralen und zellulären Komponenten zusammensetzt, so zeigen gewisse Antigene doch eine besondere Affinität zum einen oder anderen Kompartiment. Gegenüber fakultativ intrazellulären Keimen, die nach ihrer Aufnahme in den Phagozyten weiterleben können, z. B. Mykobakterien, Brucellen, Salmonellen, Listerien, entwickelt sich eine überwiegend zelluläre Immunantwort. Eine gegenüber solchen Infektionen über längere Zeit anhaltende zelluläre Immunreaktion kann gelegentlich zu Granulombildung (Mykobakterien) oder zu lokaler Einschmelzung von Gewebe (Verkäsung bzw. Kavernenbildung bei der Tuberkulose des Menschen, S. 158) führen. Das Kontaktekzem ist eine andere klassische Äußerung der zellulären Überempfindlichkeit. Zahlreiche niedermolekulare chemische Substanzen, wie Chromate, Pikrylchlorid, p-Phenylendiamin und gewisse Antibiotika, können bei wiederholtem Kontakt mit der Körperoberfläche eine zelluläre

Tabelle 6 Charakteristische Merkmale der 4 Haupttypen von Überempfindlichkeitsreaktion

	Durch Antikörper vermittelte Überempfindlichkeitsreaktionen			IV. zelluläre Immunität
	I. Anaphylaxie	II. humorale zytotoxische Immunreaktion	III. durch Immunkomplexe vermittelte Krankheiten	
biologische Charakteristika	zytophiler Antikörper (IgE), Bindung an Mastzellen und basophile Leukozyten, lange Persistenz	gegen Zelloberflächenantigene gerichteter, meist C-bindender humoraler Antikörper	humoraler, häufig C-bindender Antikörper	antigenspezifischer Rezeptor der T-Lymphozyten
Antigen	meist exogen (z. B. Pollen)	Bestandteil der Zelloberfläche	meist lösliche, extrazelluläre Antigene	lösliche extrazelluläre Antigene oder Bestandteile der Zelloberfläche
Reaktion nach Applikation des Antigens				
– Zeitpunkt des Auftretens	5–30 Min.	Minuten	3–8 Stunden (Arthus)	24–48 Stunden
– Morphologie	Erythem, Schwellung	–	Erythem, Ödem, Induration	Erythem, Induration
– Histologie	Mastzelldegranulation, Eosinophile, azelluläres Ödem	–	Infiltration mit polymorphkernigen Leukozyten, Entzündung, evtl. Nekrose	perivaskuläres Infiltrat von mononukleären Zellen
auf ein anderes Individuum übertragbar mit	Serumantikörper	Serumantikörper	Serumantikörper	Lymphozyten
klinische Beispiele	Asthma bronchiale, Heuschnupfen	Morbus haemolyticus neonatorum	Glomerulonephritis, Farmerlunge	Tuberkulinreaktion, Transplantatabstoßung

(aus *I. M. Roitt:* Essential Immunology, 2. Aufl. Blackwell, Oxford 1974)

Immunreaktion auslösen, die sich in einer chronischen Dermatitis äußert. Auf die Bedeutung zellulärer Immunvorgänge bei der Transplantatabstoßung (S. 171) und den Autoimmunkrankheiten (S. 176) wird an anderer Stelle hingewiesen.

Die wichtigsten Eigenschaften der 4 Haupttypen von Überempfindlichkeitsreaktionen, welche Krankheiten auslösen, sind in Tab. 6 aufgeführt.

Humoral vermittelte Überempfindlichkeitsreaktionen

Durch Antikörper vermittelte Überempfindlichkeitsreaktionen können mittels Serum, nicht aber mittels Zellen auf ein normales, nicht sensibilisiertes Individuum übertragen werden. Es können 3 Haupttypen humoral vermittelter Überempfindlichkeitsreaktionen voneinander abgegrenzt werden:

- Typ I: Anaphylaxie,
- Typ II: humorale zytotoxische Immunreaktion,
- Typ III: durch Immunkomplexe vermittelte Krankheitsbilder.

Typ I: Anaphylaxie

Die klassische Form der Anaphylaxie wird durch ein außergewöhnlich zytophiles Immunglobulin, den *anaphylaktischen Antikörper*, vermittelt. Weil sich der anaphylaktische Antikörper nur an Gewebe der gleichen oder nahe verwandter Spezies zu binden vermag, wird er auch als homozytotroper Antikörper bezeichnet. Beim Menschen gehört er zur Klasse IgE; früher wurde er wegen seiner außergewöhnlichen biologischen Eigenschaften als Reagin bezeichnet. Nach Injektion des Serums eines Allergikers in die Haut eines gesunden Individuums bleibt lokal nach 12–24 Stunden nur noch Antikörper der IgE-Klasse zurück. Die biologische Reaktivität von an Gewebe gebundenem IgE bleibt über mehrere Wochen erhalten. Die anderen Immunglobulinklassen angehörenden Antikörper bleiben dagegen nur für wenige Stunden an das Gewebe fixiert.

Neben diesen auffallenden Eigenschaften des anaphylaktischen Antikörpers tragen auch die Zellen, die diesen fest und anhaltend zu binden vermögen, entscheidend zum Bild der Anaphylaxie bei. Es handelt sich dabei um hochspezialisierte Zelltypen, die in ihren Granula eine Reihe von biologisch aktiven Stoffen speichern, deren Freiwerden das Bild der Anaphylaxie wesentlich mitprägt.

Klassische Anaphylaxie

Anaphylaktischer Antikörper bindet sich selektiv an Mastzellen und basophile Leukozyten. Diese Zellen verfügen auf ihrer Zellmembran offenbar über einen besonderen, zur Bindung einer komplementären Struktur im Fc-Abschnitt des IgE-Moleküls befähigten Rezeptor. Mastzellen und Basophile, die auf ihrer Oberfläche gegen ein bestimmtes Allergen gerichteten IgE-Antikörper in genügender Dichte tragen, sind sensibilisiert. Der Kontakt von sensibilisierten Zellen mit dem Immunogen leitet die anaphylaktische Reaktion ein. Man glaubt, daß das Antigen sich gleichzeitig an 2 benachbarte zellständige IgE-Moleküle binde; diese Brückenbildung (Abb. 24 a) hat eine Konfigurationsänderung im Fc-Abschnitt der zellgebundenen Antikörpermoleküle zur Folge. Sie führt zu charakteristischen Membranveränderungen, welche die Freisetzung von Inhaltsstoffen aus Speicherorganellen der betroffenen Zellen zur Folge hat. Unter den frei werdenden Stoffen finden sich biologisch aktive Mediatoren (Abb. 24 a). Mit radioimmunologischen Methoden kann sowohl der IgE-Gehalt im Serum, wie auch der spezifische, gegen ein bestimmtes Allergen gerichtete zirkulierende IgE-Antikörper quantitativ ermittelt werden (s. Abb. 13 auf S. 74).

Andere Mechanismen

Neben der klassischen, durch anaphylaktischen Antikörper vermittelten Form der Anaphylaxie gibt es verschiedene andere Mechanismen, die zu ähnlichen Folgeerscheinungen führen können. Sie werden in der Folge ebenfalls kurz erläutert.

Durch IgG vermittelte Anaphylaxie

Neben dem klassischen anaphylaktischen Antikörper vom Typ IgE verfügen auch gewisse Subklassen von IgG verschiedener Spezies über die Fähigkeit, sich an Mastzellen und Basophile zu binden und für Anaphylaxie zu sensibilisieren. Die Bindung dieser Antikörper bleibt aber auf 3–4 Stunden beschränkt, so daß nur die fortwährende Nachlieferung dieser Antikörper die anaphylaktische Sensibilisierung aufrechterhalten kann. *Protein A* aus Staphylococcus aureus, das mit dem Fc-Abschnitt von IgG reagiert, vermag aus mit IgG sensibilisierten Mastzellen oder Basophilen ebenfalls Histamin freizusetzen.

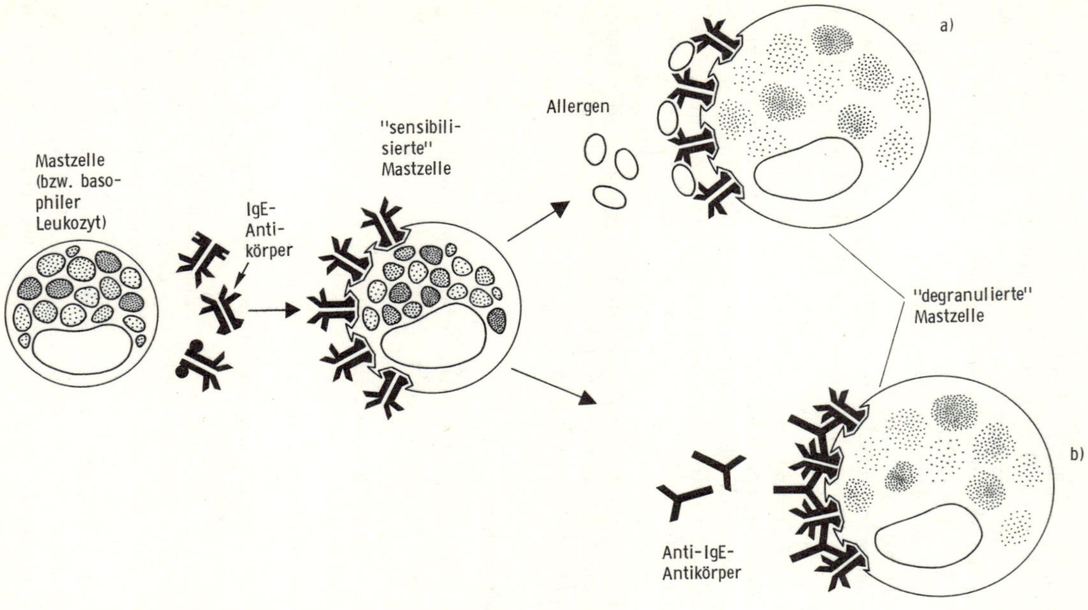

Abb. 24 Klassische, durch IgE vermittelte Anaphylaxie.
a) Klassische, durch Allergen induzierte Freisetzung.
b) Experimentelle, durch Anti-IgE-Antikörper induzierte Freisetzung.

Durch Brückenbildung zwischen zellgebundenem Antikörper ausgelöste Anaphylaxie

Die folgenden In-vitro-Versuche mit Antikörper gegen IgE sowie mit Lektinen haben wesentlich zum Verständnis der bei der anaphylaktischen Reaktion beteiligten Vorgänge beigetragen.

- *Anti-IgE-Antikörper.* Die Zugabe von spezifisch gegen IgE gerichtetem Antikörper zu sensibilisierten Mastzellen und Basophilen bewirkt eine ähnliche Folgereaktion wie das Antigen bei der klassischen anaphylaktischen Reaktion. Da die Spezifität des Anti-Immunglobulin-Antikörpers gegen die konstanten Anteile der schweren Ketten von IgE gerichtet ist, darf angenommen werden, daß Anti-IgE zwei benachbarte zellständige IgE-Moleküle durch Bindung in ihren Fc-Abschnitten brückenartig verbindet (s. Abb. 24 b auf S. 122).
- *Lektine* sind pflanzliche Stoffe mit der Eigenschaft, bestimmte Zucker selektiv zu binden. Das Lektin Concanavalin A, das tetravalent ist und selektiv α-D-Mannopyranosyl-, α-D-Glukopyranosyl- und β-D-Fruktofuranosyl-Gruppen bindet, vermag an mit anaphylaktischem Antikörper sensibilisierten Mastzellen und Basophilen ebenfalls eine Freisetzungsreaktion auszulösen. Man nimmt an, daß das Lektin, ähnlich wie Anti-IgE, zwei benachbarte IgE-Moleküle durch Interaktion mit den Zuckergruppen im Fc-Anteil miteinander verbindet.

Permeabilitätsstörung durch Polypeptide

Unter verschiedenen Bedingungen frei werdende bzw. neu gebildete Polypeptide können an Mastzellen und Basophilen eine der anaphylaktischen vergleichbare Folgeraktion induzieren. Beispiele hierfür sind beim Zerfall von polymorphkernigen Leukozyten frei werdende niedermolekulare basische Peptide sowie die im Verlauf der Komplementaktivierung anfallenden Spaltprodukte C3a und C5a mit Anaphylatoxinaktivität (S. 13 f.).

Bedingungen für die Synthese von anaphylaktischem Antikörper

Die in gewissen Familien auffallende Häufung der Anaphylaxie (Atopie) ist genetisch bedingt. Darüber hinaus ist es eine Erfahrungstatsache, daß bestimmte immunogene Stoffe, wie Pollen, Milben, Erdbeeren, Fische, Penicillin, besonders häufig die Synthese von IgE stimulieren. Gewisse Reize, insbesondere *Nematodeninfektionen* (z. B. Askaris), induzieren nicht nur die Synthese von gegen Nematodenantigene gerichteten IgE-Antikörpern, sondern verändern auch die Immunantwort gegenüber anderen Antigenen zugunsten einer gesteigerten IgE-Synthese. Die Gründe für diesen die anaphylaktische Sensibilisierung fördernden Adjuvanseffekt einer Nematodeninfektion sind noch nicht klar.

Biochemische Grundlagen der Anaphylaxie

Das initiale Ereignis besteht in einer Strukturänderung der Zellmembran von Mastzellen und basophilen Leukozyten, in deren Gefolge in den Zellen gespeicherte biologisch aktive Substanzen, wie z. B. Histamin, rasch freigesetzt werden; andere Mediatoren werden neu gebildet. Die resultierende Erhöhung der Gefäßpermeabilität, die anfänglich das Geschehen dominiert, ermöglicht das Eindringen von Serumeiweißen und von Blutzellen in das Gewebe. Auf diese Weise werden mit zunehmender Dauer der Reaktion die Vorgänge immer komplexer und ihre Analyse entsprechend schwieriger. Als wichtigste der zur Anaphylaxie beitragenden Komponenten sind zu erwähnen:

Histamin. Dieses spielt vor allem in der Initialphase der Anaphylaxie eine wichtige Rolle. Dale hat in den Jahren 1908–1915 festgestellt, daß Histamin beim Meerschweinchen die Symptome des anaphylaktischen Schocks imitiert und daß isolierte glattmuskuläre Organe (Ileum, Uterus) sensibilisierter Meerschweinchen auf Kontakt mit dem Antigen Histamin freisetzen, was zur Kontraktion führt. Später zeigte sich, daß während der anaphylaktischen Reaktion auch aus anderen Organen (z. B. Lunge) große Mengen Histamin frei werden. 1953 hat Riley festgestellt, daß der überwiegende Anteil des im Organismus gespeicherten Histamins in der Granula der Mastzellen (bei der Ratte 20–30 pg/Zelle) enthalten ist und aus diesen durch Pharmaka freigesetzt werden kann. In der Folge zeigte sich, daß Zugabe von Antigen zu isolierten, sensibilisierten Mastzellen ein rasches Freiwerden niedermolekularer Inhaltsstoffe auslöst. Die vorher erwähnten molekularen Vorstellungen über die Art der zellständigen Interaktion von Antigen und Antikörper basieren auf Untersuchungen an isolierten Mastzellen.

5-Hydroxytryptamin (Serotonin) findet sich in den Granula der Mastzellen von Ratte (~ 1 pg/Zelle) und Maus und trägt bei diesen Spezies wegen seiner intensiven, die Gefäßpermeabilität erhöhenden Wirkung zum Bild der Anaphylaxie bei.

Ein *chemotaktischer Faktor,* der selektiv eosinophile Leukozyten anlockt, ein Tetrapeptid der Zusammensetzung Ala/Val-Gly-Ser-Glu mit einem Molekulargewicht von etwa 5000, scheint sowohl in den basophilen Leukozyten wie in den Gewebemastzellen in präformierter Form vorzuliegen; bei der Anaphylaxie wird er gemeinsam mit den biogenen Aminen frei und ist in Konzentrationen von 10^{-6} bis 10^{-8} wirksam.

„Slow reacting substance in anaphylaxis" (SRS-A) wird im Gegensatz zu den vorher erwähnten Wirkstoffen im Verlaufe der Anaphylaxie neu gebildet. Ihre chemische Natur und ihre Herkunft sind noch weitgehend ungeklärt; vermutlich handelt es sich um ein äußerst labiles gangliosidartiges Lipid. Es löst an glattmuskulären Organen nach einer gewissen Latenzzeit eine langsame, progredient verlaufende Kontraktion aus, die für längere Zeit bestehen bleibt.

Darüber hinaus können vermutlich eine Reihe von weiteren Stoffen auf verschiedene Art und Weise zum Bild der Anaphylaxie beitragen. Hierzu gehören gewisse Prostaglandine, ungesättigte lipidlösliche Säuren und ihre peroxydhaltigen Abkömmlinge, sowie die Anaphylatoxine (S. 13 f.) und die Kinine.

Biologische Methoden zum Nachweis anaphylaktischer Antikörper vom Typ des IgE

Die im Serum vorhandene, sich gegen ein bestimmtes Immunogen richtende Antikörperaktivität ist auf verschiedene Immunglobulinklassen verteilt. Die Konzentration an spezifischem klassischem anaphylaktischem Antikörper vom Typ des IgE ist üblicherweise nur äußerst gering (s. Tab. 5 auf S. 115). Die charakteristischen Eigenschaften, namentlich die außergewöhnliche Zytophilie und die biologische Reaktionsfähigkeit, ermöglichen jedoch den Nachweis sehr kleiner Mengen IgE-Antikörper. Wird beispielsweise eine Serumprobe in die Haut injiziert, so binden sich die meisten Antikörper höchstens für Stunden an das Gewebe und sind nachher nicht mehr nachzuweisen; lokal haften bleibt allein IgE-Antikörper. Wegen dieser unterschiedlichen Haftfähigkeit der Immunglobulinklassen im Gewebe beruht die 24 Stunden später ermittelte biologische Aktivität allein auf anaphylaktischem Antikörper. Die passive Sensibilisierung mit IgE-Antikörper kann sowohl systemisch wie lokal erfolgen.

Methoden zur Beurteilung einer anaphylaktischen Sensibilisierung

Zur Beurteilung, ob ein Individuum gegenüber einem bestimmten antigenen Stoff für Anaphylaxie sensibilisiert ist, stehen grundsätzlich zwei verschiedene Untersuchungsmethoden zur Verfügung.

Testen des Antigens am sensibilisierten Individuum. Das fragliche Antigen wird auf die Haut aufgetragen oder intradermal injiziert. Beim Vorliegen einer Überempfindlichkeit führt die Antigenexposition infolge Freisetzung von gefäßaktiven Mediatorstoffen zu einer lokalen Rötung und zellfreiem Ödem; die Reaktion erreicht ihr Maximum innerhalb von 10–30 Min. Das Testen potentiell eine Anaphylaxie auslösender Stoffe ist beim Allergiker von der Gefahr einer anaphylaktischen Sensibilisierung begleitet.

Testen nach passiver Sensibilisierung normaler Individuen. Prausnitz-Küstner-Test (P-K-Test). Von Prausnitz und Küstner haben anfangs des Jahrhunderts einen nützlichen Test beschrieben, bei dem Serum eines sensibilisierten Individuums in die Haut eines normalen Individuums injiziert wird. Falls IgE-Antikörper vorhanden ist, so führt der 1–2 Tage nachher erfolgende Kontakt mit dem Allergen an der Injektionsstelle innerhalb von etwa 20 Minuten zu einer Rötung und Schwellung, während eine an einer anderen, nicht sensibilisierten Hautstelle aufgebrachte Allergenprobe keine Reaktion auslöst. Dieser Test hat wegen der dabei möglichen Hepatitisübertragung nur noch theoretisches Interesse. Da IgE-Antikörper sich auch an Gewebe nahe verwandter Arten bindet, kann man mit dieser Methode den IgE-Gehalt des Serums auch durch Injektion in die Haut von Affen semiquantitiativ ermitteln. Die passive anaphylaktische Sensibilisierung von Gewebe mittels IgE-Antikörper kann durch vorgängige Injektion von Myelom-IgE, das keine Spezifität für das entsprechende Antigen zeigt, nicht aber durch Immunglobulin einer anderen Klasse, blockiert werden.

Passive kutane Anaphylaxie (PCA). Zum experimentellen Nachweis anaphylaktischer Antikörper hat sich die PCA besonders bewährt. Nach intrakutaner Injektion des Serums wird je nach der Klassenzugehörigkeit des die Anaphylaxie vermittelnden Antikörpers ein Intervall von 3–4 Stunden (IgG; vor allem beim Meerschweinchen) oder 24 Stunden (IgE) eingelegt. Anschließend wird das mit einem Vitalfarbstoff (z. B. Evansblau) vermischte Allergen i. v. injiziert. Die Interaktion von Allergen und zellfixiertem Antikörper am Ort der Seruminjektion bewirkt eine am Austreten von Farbstoff ins umliegende Gewebe erkennbare umschriebene Erhöhung der Gefäßpermeabilität. Unter optimalen Bedingungen erlaubt diese Methode den Nachweis von 0,02 μg Antikörper.

Klinische Erscheinungsformen der Anaphylaxie

Die anaphylaktische Reaktion kann generalisiert erfolgen (anaphylaktischer Schock) oder örtlich beschränkt bleiben.

Anaphylaktischer Schock

Die Symptomatologie des anaphylaktischen Schocks kann zwischen verschiedenen Arten (Meerschweinchen und Ratte), bis zu einem gewissen Grade aber auch innerhalb derselben Spezies (Mensch), erhebliche Unterschiede aufweisen. Diese sind u. a. auf qualitative und quantitative Unterschiede in den beteiligten Mediatorstoffen und in der Ansprechbarkeit des Gewebes auf diese Wirkstoffe zurückzuführen.

Beim *sensibilisierten Meerschweinchen,* das der Anaphylaxieforschung während Jahrzehnten als Standardmodell diente, bewirkt die intravenöse Verabreichung des Allergens innerhalb weniger Minuten Bronchokonstriktion mit Tod durch Asphyxie. Diese Symptome sind allein oder vorwiegend auf Histamin zurückzuführen. Bei der *Ratte* verläuft die generalisierte Anaphylaxie protrahiert; der Tod kann u. U. erst nach Stunden oder gar Tagen eintreten. Das Schockorgan ist häufig der Darm, gelegentlich auch die Lunge. Da die Ratte gegenüber Histamin äußerst resistent ist, spielt dieses bei der Anaphylaxie dieser Spezies keine bzw. nur eine untergeordnete Rolle. Beim *Menschen* können, besonders häufig im Anschluß an parenterale Verabreichung von Medikamenten (Penicillin) oder nach Insektenstichen, Symptome der generalisierten Anaphylaxie mit perakutem oder protrahiertem Verlauf auftreten.

Die Symptomatik des anaphylaktischen Schocks wird wesentlich auch davon abhängen, in welchem Gewebe die Interaktion von Antigen und Antikörper stattfindet. Üblicherweise wird in Geweben, die in engen und wiederholten Kontakt mit einem Allergen kommen, die Antikörpersynthese an Ort und Stelle stimuliert und der sezernierte Antikörper durch die lokalen Mastzellen gebunden. Erfolgt die Sensibilisierung vorwiegend über Inhalationsallergene, so wird sie überwiegend die Atemwege betreffen, erfolgt sie, wie z. B. bei einer Nematodeninfektion, im Darm, so wird sie vor allem den Darm betreffen.

Lokale Anaphylaxie

Annähernd 10 % der Bevölkerung leiden an lokalen anaphylaktischen Reaktionen gegenüber exogenen Allergenen (Graspollen, Tierhaare, Milben im Hausstaub usw.). Der Kontakt des Allergens mit zellgebundenem IgE in der Konjunktiva, der Nasen-, Bronchial- oder Darmschleimhaut führt zum Freiwerden der Mediatorstoffe der Anaphylaxie aus den lokalen Mastzellen und löst je nach Lokalisation urtikarielle Exantheme (Erdbeeren, Medikamente), Heuschnupfen, Quincke-Ödem, Asthma bronchiale oder Darmsymptome (Fische, Zerealien) aus.

Unter den zahlreichen *therapeutischen Maßnahmen,* mit denen man an verschiedenen Stellen in das Krankheitsgeschehen einzugreifen versucht, verdient die *spezifische Desensibilisierung* Erwähnung. Den Versuchen, mittels langdauernder wiederholter Verabreichung kleiner Antigendosen eine Desensibilisierung zu erreichen, liegt die Vorstellung zugrunde, die Synthese von sog. blockierendem Antikörper der IgG-Klasse zu induzieren, der das Antigen folgenlos abzubinden vermag. Beim Heuschnupfen sind die Resultate, insbesondere wenn das Antigen in Depotform (z. B. in Bindung an Aluminiumhydroxyd) vorliegt, recht ermutigend. Bei anderen lokalen anaphylaktischen Syndromen sind die Erfolgschancen dieser Therapie bisher weniger günstig. Desensibilisierungsversuche können u. U. auch eine Verstärkung oder Ausdehnung der anaphylaktischen Reaktivität zur Folge haben.

Literatur

Austen, K. F., E. L. Becker: Biochemistry of the Acute Allergic Reactions. Blackwell, Oxford 1971

Becker, E. L., P. M. Henson: In vitro studies of immunologically induced secretion of mediators from cells and related phenomena. Advanc. Immunol. 17 (1973) 93

Bennich, H., S. G. O. Johansson: Structure and function of human immunoglobulin E. Advanc. Immunol. 13 (1971) 1

Coombs, R. R. A., P. G. H. Gell: The classification of allergic reactions underlying disease. In: Clinical Aspects of Immunology, 3. Aufl., hrsg. von P. G. H. Gell, R. R. A. Coombs, P. J. Lachmann. Blackwell, Oxford 1975

Ishizaka, K.: Cellular events in the IgE antibody response. Advanc. Immunol. 23 (1976) 1

Ishizaka, T., K. Ishizaka: Biology of immunoglobulin E. Molecular basis of reaginic hypersensitivity. Progr. Allergy 19 (1975) 60

King, T. P.: Chemical and biological properties of some atopic allergens. Advanc. Immunol. 23 (1976) 77

Stanworth, D. S.: Immediate Hypersensitivity; The Molecular Basis of the Allergic Response. North-Holland Publishing Co., Amsterdam 1973

Typ II: Humoral vermittelte zytotoxische Immunreaktion

Die nachfolgenden Ausführungen beziehen sich auf die *durch Immunglobuline vermittelten* Erscheinungsformen der humoralen zytotoxischen Immunreaktion; durch Zellen vermittelte zytotoxische Reaktionen sind klar von diesen abzugrenzen (S. 146). Da die Mehrzahl der klinisch wichtigen Beispiele einer humoralen zytotoxischen Immunreaktion die Erythrozyten betrifft, werden diese in der Folge gesondert besprochen (S. 131).

Mechanismen der humoralen zytotoxischen Immunreaktion

Voraussetzung für das Zustandekommen einer humoral vermittelten zytotoxischen Immunreaktion ist die Gegenwart eines Antikörpers,

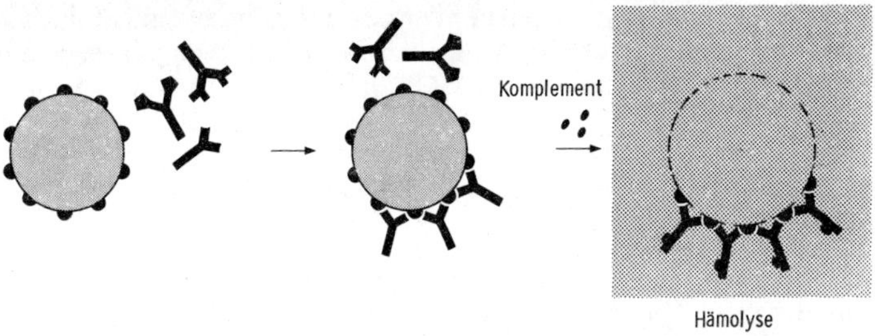

Abb. 25 Humorale zytotoxische Immunreaktion. Antikörper, die über das komplementäre Paratop verfügen, reagieren mit dem Epitop auf der Zelloberfläche. In Gegenwart von Komplement kommt es zur Lyse der Zelle (Beispiel: Hämolyse).

dessen Spezifität sich gegen ein an der Zelloberfläche vorhandenes Epitop richtet. Das Antikörpermolekül tritt mittels seiner spezifischen Bindungsstellen im Fab-Abschnitt mit dem zellständigen Antigen in Reaktion (Abb. 25).

Die biologischen Folgen der spezifischen Bindung von Antikörper an die Zelloberfläche werden wesentlich durch die biologischen Eigenschaften der beteiligten Partner, die Zelle und das Immunglobulin, bestimmt. Von der Zelle her tragen der Zelltyp, die Dichte der antikörperbindenden Stellen, der Grad der Stabilität der Zellmembran bzw. deren Kapazität zu Reparaturvorgängen, zum Ausgang der Immunreaktion bei. Andererseits können Eigenschaften der beteiligten Immunglobuline, wie die Anzahl der spezifischen Bindungsstellen (IgM, IgG) und die Fähigkeit zur Komplementaktivierung, den Ablauf der zytotoxischen Immunreaktion entscheidend beeinflussen. Auf die biologischen Konsequenzen einer unterschiedlichen Fähigkeit zur Komplementbindung durch das beteiligte Immunglobulin wird in der Folge etwas näher eingegangen.

Folgen der spezifischen Bindung von nicht komplementbindendem Antikörper

Die spezifische Bindung von nicht komplementbindendem Antikörper an Zelloberflächenantigene führt zu einer Verminderung der Oberflächenladung und damit zu einer Labilisierung der Zellmembran. Auf diese Weise wird der Kontakt mit anderen Zellen begünstigt. Mikroorganismen mit glatter Oberfläche, die dem Zugriff der Phagozyten leicht entgleiten, können infolge Beladung mit Antikörper phagozytiert werden (*Opsonisierung;* Beispiel: bekapselte

Pneumokokken). Erythrozyten, die mit nicht komplementbindendem Antikörper beladen sind, werden in der Milz abgefangen und abgebaut (hämolytische Anämie, S. 134).

Folgen der Bindung von Antikörper mit der Fähigkeit zur partiellen Komplementbindung

Die spezifische Bindung gewisser Antikörper an die Zelloberfläche kann in vitro von einer selektiven Aktivierung der Komplementkomponenten C1 bis C3 begleitet sein. Das bedeutet, daß während der Interaktion von Antigen, Antikörper und Komplement auf der Zelloberfläche C3a-Anaphylatoxin entsteht.

Zytolyse nach spezifischer Bindung von komplementbindendem Antikörper

Die spezifische Bindung von komplementbindendem Antikörper (IgM, IgG) an die Zelloberfläche geht normalerweise mit einer vollständigen Aktivierung der Komplementkette einher, die in der Bildung eines lytischen Komplementkomplexes gipfelt (S. 10). Während beim Erythrozyten eine einzige derartige Läsion in der Membran zur Hämolyse führt (s. Abb. 25 auf S. 129), sind bei kernhaltigen Zellen, wahrscheinlich weil diese über eine begrenzte Kapazität zur Reparatur solcher Membrandefekte verfügen, zumindest mehrere solche Läsionen erforderlich, um die Lyse der Zelle herbeizuführen.

Die biologischen Konsequenzen einer Beladung mit Antikörpern hängt nicht allein von den Eigenschaften des Immunglobulins ab, sondern können auch durch andere Komponenten beeinflußt, verstärkt, abgeschwächt bzw. modifiziert werden. Erwähnenswert ist vor allem, daß verschiedene Zelltypen, unter ihnen solche mit zytotoxischer bzw. zytolytischer Potenz (z. B. Makrophagen, antikörperabhängige Effektorzellen wie K-Zellen, S. 94 f.) über Rezeptoren für den Fc-Abschnitt der Immunglobuline verfügen. Sie können deshalb mit antikörperbeladenen Zellen in engen Kontakt gelangen und diese gegebenenfalls abtöten (s. Abb. 21 auf S. 95).

In-vitro-Methoden zum Nachweis zytotoxischer Antikörper

Zytotoxischer Antikörper kann nach seiner Bindung entweder direkt auf der Zelloberfläche nachgewiesen werden, oder es können die biologischen Folgen seiner Bindung verfolgt werden.

Nachweis gebundener Antikörper

Spezifisch gebundener Antikörper wird bei 37 °C von den meisten Zellen durch Endozytose aufgenommen; bei 4 °C wird seine Endozytose stark herabgesetzt. Zellständiger Antikörper kann durch Markierung mit fluoreszierenden Stoffen (Fluoreszein, S. 75), mit radioaktiven Isotopen (Jod) oder mit Enzymen (Peroxydase, S. 75), oder durch Kupplung an ein großes, elektronenoptisch erfaßbares Molekül (Ferritin, S. 75) nachgewiesen werden (s. Abb. 14 auf S. 76).

Biologische Folgen der Bindung von zytotoxischem Antikörper

Auf die der spezifischen Bindung von Antikörper an Bestandteile der Zellmembran folgenden Reaktionen, wie Agglutination (S. 81), Opsonisierung bzw. Immunadhärenz (S. 84) und Komplementlyse (S. 85) ist bereits früher hingewiesen worden.

Klinische Erscheinungsformen der humoralen zytotoxischen Immunreaktion

Das erythrozytäre System betreffende Erscheinungsformen

Die Erythrozyten betreffenden Formen der humoralen zytotoxischen Immunreaktion werden wegen ihrer erheblichen klinischen Bedeutung getrennt von den andere Zellsysteme betreffende Krankheitserscheinungen besprochen. Man spricht von *Isoimmunreaktionen,* wenn sich die Reaktion gegen die Erythrozyten eines Individuums derselben Spezies, von *Autoimmunreaktionen,* wenn sie sich gegen die eigenen Erythrozyten richtet. Weiter sind auch Reaktionen gegen an die Erythrozyten angelagerte Fremdstoffe (Antigene, Haptene) in Betracht zu ziehen.

Isoimmunreaktionen. *AB0-Antigene, Isoantikörper und Transfusionszwischenfälle.* Landsteiner (1900) hat aufgrund der Agglutinationsreaktion zwischen Erythrozyten des Menschen und Normalserum des Menschen das AB0-Blutgruppensystem identifiziert. Mit den beiden Oberflächenantigenen A und B ergeben sich 4 mögliche Kombinationen für die Antigenstruktur der Erythrozyten:

1. Vorhandensein von Antigen A, Fehlen von B *(Blutgruppe A).*
2. Vorhandensein von Antigen B, Fehlen von A *(Blutgruppe B).*
3. Vorhandensein der Antigene A und B *(Blutgruppe AB).*
4. Fehlen der Antigene A und B *(Blutgruppe 0).*

Dieses einfache Schema hat sich trotz dem Vorkommen mehrerer Subgruppen von A bewährt; für Transfusionszwecke muß es um die Subgruppe A_1 erweitert werden.

Ein Individuum verfügt normalerweise über hochtitrige Serumantikörper gegen jene Antigene des AB0-Blutgruppensystems, die sich nicht auf der Oberfläche der eigenen Erythrozyten vorfinden. Diese Antikörper *(Isohämagglutinine)* gehören meist der IgM-Klasse an. Bei bezüglich des AB0-Systems nicht kompatibler Transfusion bewirken die Isohämagglutinine Hämolyse der Empfängererythrozyten mit u. U. schweren Folgeerscheinungen. Es wird vielfach angenommen, daß die Bildung der AB0-Antikörper auf einer Immunisierung gegenüber kreuzreagierenden Antigenen der Darmflora beruhe. Zweifellos sind Antigene mit Blutgruppenspezifität in der Natur weit verbreitet. Für eine derart enge Beziehung zwischen Blutgruppenantikörpern und antigener Struktur der Enterobakterien fehlen aber bisher zuverlässige Anhaltspunkte.

Rhesusinkompatibilität. Das Rhesusblutgruppensystem, nach dem AB0-System das nächst wichtigste Blutgruppensystem, muß bei der Transfusion ebenfalls berücksichtigt werden. Unter den häufig auf der Erythrozytenoberfläche gefundenen Antigenen C,c,D,d,E,e, ist D weitaus am stärksten ausgeprägt. Etwa 85 % der weißen Bevölkerung tragen Rhesusantigene auf den Erythrozyten.

Die klinische Bedeutung der Rhesusblutgruppen besteht vor allem darin, daß Erythrozyten eines Rh-positiven Feten seine rh-negative Mutter sensibilisieren können. Die Voraussetzungen hierfür sind dann erfüllt, wenn kindliche Erythrozyten in den mütterlichen Organismus gelangen, d. h. bei plazentarer Blutung, vor allem unter der Geburt. Wenn zwischen Mutter und Kind bezüglich des AB0-Systems Kompatibilität besteht, so werden die kindlichen Erythrozyten persistieren und der mütterliche Organismus wird Anti-Rhesusantikörper bilden. Im Gegensatz zu den gegen die Blutgruppenantigene A und B gerichteten natürlichen IgM-Antikörpern gehören die gegen die kindlichen Rhesusantigene gebildeten mütterlichen Antikörper zur IgG-Klasse. Sie können daher die Plazenta passieren, reagieren mit dem D-Antigen der fetalen Erythrozyten eines Rh-positiven Kindes und führen zum als *Morbus haemolyticus neonatorum* bezeichneten Krankheitsbild.

Besteht zwischen Mutter und Kind bezüglich des AB0-Systems Inkompatibilität, so werden die in die mütterliche Zirkulation gelangenden fetalen Erythrozyten ausgeschaltet, bevor eine Sensibilisierung mit den Rhesusantigenen zustande kommen kann. So wird zum Beispiel eine Mutter mit Blutgruppe 0 rh-negativ mit einem Kind der

Blutgruppe A Rh-positiv die fetalen Erythrozyten mit ihrem Anti-A-Antikörper laufend zerstören. Zur Verhinderung einer Rhesussensibilisierung werden heute rh-negative Mütter bei der Geburt des ersten Rh-positiven Kindes prophylaktisch mit kleinen Mengen des aviden IgG-Anti-D behandelt. Dadurch werden das D-Antigen tragende kindliche Zellen durch zytotoxische Reaktion ausgeschaltet und gleichzeitig wahrscheinlich auch eine eventuelle Antikörperbildung durch die Mutter unterbunden.

Nachweis der Rhesusantigene. Nachdem sich die Agglutination als einfacher Test zum Nachweis der Blutgruppenantigene A und B bewährt hatte, wurde versucht, das Rhesusantigen auf ähnliche Weise zu erfassen. Erfahrungsgemäß werden aber Erythrozyten Rh-positiver Individuen durch Anti-D-Antikörper in vitro häufig nicht agglutiniert. Das ist einerseits auf das eher spärliche Vorkommen von D-Antigenmolekülen auf der Zellmembran, andererseits aber möglicherweise auf die ungenügende Avidität des IgG-Antikörpers zurückzuführen; Anti-D-Antikörper der IgM-Klasse führt fast immer zur Agglutination von rhesuspositiven Erythrozyten. Im *Coombs-Test* (Abb. 26) werden mit Anti-D-Antikörper beladene Erythrozyten in vitro mit einem Anti-Immunglobulinserum versetzt, das eine Brük-

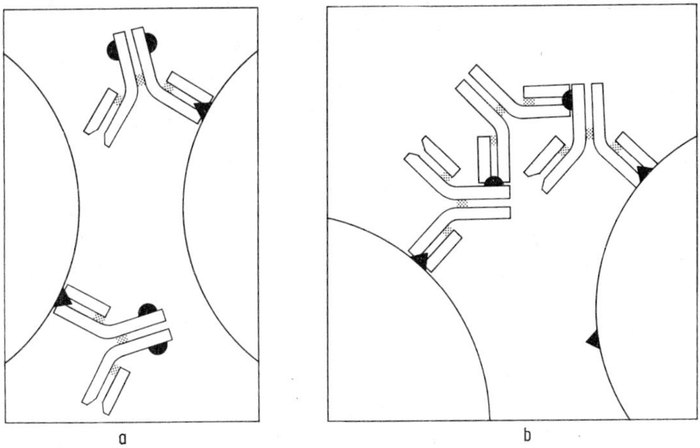

Abb. 26 a und b Antiglobulin-Test nach Coombs. Die Bindung von gegen ein Zelloberflächenantigen gerichtetem Antikörper ist nicht immer von einer Agglutination begleitet. In solchen Fällen vermag Anti-Immunglobulinantikörper die Agglutination herbeizuführen. ▲ Oberflächenantigen, gegen das sich der Antikörper richtet, ● Antigendeterminante im Fc-Anteil des Immunglobulinmoleküls, gegen die sich der Antiglobulin-Antikörper richtet.

kenbildung und damit Agglutination ermöglicht, ohne daß sich die Zellen weiter annähern müßten. Mit Anti-D beladene Erythrozyten können auch durch Zufügen von Serumalbumin, das die Oberflächenladung herabsetzt, zur Agglutination gebracht werden.

Autoimmunvorgänge. Als erste beim Menschen beschriebene Form der Autoimmunkrankheit ist die heterogene Gruppe der *autoimmunhämolytischen Anämien* auf Hämolyse durch Autoantikörper zurückzuführen. Wahrscheinlich beruht die Hämolyse mehrheitlich nicht auf dem Auftreten von Neoantigenen auf der Zelloberfläche, sondern auf einer Störung in der Antikörpersynthese. Dafür spricht, daß benigne (infektiöse Mononukleose) und maligne lymphoretikuläre Erkrankungen (lymphatische Leukämie, Lymphosarkom, Morbus Waldenström) häufig von immunhämolytischen Anämien begleitet werden. Die gegen Antigene der eigenen Erythrozyten gerichteten Antikörper können sowohl der IgM- wie der IgG-Klasse angehören; die IgM-Antikörper vermögen die Erythrozyten bei 0–4 °C zu agglutinieren, nicht aber bei 37 °C (sog. Kälteagglutinine). Obschon es sich dabei um komplementfixierende Antikörper handelt, steht klinisch die Hämolyse häufig nicht im Vordergrund. Das kann auf die geringe Menge an Antikörper oder auf seine niedrige Avidität zurückzuführen sein. Die Beladung mit Antikörper bewirkt aber eine Labilisierung der Zellmembran, so daß diese Erythrozyten von Phagozyten in der Milz und Leber abgefangen und abgebaut werden.

Arzneimittelschäden. Kleinmolekulare, als solche nicht immunogene Fremdstoffe, vor allem Medikamente und ihre Stoffwechselprodukte, können sich als sog. Haptene an körpereigene Strukturen anlagern. Wenn das Arzneimittel oder dessen Metaboliten zusammen mit Bestandteilen der Zelloberfläche einen immunogenen Komplex bilden und auf diese Weise vom Hapten zum Immunogen wird, so können im Verlaufe der Immunreaktion auch zytotoxische Antikörper entstehen. Fremdstoffe, die eine Affinität für die Erythrozytenmembran aufweisen, können auf diese Weise eine hämolytische Anämie auslösen. Unter den zahlreichen Medikamenten, die eine hämolytische Anämie über einen solchen Mechanismus zu induzieren vermögen, sind u. a. Mesantoin, Chinin, Chinidin, Phenazetin, Paraaminosalizylsäure, Streptomycin, Cephalotin, Chlorpromazin, Melphalan, Alphamethyldopa sowie Penicillin und seine Metaboliten.

Andere Zelltypen betreffende Erscheinungsformen

Auf humoraler zytotoxischer Immunreaktion beruhende Ausfallserscheinungen anderer Zellsysteme sind klinisch ungleich weniger häufig als jene des erythrozytären Systems. Das mag damit zusammenhängen, daß sie nur dann mit dem Leben vereinbar sind, wenn sie örtlich und zeitlich beschränkt bleiben.

Autoimmunvorgänge. *Hämatologische Autoimmunkrankheiten.* Die meisten hämatologischen Autoimmunkrankheiten beruhen auf der zytotoxischen Wirkung von humoralen Antikörpern. Ein solcher, das Krankheitsbild prägender pathogenetischer Mechanismus gilt insbesondere bei den Autoimmun-Thrombozytopenien als gesichert.

Immunthyreoiditis (Thyreoiditis Hashimoto). Die Immunthyreoiditis, die oft mit einer Schilddrüsenstörung einhergeht, gilt als klassisches Beispiel einer organspezifischen Autoimmunkrankheit. Trotzdem ist die Pathogenese der Krankheit, bei der das Schilddrüsengewebe zerstört wird, noch nicht geklärt. Histologisch kommt es zur Infiltration mit mononukleären Zellen (Lymphozyten, Histiozyten, Plasmazellen), zum Zerfall der Follikel sowie zur Bildung von Keimzentren. Im Serum dieser Patienten finden sich hohe Titer an spezifisch gegen bestimmte Komponenten der Schilddrüse, insbesondere gegen Thyreoglobulin gerichteten Antikörpern. Diese Antikörper zerstören in Gegenwart von Komplement in Kultur gehaltene normale Schilddrüsenzellen. Die Gründe für den Bruch der Toleranz gegenüber diesen körpereigenen Antigenen sind noch nicht klar. Sicher spielen genetische Faktoren eine wichtige Rolle. Das ergibt sich aus der familiären Häufung der Immunthyreoiditis und aus der nicht seltenen Vergesellschaftung mit anderen Autoimmunkrankheiten.

Goodpasture-Syndrom. Beim Goodpasture-Syndrom finden sich gegen die Basalmembran der Nierenglomeruli gerichtete Antikörper. Diese lagern sich zusammen mit Komplement an die Basalmembran an und schädigen diese. Es kommt zu Glomerulonephritis. In Biopsien findet man an den Basalmembranen der Glomeruluskapillaren gleichmäßige, lineare Ablagerungen von IgG-Antikörper und Komplement (C3). Die Lungenblutungen, die beim Goodpasture-Syndrom die Glomerulonephritis begleiten, beruhen auf einer Kreuzreaktion dieser Antikörper mit der Basalmembran der Lungenalveolen.

Arzneimittelschäden. Ähnlich wie die Erythrozyten können andere Zelltypen gewisse Arzneimittel oder deren Metaboliten selektiv in ihre Oberflächenstrukturen einbauen und dabei u. U. auch erheblich anreichern. Da die meisten Pharmaka eine selektive Affinität zur Bindung an einen bestimmten Zelltyp zeigen, ist die Symptomatologie der Erkrankung weitgehend vom Zelltyp abhängig, der das Pharmakon an der Membran trägt. Zytotoxische Antikörper gegen in die Oberflächenstrukturen von polymorphkernigen Leukozyten eingebaute Arzneimittel (z. B. Amidopyrin, Phenothiazin) führen zu *Agranulozytose*. Chinidin und verschiedene andere Medikamente zeigen eine selektive Affinität für die Thrombozytenmembran; der sich bildende zytotoxische Antikörper bewirkt in Gegenwart von Medikament, Plättchen und Komplement eine *thrombozytopenische Purpura*.

Literatur

Bigazzi, P. E., N. R. Rose: Spontaneous autoimmune thyroiditis in animals as a model of human disease. Progr. Allergy 19 (1975) 245

Gehrmann, G.: Erythrozyten (immunhämolytische und autoimmunhämolytische Anämien). In: Praxis der Immunologie, hrsg. von K. O. Vorlaender. Thieme, Stuttgart 1976 (S. 166)

Gell, P. G. H., R. R. A. Coombs, P. Lachmann: Clinical Aspects of Immunology, 3. Aufl. Sekt. IV. Blackwell, Oxford 1975

Vorlaender, K. O.: Leukozyten. In: Praxis der Immunologie, hrsg. von K. O. Vorlaender, Thieme, Stuttgart 1976 (S. 193)

Winckelmann, G.: Immunthrombopenien. In: Praxis der Immunologie, hrsg. von K. O. Vorlaender. Thieme, Stuttgart 1976 (S. 199)

Typ III: Durch Immunkomplexe verursachte Krankheitserscheinungen

Aus der Vereinigung von Antigen mit löslichem Antikörper können Immunkomplexe hervorgehen, die sich in den und um die kleinen Gefäße herum ablagern und dort Entzündung und Gewebeschädigung verursachen. Molekulargewicht und Zusammensetzung der Immunkomplexe sind wesentlich vom mengenmäßigen Verhältnis zwischen Antigen und Antikörper abhängig (S. 77 ff., Abb. 15 auf S. 78). Das gilt auch für die biologischen Eigenschaften der Immunkomplexe. Im Antigen- oder im Antikörperüberschuß gebildete kleine bis mittelgroße Komplexe sind meist pathogen. Im Äquivalenzbereich gebildete große mizellenartige Komplexe verursachen hingegen keine Krankheitssymptome; sie werden von Phagozyten aufgenommen und ohne Schaden für diese Zellen abgebaut.

Der Bildung und Ablagerung toxischer Immunkomplexe folgt eine Kaskade von nebeneinander und nacheinander ablaufenden Vorgängen (Abb. 27). Im Immunkomplex gebundene Antikörper erlangen die Fähigkeit zur Aktivierung der Komplementkette. Die dabei aus C3 und C5 entstehenden Spaltprodukte mit Anaphylatoxinwirkung (S. 13 ff.) setzen aus natürlichen Depots, den Mastzellen und Basophilen, Histamin und andere Mediatorstoffe frei und bewirken eine Erhöhung der Gefäßpermeabilität. Das erleichtert einerseits das Eindringen von zirkulierenden Immunkomplexen in die Gefäßwand

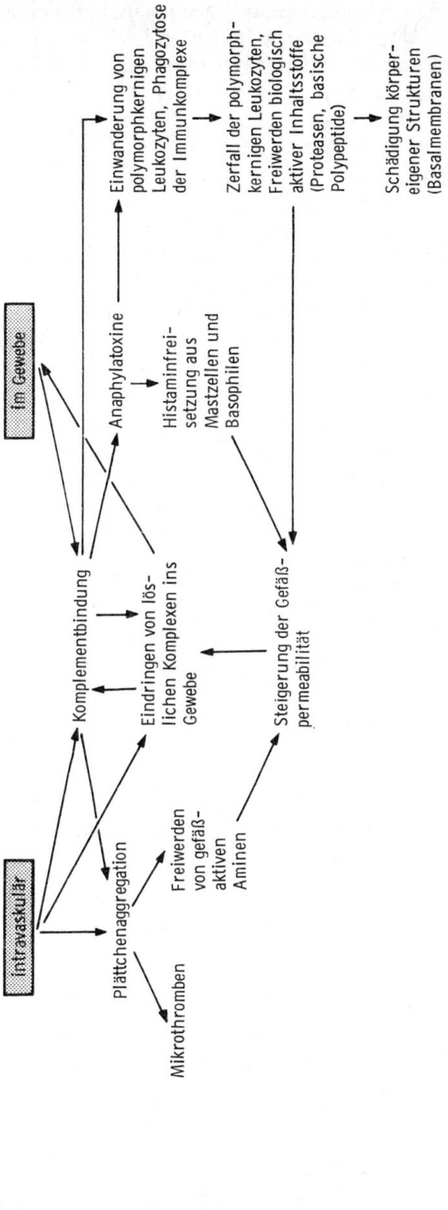

Abb. 27 Vorgänge, die der Bildung von kleinen bis mittelgroßen Immunkomplexen in der Zirkulation bzw. im Gewebe folgen.

und ermöglicht andererseits im Zusammenspiel mit der Wirkung chemotaktischer Faktoren (C5a, $C\overline{567}$) die Einwanderung von polymorphkernigen Leukozyten in das Entzündungsgebiet. Die phagozytierten Immunkomplexe schädigen die neutrophilen Granulozyten. Diese Zellen zerfallen, die aus ihnen frei werdenden proteolytischen Fermente (Kathepsine, Kollagenase, Elastase) greifen körpereigene Strukturen an und schädigen diese. Die durch toxische Immunkomplexe ausgelösten Krankheitserscheinungen beruhen damit vorwiegend auf beim Entzündungsprozeß aktiv werdenden körpereigenen Stoffen. Hierbei fallen im Gewebe der Aktivierung des Komplementsystems und dem Zerfall der neutrophilen Granulozyten eine Schlüsselrolle zu. Die zentrale Bedeutung dieser Mechanismen wird durch die Beobachtung untermauert, daß bei Kaninchen mit deutlich vermindertem Komplementspiegel oder herabgesetzter Granulozytenzahl die durch Immunkomplexe induzierbaren Krankheitssymptome fast vollständig ausbleiben. Möglicherweise können jene Immunglobuline (IgM, IgG_1, IgG_2, IgG_3), die Komplement von C1 aus zu aktivieren vermögen, zur Bildung toxischer Immunkomplexe beitragen; Immunglobuline (IgG_4, IgA, IgE), die nicht von C1 aus aktivieren können, dagegen nicht. Intravaskulär gebildete Immunkomplexe können über eine Aktivierung des Gerinnungssystems (Hageman-Faktor) weitere Mediatorstoffe der Entzündung, etwa das Kininsystem, induzieren oder über die Aggregation von Blutplättchen weitere vielfältige Folgereaktionen auslösen (s. Abb. 27). Die Symptomatologie der Krankheitserscheinungen wird wesentlich durch das aktuelle Mengenverhältnis zwischen Antigen und Antikörper sowie den Ort der Bildung bzw. Ablagerung der Komplexe geprägt.

Im Antigenüberschuß entstehende, zirkulierende Immunkomplexe (Immunvaskulitis)

Lösliche, sich im *Antigenüberschuß* bildende Immunkomplexe (s. Abb. 15 auf S. 78) entstehen in der Zirkulation und werden mit Vorliebe an Orten mit intensiver Durchblutung oder Filtration (Nieren) infolge erhöhter Gefäßpermeabilität in die Gefäßwand eingelagert; sie erzeugen dort eine *Vaskulitis*. Je nachdem, ob die Immunkomplexe nur während kurzer Zeit, vorübergehend, anfallen (klassisches Beispiel: Serumkrankheit) oder über lange Zeit, chronisch, einwirken (chronische Glomerulonephritis), werden die Krankheitserscheinungen transitorisch und reversibel sein oder aber chronisch-progressiv verlaufen. Während für die Auslösung der Serumkrankheit Komplement unbedingt nötig ist, kann sich eine chronische Glomerulonephritis auch bei dekomplementierten Tieren entwickeln.

Serumkrankheit

Ende des vergangenen und in den ersten Jahrzehnten unseres Jahrhunderts wurden zur Therapie gewisser Infektionskrankheiten (Diphtherie, Tetanus, Gasbrand) relativ große Mengen (10–20 ml) antitoxinhaltigen Fremdserums parenteral verabreicht. In der Folge traten bei einem Teil dieser Patienten Krankheitssymptome auf, die nicht in Beziehung zur Grundkrankheit gebracht werden konnten. Die Symptomatologie der Serumkrankheit des Menschen wurde 1905 durch von Pirquet umfassend beschrieben. Im vergangenen Jahrzehnt ist die experimentelle Abklärung der diesem Krankheitsbild zugrundeliegenden immunpathologischen und biochemischen Vorgänge gelungen.

Symptomatologie der Serumkrankheit des Menschen. Werden einem an Diphtherie erkrankten Patienten größere Mengen antitoxinhaltigen Serums oder des Antikörperaktivität aufweisenden Gammaglobulins verabreicht, so gelingt es, die deletären Folgen des Diphtherietoxins zu neutralisieren und den Patienten am Leben zu erhalten. Bereits nach erstmaliger parenteraler Verabreichung eines antitoxinhaltigen Fremdserums können Krankheitssymptome wie Temperaturanstieg, Albuminurie, Schwellung der Lymphknoten, urtikarielle Exantheme, schmerzhafte Gelenkschwellungen, auftreten. Diese von der Grundkrankheit abweichenden Symptome erreichen nach 10–14 Tagen ein Maximum und klingen nachher rasch wieder ab; es kommt häufig zu vollständiger Restitution. Die Verabreichung von Arzneimitteln, insbesondere von Penicillin und Sulfonamiden, führt nach 8–12 Tagen gelegentlich zu einem ähnlichen Syndrom. Zudem scheinen Äußerungen, die im Verlaufe von bakteriellen und Virusinfektionen gelegentlich in Erscheinung treten, wie urtikarielle Exantheme, Gelenkschmerzen und leichte Hämaturie, auf der Bildung toxischer Immunkomplexe zu beruhen; besonders häufig tritt diese Form der Überempfindlichkeitsreaktion nach Streptokokkeninfektionen (Glomerulonephritis) und bei Virushepatitis (S. 166) in Erscheinung.

Analyse der immunpathologischen Vorgänge der Serumkrankheit beim Kaninchen. Nach intravenöser Injektion einer großen Menge Fremdeiweiß fällt dessen Spiegel während der ersten 10 Tage nur langsam und geringfügig ab *(katabole Phase);* in den nachfolgenden 2–3 Tagen kommt es dann zu einem dramatischen Abfall (Abb. 28). Infolge zunehmender Antikörperproduktion steigt der Antikörpertiter im Serum an, was die *Immunelimination* des Fremdstoffes ermöglicht. In der Frühphase des Auftretens von Antikörper bilden sich bei deutlichem bis mäßigem Antigenüberschuß lösliche Immunkomplexe der Zusammensetzung Ag_2AK, Ag_3AK_2 bzw. Ag_4AK_3. Diese zirkulierenden Komplexe binden Komplement, was eine lokale Erhöhung der Gefäßpermeabilität mit Eindringen von Komplexen in die Gefäßwand zur Folge hat. Derartige Läsionen werden vor allem dort auftreten, wo relativ hohe Mengen an Komplexen anfallen, also an Orten mit besonders intensiver Durchblutung und Filtration. Bei der Serumkrankheit des Menschen und des Kaninchens finden sich regelmäßig fleckenförmige Ablagerungen von Antigen-Antikörper-Komplementkomplexen in den Basalmembranen der Kapillaren der Nierenglomeruli, weniger häufig auch Vaskulitis anderer Lokalisation und Arthritis. Nach erfolgter Elimination des Fremdstoffes kommt es fast immer zu einer vollständigen Restitution der Nierenfunktion.

Der Ort der Ab- bzw. Einlagerung von Immunkomplexen in die Gefäße ist jedoch nicht allein von den hämodynamischen Verhältnissen abhängig, sondern wird durch zahlreiche andere Faktoren beein-

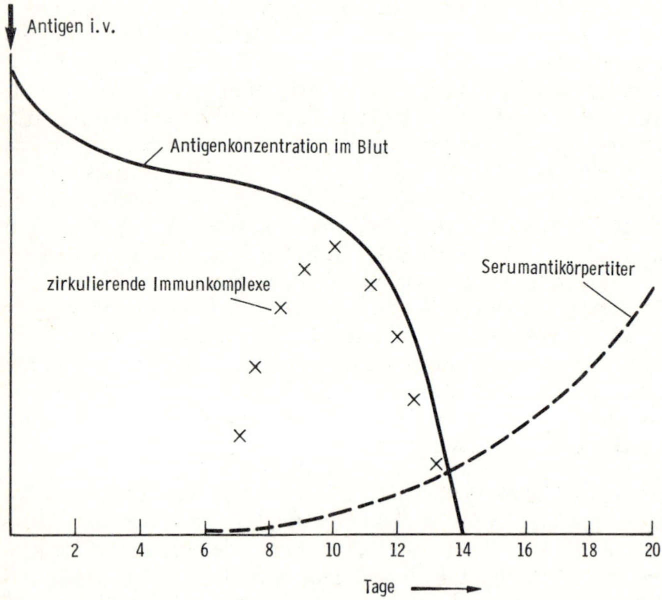

Abb. 28 Serumkrankheit. Nach parenteraler Verabreichung größerer Mengen Fremdeiweiß bleibt der Antigenspiegel längere Zeit hoch, um dann innerhalb weniger Tage steil abzufallen. Die Krankheitssymptome treten während der Immunelimination der zirkulierenden Immunkomplexe (XX) auf.

flußt. So bleibt z. B. die intravenöse Verabreichung präformierter Immunkomplexe im Tierversuch üblicherweise ohne Folgen. Im Anschluß an die Verabreichung vasoaktiver Mediatorstoffe, wie Histamin, 5-Hydroxytryptamin oder Adrenalin, die zu Kontraktion der Endothelzellen und zu Steigerung der Gefäßpermeabilität führen, können sich die Immunkomplexe dagegen in die Gefäßwand einlagern und dort eine Entzündung auslösen (s. Abb. 27 auf S. 137).

Rolle der Immunkomplexablagerung in der Pathogenese der chronischen Glomerulonephritis

Experimentelle Daten. Verabreicht man Kaninchen über lange Zeit regelmäßig kleine Mengen Fremdeiweiß parenteral, so entwickelt sich bei einigen von ihnen eine progressiv verlaufende, chronische Glomerulonephritis, gelegentlich auch Arteriitis und Arthritis; in den Glomeruli dieser Tiere finden sich Ablagerungen von Antigen, Antikörper und Komplement. Sog. schlechte Antikörperbildner, bei denen der Antikörper niedrige Affinität aufweist, zeigen eine auffallende Tendenz zur Entwicklung einer chronischen Glomerulonephritis. Man darf aufgrund dieser tierexperimentellen Untersuchungen annehmen, daß die langanhaltende, intermittierende Präsenz kleiner Mengen zirkulierenden Antigens unter gewissen Voraussetzungen zur Bildung toxischer Immunkomplexe in der Zirkulation führt. Die im Antigenüberschuß entstehenden Komplexe lagern sich vor allem in den Gefäßen der Nierenglomeruli ab und führen mit der Zeit zu chronischer Glomerulonephritis.

Pathogenese der Glomerulonephritis des Menschen. Diese experimentellen Beoachtungen legen die Frage nahe, ob gewissen Formen der Glomerulonephritis des Menschen ähnliche pathogenetische Vorgänge zugrunde liegen könnten. Untersuchungen an Biopsien von Patienten mit chronischer Glomerulonephritis haben ergeben, daß sich bei einem hohen Prozentsatz in den Glomeruli Ablagerungen von Antigen, Antikörper bzw. von Komplement vorfinden. Man darf daher annehmen, daß die Ablagerung von Immunkomplexen in die Gefäße der Nierenglomeruli eine wichtige pathogenetische Komponente bei der Entstehung der chronischen Glomerulonephritis des Menschen darstellt. Die pathogenetische Bedeutung der Ablagerung derartiger Komplexe in Gefäßen anderer Lokalisation ist noch ungenügend geklärt.

Die Bedingungen, unter denen es zum Auftreten von im Antigenüberschuß gebildeten Immunkomplexen kommen kann, sind offenbar vielfältig. Von entscheidender Bedeutung scheint, daß bei den betreffenden Individuen, in Abhängigkeit von genetischen Einflüssen, die Antikörperbildung quantitativ und/oder qualitativ beeinträchtigt ist. Ein nur in ungenügender Menge vorliegender oder zum Antigen nur geringe Affinität aufweisender Antikörper ist eine wichtige Voraussetzung für die Komplexbildung im Antigenüberschuß. Darüber hinaus ist offenbar die Konzentration und Persistenz des Antigens von Bedeutung; über lange Zeitabschnitte in geringer Menge abgegebenes Antigen, z. B. gewisse Infektionserreger bzw. ihre Zerfallsprodukte, scheint die Ausbildung einer chronischen Glomerulonephritis wesentlich zu begünstigen. Erfahrungsgemäß sind chronisch verlaufende Infektionskrankheiten (Infektionen mit gewissen Streptokokken, chronische Malaria, chronische Virusinfektionen) relativ häufig von Glomerulonephritis begleitet. Es ist möglich, daß in diesen Fällen ein immunsuppressiver Effekt des Krankheitserregers die Ursache für die qualitativ bzw. quantitativ ungenügende humorale Immunantwort darstellt.

Im Antikörperüberschuß gebildete Immunkomplexe

Bildet sich als Folge wiederholter Exposition gegenüber einem bestimmten Immunogen hochtitriger, präzipitierender Antikörper, so führt ein nächster Kontakt mit demselben Immunogen lokal zur Bildung von Immunkomplexen, die im Gewebe charakteristische Krankheitserscheinungen auslösen. Die ihnen zugrunde liegenden Vorgänge sind am Modell der Arthus-Reaktion des Kaninchens eingehend analysiert worden.

Arthus-Reaktion des Kaninchens

Im Jahre 1903 beobachtete Arthus, daß die täglich wiederholte intradermale Injektion eines löslichen Antigens anfänglich ohne Symptome bleibt, nach einigen Tagen jedoch von einer lokalen Rötung und Schwellung gefolgt ist; gelegentlich kommt es auch zu einer umschriebenen Hämorrhagie und zentralen Nekrose. Die Reaktion braucht zu ihrer vollen Entwicklung 3–8 Stunden. Die Läsion heilt innerhalb von einigen Tagen wieder vollständig aus.

Der *Ablauf des Geschehens* kann am Ohr hyperimmunisierter Kaninchen verfolgt werden. Etwa 2 Stunden nach der lokalen Injektion des Antigens zeigt sich vor allem in den kleinen Gefäßen eine Vermehrung von Zellen, hauptsächlich Granulozyten und Blutplättchen, und eine Verlangsamung des Blutdurchflusses. Die Granulozyten lagern sich zunehmend an das Gefäßendothel an und beginnen dieses zu durchwandern, um ins benachbarte Gewebe zu gelangen. Nach einiger Zeit zerfallen die im Gewebe ein dichtes Infiltrat bildenden Granulozyten mehr und mehr. In diesem Zeitabschnitt treten in den Basalmembranen der Gefäße lecke Stellen auf, so daß auch Erythrozyten ins Gewebe hinaus gelangen.

Immunologisch folgt der Injektion einer geringen Menge eines löslichen Antigens in das Gewebe eines hyperimmunisierten Kaninchens die Bildung kleiner bis mittelgroßer Immunkomplexe im Antikörperüberschuß. Die beteiligten, präzipitierenden und komplementbindenden Antikörper gehören meist zur IgG-Klasse. Die Immunkomplexe lagern sich im Gewebe ab und bewirken über die Bindung und Aktivierung von Komplement eine Erhöhung der Gefäßpermeabilität und ein Einwandern von Granulozyten in die Läsion; die phagozytierten Antigen-Antikörper-Komplementkomplexe schädigen die Granulozyten und ihre dadurch frei werdenden Inhaltsstoffe zerstören körpereigene Strukturen, insbesondere die Basalmembran der Gefäße.

Der Arthus-Reaktion ähnliche Krankheitsbilder des Menschen

Die Arthus-Reaktion des Kaninchens ist über lange Zeit als interessantes experimentelles Modell ohne klinische Relevanz betrachtet worden. Im vergangenen Jahrzehnt hat man jedoch erkannt, daß verschiedene Krankheitsbilder auf einen der Arthus-Reaktion ähnlichen Mechanismus zurückzuführen sind. Diese Krankheitserscheinungen treten offensichtlich vor allem nach regelmäßiger, immer wiederkehrender Exposition gegenüber gewissen Inhalationsantigenen auf. Aber auch bei Diabetikern, die als Folge langjähriger Insulinverabreichung hohe Titer von gegen immunogene Komponenten des Insulinpräparates gerichtete IgG-Antikörper aufweisen, treten an der Injektionsstelle gelegentlich der Arthus-Reaktion ähnliche Manifestationen auf.

Farmerlunge. Bei Bauern können im Anschluß an Exposition gegenüber schimmeligem Heu asthmoide Atemstörungen auftreten, die sich klinisch gegenüber anaphylaktischen Reaktionen zunächst oft nur aufgrund der Anamnese abgrenzen lassen; während die anaphylaktisch bedingten Symptome schon während oder kurz nach der Exposition auftreten, ist bei der Farmerlunge zwischen Exposition und Einsetzen der asthmoiden Beschwerden charakteristischerweise ein Intervall von 6–8 Stunden eingelegt. Es hat sich gezeigt, daß die meisten dieser Patienten gegenüber im Heu enthaltenen Pilzen (Sporen bzw. Enzyme aus thermophilen Aktinomyzeten und Mikropolyspora faeni) sensibilisiert sind und hohe Titer an präzipitierendem Serumantikörper aufweisen. Antigenextrakte ergeben mit Patientenserum eine Präzipitinreaktion und lösen nach intradermaler Injektion eine Arthus-Reaktion aus. Die langdauernde, regelmäßig wiederkehrende Exposition gegenüber dem Inhalationsantigen führt immunologisch zu einer Situation, die derjenigen des hyperimmunisierten Kaninchens vergleichbar ist: es besteht ein hoher Titer an präzipitierendem, komplementbindendem IgG-Antikörper. Die neuerliche Inhalation der im Heustaub enthaltenen Antigene führt auch hier zur Bildung von Antigen-Antikörperkomplexen im Antikörperüberschuß und damit zu den beobachteten Folgeerscheinungen, einer allergischen Alveolitis.

Andere Inhalationsantigene, die zu einer exogenen allergischen Alveolitis führen können. Zahlreiche andere Inhalationsantigene können nach regelmäßig wiederkehrender Exposition ein der Farmerlunge ähnliches Krankheitsbild auslösen. Erwähnenswert sind die Vogel- bzw. Taubenzüchterlunge (Exposition gegen Tauben- und Sittichexkremente), die Käserlunge (Schimmel auf Käse, Penicillium casei), und die Malzarbeiterlunge (schimmelige Gerste oder Malz).

Literatur

Cochrane, C. G., D. Koffler: Immune Complex Disease in Experimental Animals and Man. Advanc. Immunol. 16 (1973) 185

Pepys, J.: Hypersensitivity Diseases of the Lungs Due to Fungi and Organic Dusts. Karger, Basel 1969

Rother, K., H. P. Seelig: Niere. In: Praxis der Immunologie, hrsg. von K. O. Vorlaender. Thieme, Stuttgart 1976 (S. 236)

Typ IV: Zelluläre Überempfindlichkeit (Allergien vom verzögerten Typ)

Die Äußerungen der zellvermittelten Überempfindlichkeit sind auf eine spezifische zelluläre Immunreaktion zurückzuführen, die sich beim sensibilisierten Individuum nach Kontakt mit dem Antigen nur langsam entwickelt und nach 24–48 Stunden ein Maximum erreicht; histologisch liegt der Reaktion ein aus Lymphozyten und Makrophagen zusammengesetztes perivaskuläres Infiltrat zugrunde. Im Gegensatz zur humoralen Immunität kann die zelluläre Immunität nur mittels Lymphozyten adoptiv auf ein anderes Tier desselben Inzuchtstammes übertragen werden. Beim Menschen kann ein Transfer der zellulären Immunität mittels lebender weißer Blutzellen erreicht werden. Die Gründe, die für eine zentrale Rolle des T-Lymphozyten bei der zellulären Immunität sprechen, sind bereits diskutiert worden (S. 35 ff.). Wie erinnerlich, verfügen die T-Lymphozyten auf ihrer Oberfläche über Paratope, die es ihnen erlauben, Epitope in ähnlich spezifischem Ausmaß erkennen zu können, wie der mit Immunglobulinrezeptoren ausgerüstete, immunkompetente B-Lymphozyt (S. 42 ff.).

Zelluläre Vorgänge bei der Tuberkulinreaktion

Die besonders eingehend untersuchte Tuberkulinreaktion des Menschen gilt als klassisches Beispiel für eine zelluläre Immunreaktion (S. 157). Wird einem gegenüber Tuberkulin überempfindlichen Individuum eine Einheit (0,028 μg Protein) eines Eiweißextraktes aus Tuberkelbakterien (PPD, S. 157) intradermal injiziert, so entwikkelt sich lokal in der Haut eine Rötung mit derber Schwellung von einigen Millimetern Durchmesser, die nach 24–48 Stunden ein Maximum erreicht, aber über Wochen persistieren kann. Histologisch ist die Tuberkulinreaktion des Menschen durch ein dichtes perivaskuläres Infiltrat von mononukleären Zellen, überwiegend Lymphozyten und etwa 10–20 % Makrophagen, gekennzeichnet. Die Vorgänge, die zur Bildung dieser zellulären Überempfindlichkeitsreaktion führen, sind mehrheitlich noch unklar. Man glaubt, daß einige wenige T-Lymphozyten im Gewebe über das komplementäre Paratop verfügen, um mit dem Antigen in Reaktion treten zu können, und daß diese stimulierten T-Lymphozyten andere Lymphozyten und auch Makrophagen zur Einwanderung in den Herd und zu erhöhter funktioneller Aktivität anregen.

Effektormechanismen der zellulären Immunität

Die Interaktion des immunkompetenten T-Lymphozyten mit dem gelösten oder auf der Oberfläche von Makrophagen präsentierten bzw. auf fremden Zellen vorhandenen Antigen, führt zur Stimulation und klonalen Proliferation der T-Zellen (s. Abb. 8 auf S. 47). Die Folgen einer antigenen Stimulation sind u. a. davon abhängig, welche Subpopulationen von T-Lymphozyten vom Antigen angesprochen werden. Die Effektorleistungen der zellulären Immunität beruhen z. T. auf zellgebundenen Funktionen, z. T. auf von den Zellen abgegebenen Mediatorstoffen. Man darf von der Vorstellung ausgehen, daß die Mehrzahl der Äußerungen der zellulären Immunreaktion einen engen Kontakt zwischen T-Lymphozyt und der Fremdstruktur erfordern. Die löslichen Mediatorstoffe der T-Lymphozyten, die chemisch noch schlecht charakterisierten Lymphokine (S. 40 ff.), dienen offenbar vor allem der lokalen Verstärkung und Ausweitung der durch die Zellen direkt vermittelten Wirkungen.

Die Kenntnisse über die Vorgänge, welche der zellulären Immunreaktion zugrunde liegen, sind noch immer äußerst lückenhaft. Ein

Einblick in die Vielgestalt der T-Zell-Effektormechanismen ergibt sich aus der Analyse der relativ gut erfaßbaren zellschädigenden Wirkungen. Aus In-vitro-Untersuchungen geht hervor, daß eine im Verlaufe einer zellvermittelten Immunreaktion auftretende zytotoxische bzw. zytolytische Wirkung über verschiedene Effektormechanismen erzeugt werden kann.

Durch T-Zellen vermittelte zelluläre Zytotoxizität

Enger Kontakt zwischen dem spezifischen Oberflächenrezeptor eines zu zytotoxischen Effektorleistungen befähigten T-Lymphozyten (S. 37) und einer auf ihrer Oberfläche eine komplementäre Fremdstruktur aufweisenden Zielzelle, führt zur Stimulation des Lymphozyten (Abb. 29 a). Im Verlaufe dieses Vorganges erlangt der T-Lymphozyt die Fähigkeit, die Zielzelle innerhalb kurzer Zeit zu schädigen bzw.

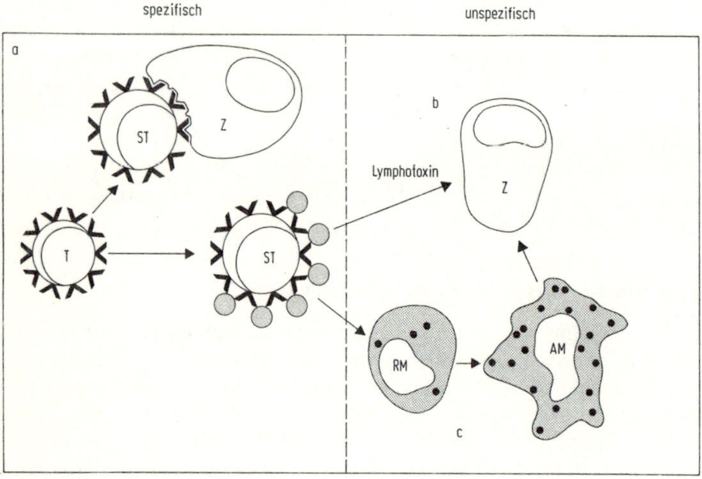

Abb. 29 Zellvermittelte zytotoxische Immunreaktion. Kontakt mit komplementärem gelöstem oder partikulärem Antigen vermag den immunkompetenten T-Lymphozyten (T) zu verschiedenen Effektorleistungen anzuregen. Hier sind die folgenden Möglichkeiten berücksichtigt: a) Beim durch die Interaktion von zellständigem Paratop und Epitop gewährleisteten engen Kontakt vermag der stimulierte T-Lymphozyt (ST) die Zielzelle (Z) abzutöten (Transplantatabstoßung). b) Die Stimulation der T-Zelle durch das Antigen (o) führt zur Sekretion von löslichen, unspezifisch wirkenden zytotoxischen Faktoren (Lymphotoxin; Abtöten von Mikroorganismen oder Tumorzellen). c) Die Stimulation der T-Zelle durch das Antigen führt zur Sekretion von gelösten Stoffen, die die Makrophagen aktivieren, was diese zur Zytotoxizität befähigt.
RM = ruhende Makrophagen; AM = aktivierte Makrophagen.

abzutöten. Eine Zellteilung des Lymphozyten ist für die Ausbildung seiner zytotoxischen Wirkung nicht Voraussetzung. Der spezifische zytotoxische Effekt ist bei engem Kontakt zwischen Effektor- und Zielzelle besonders wirkungsvoll, kann aber bis zu einem gewissen Grade auch durch lösliche Mediatoren (Lymphotoxine) in die unmittelbare Nachbarschaft hinausgetragen werden. Die durch Lymphotoxine vermittelte Zytotoxizität ist unspezifisch (Abb. 29 b).

Zahlreiche Beobachtungen sprechen dafür, daß die T-Zellen, die im Verlaufe einer zellulären Immunreaktion durch das spezifische Antigen stimuliert werden, u. a. Mediatorstoffe sezernieren, die benachbarte, nicht denselben Antigenrezeptor tragende Lymphozyten zur Ausbildung ihrer zytotoxischen Effektorleistungen anregen. Dadurch würde eine Ausweitung und Verstärkung der spezifischen Immunreaktion erreicht.

Durch Antikörper tragende T-Zellen vermittelte Zytotoxizität

Eine Subpopulation von T-Lymphozyten verfügt über Oberflächenrezeptoren für Fc. Derart an die Membran gebundenes Immunglobulin kann, ähnlich wie der spezifische Oberflächenrezeptor des T-Lymphozyten, in spezifischer Weise mit dem entsprechenden Antigen reagieren und dadurch die Stimulation der T-Zelle auslösen. In-vitro-Experimente haben ergeben, daß T-Lymphozyten, die mit einem gegen ein Oberflächenantigen gerichteten Antikörper beladen sind, Zielzellen in spezifischer Weise abzutöten vermögen.

Durch aktivierte Makrophagen vermittelte zelluläre Zytotoxizität

Durch geeignete Aktivierung ihres Stoffwechsels können Makrophagen eine erhebliche zytotoxische Potenz erlangen. Die biochemischen Vorgänge, die der Aktivierung und der zytotoxischen Wirkung des Makrophagen zugrunde liegen, sind aber völlig im Dunkeln.

Fest steht, daß im Verlauf einer zellulären Immunreaktion stimulierte T-Zellen zahlreiche, u. a. auch die Funktion der mononukleären Phagozyten (Monozyten, Makrophagen) stimulierende Lymphokine abgeben. Durch Lymphokine aktivierte Makrophagen verfügen über die Fähigkeit, bestimmte Zelltypen, insbesondere Tumorzellen, in immunologisch unspezifischer Weise, aber offenbar doch mit einer gewissen Selektivität abtöten zu können (Abb. 29 c). Eine derartige Aktivierung des Makrophagen kann aber nicht nur durch die Einwirkung von während einer zellulären Immunreaktion frei werdenden Lymphokinen erreicht werden, sondern ist auch im Verlauf einer Entzündungsreaktion oder im Anschluß an die Verabreichung von Adjuvantien zu beobachten. Im Gegensatz zur spezifisch vermittelten Zytotoxizität der T-Lymphozyten bleibt die unspezifische Zytotoxizität der mononukleären Phagozyten nur für kurze Zeit, etwa während der akuten Phase der Entzündung, erhalten (S. 17; s. Tab. 7 auf S. 156).

Methoden zum Nachweis einer Allergie vom verzögerten Typ

Hauttest

Zum Nachweis einer zellulären Überempfindlichkeit in vivo ist der Hauttest die Methode der Wahl. Klassisches Beispiel ist die Tuberkulose, bei der die im Vordergrund stehende zelluläre Überempfindlichkeit in der Tuberkulinreaktion (S. 145) nachgewiesen wird; diese hat sich als einfach und zuverlässig erwiesen. Deshalb hat man versucht, Hautteste zur Diagnostik auch anderer Infektionskrankheiten heranzuziehen. Obschon sich grundsätzlich gegenüber jedem Erreger eine zelluläre Überempfindlichkeit entwickeln kann, so gilt doch die Faustregel, daß sie bei chronischen Infektionen überwiegt, bei akuten Infektionen jedoch bedeutungslos ist. Bei verschiedenen durch Bakterien (Mykobakterien, Brucellen, Bacterium tularense, Listerien), Pilze (Candida, Trichophyton, Kokzidiomykose, Histoplasma) Protozoen (Toxoplasmen, Leishmanien) oder Viren (Mumps-, Röteln-, Herpes-, Psittakosevirus, Lymphogranuloma venereum) ausgelösten Krankheitsbildern entwickelt sich fast regelmäßig und überwiegend eine zelluläre Überempfindlichkeit. Für den Hauttest werden in Kulturfiltraten oder in Extrakten infizierter Gewebe vorhandene Antigene verwendet. Ein positiver Ausfall des Hauttests attestiert das Bestehen einer zellulären Überempfindlichkeit, erlaubt jedoch keinerlei Rückschlüsse auf die Intensität der Erkrankung.

In-vitro-Methoden zum Nachweis einer zellulären Überempfindlichkeit

Beim Versuch, die zelluläre Immunität mit Hilfe von In-vitro-Methoden zu erfassen, sieht man sich verschiedenen Problemen gegenübergestellt. Die zellulären Immunreaktionen benötigen zu ihrer Äußerung eine Zeitspanne von einem bis mehreren Tagen; sie müssen unter Bedingungen durchgeführt werden, die den Anforderungen der Zellkultur genügen. Zudem lassen sich biologische Systeme oft nur beschränkt standardisieren und entsprechend schwanken die erhaltenen Resultate oft erheblich. Eine bestimmte In-vitro-Methode erfaßt

u. U. nur einen einzigen Parameter, läßt aber andere, zur Beurteilung vielleicht wesentliche Gesichtspunkte unberücksichtigt. Die verwendeten Zellpopulationen (Milzzellen, Lymphknotenzellen, Peritonealzellen, periphere Leukozyten) sind in ihrer Zusammensetzung heterogen und lassen sich auch mit technisch anspruchsvollen Methoden der Zelltrennung höchstens unvollkommen in funktionell einheitliche Subpopulationen auftrennen. Diese Erschwernisse sind bei der Beurteilung der zum Nachweis einer zellulären Immunität zur Verfügung stehenden In-vitro-Methoden gebührend zu berücksichtigen.

Hemmung der Makrophagenauswanderung (MIF-Test)

Dem Test liegt die Beobachtung zugrunde, daß die übliche Auswanderung der Peritonealexsudatzellen eines sensibilisierten Meerschweinchens aus einer Kapillare in das umgebende Medium in Gegenwart des spezifischen Antigens deutlich gehemmt ist (Abb. 30). Die Hemmung der Auswanderung der überwiegend aus Makrophagen bestehenden Zellen des Exsudates beruht auf einem komplexen Vorgang. Die wenigen im Exsudat vorhandenen sensibilisierten Lymphozyten werden in Gegenwart des Antigens stimuliert und produzieren Lymphokine. Einer der auf die spezifische Interaktion von Antigen und Lymphozyten hin gebildeten unspezifischen Mediatoren (S. 40) hemmt die Auswanderung der Makrophagen (migration inhibition factor, MIF). Die Makrophagen dienen in diesem Testsystem als unspezifische Indikatoren der spezifischen zellulären Immunreaktion. Der Test kann zum Nachweis einer zellulären Überempfindlichkeit beim *Menschen* wie folgt modifiziert werden: Man inkubiert die Blutleukozyten für einige Tage mit dem Antigen und testet, ob der anschließend gewonnene zellfreie Kulturüberstand die Auswanderung von Peritonealexsudatzellen des Meerschweinchens zu hemmen imstande ist. Der Test hat, trotz offensichtlicher Schwierigkeiten in bezug auf quantitative Aussagen, klinisch breite Anwendung gefunden, wohl vor allem infolge Fehlens einer echten Alternative.

Lymphozytentransformation

Die Interaktion des Oberflächenparatops mit dem komplementären Epitop löst im Lymphozyten komplexe Veränderungen aus (S. 48); morphologisch äußert sich die Stimulation in der Transformation zu Lymphoblasten und deren Teilung in Tochterzellen. Es ist deshalb versucht worden, entweder die Verschiebung im prozentualen Anteil der Lymphoblasten, oder aber den Einbau von markierten DNS-Bau-

a) ohne Antigen

b) in Anwesenheit von spezifischem Antigen

c) in Anwesenheit von nicht verwandtem Antigen

Abb. 30 Nachweis des die Auswanderung von Makrophagen hemmenden Faktors (MIF-Test). Die Auswanderung von Makrophagen aus einer Kapillare wird nur in Anwesenheit des spezifischen Antigens gehemmt (aus *K. Resch,* in: Praxis der Immunologie. Thieme, Stuttgart 1976, S. 69).

steinen, vor allem von [^{3}H]-Thymidin, als Maß für die zelluläre Überempfindlichkeit heranzuziehen. Es darf aber nicht außeracht gelassen werden, daß diese Methoden weder eine Abgrenzung zwischen T- und B-Zellen, noch zwischen spezifisch und unspezifisch, etwa durch Lymphokine, stimulierten T-Lymphozyten gestatten.

Literatur

Bloom, B. R., J. R. David: In Vitro Methods in Cell-Mediated and Tumor Immunity. Academic Press, New York 1976

Möller, G.: Effector Cells in Cell-Mediated Immunity. Transplantation Reviews, Bd. 17. Munksgaard, Kopenhagen 1974

Möller, G.: Specificity of Effector T Lymphocytes. Transplantation Reviews, Bd. 29. Munksgaard, Kopenhagen 1976

Perlmann, P., H. Perlmann, H. Wigzell: Lymphocyte mediated cytotoxicity in man. Induction and inhibition by humoral antibody and nature of effector cells. Transplant. Rev. 13 (1972) 91

Turk, J. L.: Delayed Hypersensitivity. North-Holland Publishing Co., Amsterdam 1967

Turk, J. L., L. Polak, D. Parker: Control Mechanisms in Delayed Type Hypersensitivity. Brit. med. Bull. 32 (1976) 165

Immunität gegenüber Infektionen

Der Ablauf einer Infektion wird im wesentlichen durch die Funktionen des Immunsystems, wie die Erkennung des Immunogens, die Stimulation der unspezifischen Immunität bzw. einer spezifischen zellulären und humoralen Immunantwort, und die Ausschaltung des Immunogens bestimmt. Bei intakter Funktion des Immunapparates wird die Infektion überwunden, sofern die Virulenz des Erregers nicht übermächtig ist; es entwickelt sich eine meist lang anhaltende Immunität. Falls die Ausschaltung des pathogenen Mikroorganismus nicht vollständig gelingt, so persistiert der immunogene Reiz, was eine chronisch entzündliche Reaktion oder die Ausbildung einer Toleranz zur Folge haben kann.

Verschiedene Erreger, insbesondere Viren, beeinträchtigen die Immunreaktivität des Wirtsorganismus, weil sie das Immunsystem befallen (S. 162 ff.). Andere Mikroorganismen vermögen die Immunreaktivität des Wirtsorganismus zu steigern. Ein stimulierender unspezifischer Adjuvanseffekt ist für zahlreiche Mikroorganismen, insbesondere Mykobakterien (BCG), Korynebakterien, Listerien, Bordetella pertussis, aber auch für Nematoden (S. 123), beschrieben worden. Die Stimulation der Immunantwort gegenüber einem anderen, nicht verwandten immunogenen Stoff kann die humorale und/ oder die zelluläre Immunität betreffen. Dabei kann es infolge ungehemmter Vermehrung eines oder mehrerer B-Zellklone u. U. zu monoklonaler oder polyklonaler Gammapathie kommen.

Humorale antibakterielle Immunität

Das Zustandekommen einer Immunität ist meistens das Resultat des Zusammenwirkens mehrerer Abwehrmechanismen (Abb. 31). Ein erster Schutzwall, der die auf unspezifischen Mechanismen beruhenden mechanischen Barrieren, antibakteriell wirkenden Stoffe und die Phagozytose umfaßt, ermöglicht es dem Individuum von den ersten Lebenstagen an, sich gegen das Eindringen einer Großzahl von Mikroorganismen erfolgreich zur Wehr zu setzen (s. Abb. 31). Durch die natürliche Resistenz zurückgehaltene Mikroorganismen sind normalerweise apathogen. Pathogene Mikroorganismen vermögen den ersten Schutzwall zu durchbrechen, vermehren sich im Bereich der Eintrittspforte und geben toxische Stoffe in die Umgebung ab. Das führt zu einer Entzündung mit Einwanderung von poly-

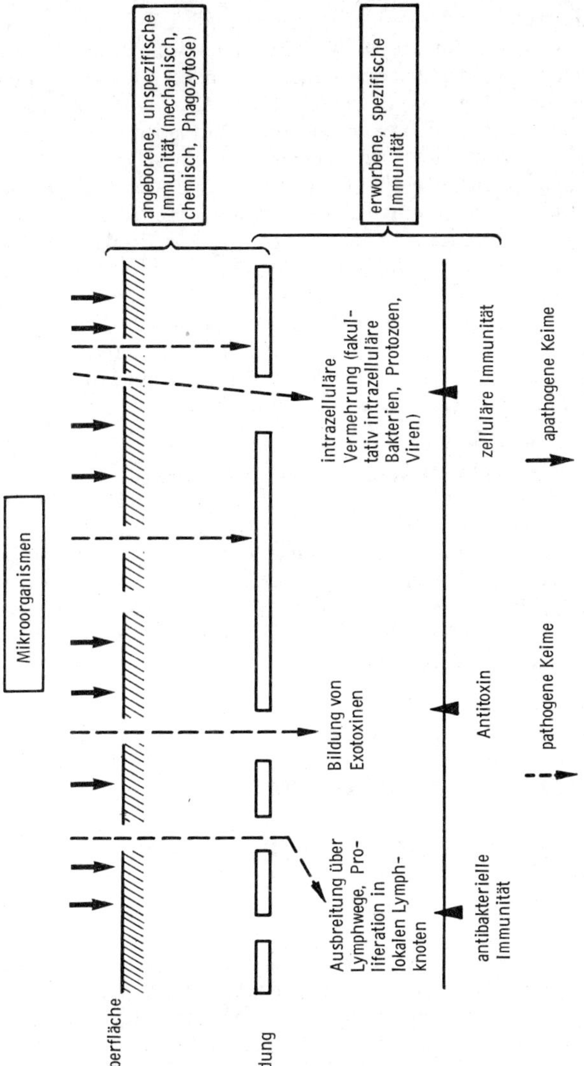

Abb. 31 Mechanismen der immunologischen Infektabwehr.

morphkernigen Leukozyten in den Herd. Durch *Phagozytose* und intrazellulären Abbau der Keime können die Granulozyten zahlreiche Infektionen (z. B. Staphylokokken, Streptokokken) lokalisieren und überwinden; der hierbei entstehende Eiter kann zu lokalen Abszessen führen. Andere Mikroorganismen können durch die Granulozyten nicht oder erst nach Mithilfe anderer Komponenten des Immunsystems angegriffen werden. So verfügen z. B. die bekapselten Pneumokokken über verschiedene Mechanismen, um der Abwehrreaktion zumindest für einige Zeit zu entgehen. Ihre Oberflächenbeschaffenheit bietet den Phagozyten keine Angriffsfläche. Das in großer Menge sezernierte Kapselpolysaccharid vermag zudem die Phagozyten auf Distanz zu halten und Antikörper abzubinden. Die Pneumokokken können daher trotz Einsetzen der Immunantwort zunächst ungestört weiterproliferieren. Erst ein Überschuß an Antikörper, der nicht nur das freie Kapselpolysaccharid zu neutralisieren vermag, sondern sich auch an die Oberfläche der Mikroorganismen bindet, ermöglicht es den Phagozyten, die mit Antikörper beladenen Pneumokokken aufzunehmen und auszuschalten.

Ergießen die Lysosomen ihren Inhalt in die Phagosomen, so werden die Lebensbedingungen für die meisten phagozytierten Mikroorganismen so ungünstig, daß sie zugrunde gehen (S. 16). Dank besonderer Eigenschaften vermögen aber nicht nur die fakultativ intrazellulären Keime, sondern auch einige andere Keime dem intrazellulären Abbau zu widerstehen. Die Streptokokkenwand enthält das gegenüber den lysosomalen Verdauungssäften resistente M-Protein. Virulente (smooth) Salmonellenstämme können dem intrazellulären Abbau ebenfalls widerstehen.

Humorale antitoxische Immunität

Gewisse Krankheiten, z. B. Tetanus, Diphtherie, Gasbrand, beruhen auf der Wirkung von Exotoxinen. Die deletären Wirkungen dieser von den Mikroorganismen abgegebenen Toxine können durch Antikörper (das sog. Antitoxin) neutralisiert und die Krankheitssymptome verhindert oder unterdrückt werden (s. Abb. 31 auf S. 153). Voraussetzung hierfür ist, daß genügend Antikörper zur Verfügung steht. Bei einer ersten Begegnung mit einem derartigen Erreger wird üblicherweise die Toxinproduktion die Antikörperproduktion deutlich übertreffen. Die Primärreaktion vermag den Wirtsorganismus deshalb meistens nicht zu schützen. Einem Individuum, das erstmals einem Exotoxin ausgesetzt ist, muß folglich zur Überwindung der ersten schutzlosen Phase der Infektion passiv antitoxischer Antikörper verabreicht werden.

Ist hingegen das Individuum infolge früher durchgemachter natürlicher Infektion oder künstlicher Immunisierung in der Lage, eine rasch einsetzende, intensive und gezielte Sekundärreaktion auszulösen, so wird der Antikörper das Toxin jederzeit quantitativ abbinden und damit das Auftreten von Krankheitssymptomen verhindern können. Die aktive Immunisierung, wie sie heute beim Kleinkind gegenüber Diphtherie und Tetanus routinemäßig durchgeführt wird, bietet Gewähr, daß die sekundäre Immunantwort den Verlauf der Infektion entscheidend zugunsten des Wirts verschiebt.

Zelluläre antibakterielle Immunität

Bei der Überwindung von Infektionen mit gewissen pathogenen Bakterien (Mykobakterien, Brucellen, Salmonellen, Listerien), die zwar prompt phagozytiert werden, aber intrazellulär weiterleben können, spielen zellvermittelte Immunreaktionen eine dominierende Rolle. Dabei kommt es, wie bei der Besprechung der Tuberkulinreaktion erwähnt (S. 145), zur Bildung von mononukleären Infiltraten. Die Persistenz der Krankheitserreger im Gewebe führt zu einem chronisch entzündlichen Prozeß mit dem Versuch, die Infektion durch mechanische Wallbildung zu lokalisieren und für die Vermehrung der Keime ungünstige Bedingungen zu schaffen. Es entwickelt sich ein *Granulom* mit Riesenzellen und Epitheloidzellen.

Ein weiteres, die Immunität gegenüber zellulären Infektionen begleitendes charakteristisches Phänomen ist die Steigerung zahlreicher biochemischer und funktioneller Makrophagenleistungen („Aktivierung"). Makrophagen von mit Tuberkelbakterien, Brucellen oder Listerien infizierten Tieren zeigen eine stark gesteigerte phagozytische, bakterizide und zytolytische Aktivität. Parallel zum Rückgang der Äußerungen der zellulären Immunität nach Ausheilung eines Infektes gehen auch diese Aktivitäten der Makrophagen auf normale Werte zurück, können aber im Verlauf einer anamnestischen Reaktion rasch reaktiviert werden. Auf der Höhe einer spezifischen zellvermittelten Immunreaktion sind die Makrophagen besonders deutlich aktiviert. Das äußert sich darin, daß während einer intensiven zellulären Immunreaktion, z. B. gegen Tuberkelbakterien, die Resistenz gegenüber nicht verwandten anderen fakultativ intrazellulären Keimen, z. B. Brucellen, Listerien, Toxoplasmen usw. ebenfalls stark erhöht ist (Tab. 7). Man glaubt, daß diese Steigerung

Tabelle 7 Die spezifische zelluläre Immunreaktion wird von einer nur kurze Zeit anhaltenden unspezifischen Immunität begleitet.

Erstinfektion	Tuberkelbakterien	Tuberkelbakterien	Tuberkelbakterien	keine	Listerien
Zweitinfektion	Tuberkelbakterien	Listerien	Tuberkelbakterien + Listerien	Tuberkelbakterien + Listerien	Tuberkelbakterien + Listerien
Resultat	*Immunität*	Infektion	*Immunität*	Infektion	*Immunität*

(aus *I. M. Roitt:* Essential Immunology. Blackwell, Oxford 1974, S. 165) der Makrophagenaktivität auf die Wirkung von aus spezifisch stimulierten Lymphozyten stammenden Lymphokinen (S. 40) zurückzuführen ist. Währenddem die antigeninduzierte Makrophagenaktivierung lange anhält und rasch neu induziert werden kann, bleibt die unspezifische Begleitaktivierung neu für kurze Zeit erhalten.

Tuberkulose

Die Infektion mit Mycobacterium tuberculosis, einem fakultativ intrazellulären Keim, wird mit einer überwiegend zellulären Immunreaktion beantwortet. Parallel zur Immunität entwickelt sich eine zellvermittelte Überempfindlichkeitsreaktion gegenüber Tuberkulin.

Tuberkulinreaktion

Robert Koch hat 1890 festgestellt, daß sich die Reaktivität des Meerschweinchens gegenüber einer Infektion mit virulenten Tuberkelbakterien vom ersten zum zweiten Kontakt in auffälliger Weise verändert. Etwa 10–14 Tage nach einer subkutanen Erstinfektion entwickelt sich lokal ein Knoten, der bald ulzeriert; das Ulkus bleibt bis zum Tode des Meerschweinchens an der unaufhaltsam fortschreitenden Tuberkulose bestehen. Erfolgt 4–6 Wochen nach einer Primoinfektion eine Zweitinfektion, so bleibt der Infekt lokalisiert; lokale Rötung, Induration und gelegentliche Nekrose (Kochsches Phänomen, Tuberkulinreaktion) erreichen nach 24–48 Stunden ein Maximum und heilen anschließend aus. Während die Primärtuberkulose unaufhörlich fortschreitet, entwickelt das Tier Abwehrmechanismen, die wohl genügen, um eine Zweitinfektion zu überwinden, den Verlauf der Primoinfektion aber nicht entscheidend zu beeinflussen vermögen.

Die Tuberkulinreaktion kann nicht nur durch lebende, sondern ebensogut durch abgetötete Tuberkelbakterien oder durch Tuberkuloprotein ausgelöst werden. *Alt-Tuberkulin* ist für 6–8 Wochen in Kulturen gewachsenes Mycobacterium tuberculosis, das durch Kochen auf $^1/_{10}$ des Ausgangsvolumens konzentriert wurde. *PPD* (purified protein derivative) ist das spezifische Tuberkuloprotein, das aus in synthetischem Medium gewachsenen Bakterien durch Präzipitation mit Ammonsulfat oder Trichloressigsäure gewonnen wird; es ist in seiner Zusammensetzung relativ konstant und wird für diagnostische Zwecke standardisiert.

Formen der Tuberkulinüberempfindlichkeit

Bei Individuen, die weder mit Tuberkelbakterien selbst noch mit einem entsprechenden Impfstoff (Bacille Calmette-Guérin, BCG, jemals in Kontakt gekommen sind, löst Tuberkulin weder eine immunologische Spättypusreaktion noch irgendwelche Krankheitserscheinungen aus. Bei Individuen, die an einer floriden Tuberkulose leiden, eine solche durchgemacht haben oder mit BCG geimpft worden sind, besteht eine zelluläre Überempfindlichkeit. Die Symptomatik der Reaktion ist vom Grad der Überempfindlichkeit, der Menge und dem Verabreichungsmodus des Tuberkulinpräparates abhängig. Intramuskulär verabreichtes Tuberkulin kann bei manifester Tuberkulose zu einer generalisierten toxischen Reaktion mit Übelkeit, Erbrechen, Dyspnoe, Fieber usw. führen. Intravenös verabreichtes Tuberkulin vermag in einem bestehenden tuberkulösen Primärherd eine gelegentlich von Nekrosen begleitete immunologische Spätreaktion auszulösen. Klinisch von besonderer Bedeutung ist die Lokalreaktion gegenüber Tuberkulin. Der Mantoux-Test, bei dem Alt-Tuberkulin oder PPD in geeigneter Verdünnung intrakutan injiziert wird, gibt ein Maß für den Grad der gegenüber Tuberkuloprotein bestehenden zellulären Überempfindlichkeit. Der Test fällt bei Individuen mit florider oder ausgeheilter Infektion mit Mycobacterium tuberculosis des humanen oder bovinen Typs bzw. nach BCG-Impfung üblicherweise positiv aus. Negativ kann der Mantoux-Test ausfallen: a) bei Individuen, die noch nie in Kontakt mit Mycobacterium tuberculosis gekommen sind; b) bei Patienten mit akuter florider Tuberkulose ohne Zeichen der Abwehr (Anergie, z. B. bei Miliartuberkulose); c) im Frühstadium einer Infektion mit Mycobacterium tuberculosis, d. h. zu einem Zeitpunkt, da sich noch keine zelluläre Immunreaktion entwickeln konnte (erste 3–6 Wochen); d) bei Störungen der zellulären Immunität infolge Systemerkrankungen.

Das klinische Bild der Tuberkulose wird auch durch die Virulenz der Tuberkelbakterien geprägt. Avirulente Bakterien teilen sich nicht; virulente Bakterien replizieren mit einer für den Stamm charakteristischen Rate und produzieren ein Mukoprotein (Wax D), das wesentlich zur Entwicklung der zellvermittelten Überempfindlichkeitsreaktion beiträgt.

Zelluläre Überempfindlichkeit und tuberkulöse Läsion

Aus Tierversuchen geht klar hervor, daß Tuberkelbakterien oder Tuberkuloprotein erst dann Krankheitserscheinungen auslösen, wenn sich eine zelluläre Überempfindlichkeitsreaktion entwickelt. Andererseits ist es aller Wahrscheinlichkeit nach die zelluläre Immunreaktion im weitesten Sinne, die bei bestehender aktiver Tuberkulose beim Meerschweinchen und offenbar auch beim Menschen das Angehen einer Zweitinfektion verhindert. Beim Meerschweinchen bringt die Infektion mit Tuberkelbakterien eine zelluläre Überempfindlichkeit in Gang, die zwar die Zweitinfektion zu verhindern, die Erstinfektion aber nicht zu überwinden vermag. Inwieweit diese Resistenzsteigerung immunologisch spezifisch ist, ist allerdings unklar. Zahlreiche Beobachtungen unterstützen die Vorstellung, daß die günstigen Effekte der BCG-Impfung auf einer Steigerung der unspezifischen Resistenz beruhen könnten. Deshalb sind Bestrebungen im Gange, durch Verabreichung von abgetöteten Erregern, z. B. von Leishmanien, eine entsprechende Steigerung der Resistenz zu erreichen. Die im Verlauf einer Tuberkulose auftretenden Gewebeschädigungen wie Verkäsung und Kavernenbildung, sind beim Tier und wahrscheinlich auch beim Menschen als Folge der zellvermittelten Überempfindlichkeitsreaktion zu verstehen.

Beziehungen zwischen Infektionsimmunität und zellulärer Überempfindlichkeit gegenüber Tuberkulin

Die bei aktiver Tuberkulose vorhandene Fähigkeit zur Überwindung einer Zweitinfektion mit Mycobacterium tuberculosis hat die Frage aufkommen lassen, ob und inwieweit zwischen antibakterieller Immunität und Überempfindlichkeit gegen Tuberkulin eine Beziehung besteht. Die Impfung mit BCG (Bacille Calmette-Guérin, eine aus lebenden Bazillen eines abgeschwächten bovinen Stammes bestehende Vakzine), die von der Entwicklung einer zellulären Überempfindlichkeitsreaktion gegenüber Tuberkuloprotein gefolgt ist, hat beim Menschen in den letzten 2 Jahrzehnten zu einer drastischen Verminderung der Tuberkuloseinzidenz (~ 80 %) geführt. Beim mit BCG beimpften Meerschweinchen entwickelt sich Infektionsimmunität und Überempfindlichkeit gegenüber Tuberkuloprotein weitgehend parallel. Andererseits ist ein Individuum mit stark positiver Tuberkulinreaktion, also ausgeprägter zellulärer Überempfindlichkeit, offenbar nicht besser gegen Tuberkulosebefall geschützt als ein Individuum mit nur schwach positivem Hauttest. Es kann deshalb nicht abschließend beurteilt werden, wie eng Entwicklung von Infektionsimmunität und Überempfindlichkeit gegenüber Tuberkuloprotein aneinander gebunden sind.

Lepra

Die Infektion mit Mycobacterium leprae unterliegt ähnlichen Gesetzmäßigkeiten wie diejenige mit Mycobacterium tuberculosis. Wie bei der Tuberkulose findet man auch bei Lepra verschiedene Verlaufsformen. Bei der *tuberkuliden* Form behält der Wirtsorganismus klar die Oberhand. Es kommt zu umschriebenen granulomatösen Hautläsionen, die Funktionen des T-Zellsystems bleiben intakt und die in den Läsionen vorhandenen Makrophagen enthalten nur wenige lebende Mykobakterien. Beim anderen Extrem, der *Lepra lepromatosa,* ist die Immunabwehr stark beeinträchtigt; es kommt zum Auftreten zahlreicher nekrotisierender Hautläsionen, in denen die Makrophagen voll von Leprabakterien sind. Die Reaktivität des T-Zellsystems ist stark vermindert und der Parakortex der Lymphknoten ist arm an Lymphozyten. Ein Extrakt aus lepromatösen Läsionen enthält das Lepraantigen, Lepromin. Der Hauttest mit Lepromin fällt bei der tuberkuliden Form mit gesteigerter zellulärer Immunreaktivität stets positiv, bei der mit verminderter zellulärer Immunreaktivität einhergehenden lepromatösen Form hingegen negativ aus.

Literatur

Allison, A. C.: Interactions of antibodies, complement components and various cell types in immunity against viruses and pyogenic bacteria. Transplant. Rev. 19 (1974) 3

Bellanti, J. A., D. H. Dayton: The Phagocytic Cell in Host Resistance. Raven Press, New York, 1975

Hahn, H., W. Opferkuch: Mechanismen der immunologischen Infektabwehr. In: Praxis der Immunologie, hrsg. von K. O. Vorlaender. Thieme, Stuttgart 1976 (S. 72)

Lurie, M. B.: Resistance to Tuberculosis. Harvard University Press, Cambridge/Mass. 1965

Mudd, S.: Infectious Agents and Host Reactions, Saunders, Philadelphia 1970

North, R. J.: Cell mediated immunity and the response to infection. In: Mechanisms of Cell-Mediated Immunity, hrsg. von R. T. McCluskey, S. Cohen. Wiley, New York 1974

Turk, J. L., A. D. M. Bryceson: Immunological phenomena in leprosy and related diseases. Advanc. Immunol. 13 (1971) 209

Immunität gegenüber Virusinfektionen

Bei den Virusinfektionen werden die zahlreichen, verschiedenartigen Möglichkeiten im Verhältnis zwischen Krankheitserreger und Immunsystem des Wirtsorganismus besonders anschaulich vor Augen geführt. Hierbei kommen das gesamte Spektrum der dem Wirtsorganismus zur Verfügung stehenden Abwehrmechanismen, die Vielfalt der Ausweichmöglichkeiten der Erreger und die verschiedenen Auswirkungen der Immunantwort voll zur Geltung (Tab. 8).

Formen der Immunantwort gegenüber Virusinfektionen

Die Immunantwort muß, wenn sie Erfolg haben soll, auf das betreffende Virus abgestimmt sein. Die hierfür eingesetzten Mechanismen sind u. a. von der Eintrittspforte und vom Ausbreitungsmodus

Tabelle 8 Durch Viren ausgelöste Störungen in der Immunreaktivität und ihre Folgen

Abweichung	Folgen
Auftreten von virusinduzierten Antigenen auf der Zelloberfläche: – Interaktion mit immunen Lymphozyten – Interaktion mit Antikörper und Komplement	Zerstörung der infizierten Zellen
Aktivierung von immunen Lymphozyten (Lymphokine) oder von Komplementkomponenten	Entzündung, allergische Reaktionen, Zerstörung von Zellen
Bildung von zirkulierenden Virus-Antikörper-Komplexen	Immunkomplexkrankheit
Immunreaktion gegen durch das Virus veränderte Antigene, Toleranzverlust	Autoimmunkrankheiten
Infektion von Zellen des Immunsystems	Hemmung oder Aktivierung der immunologischen Funktion

des Virus abhängig. Die Rolle des Interferons ist bereits erwähnt worden (S. 8).

Humorale Immunität

Viren, die auf dem Weg zum von ihnen angestrebten Organ den Kreislauf passieren, können durch die humorale Immunität lokalisiert bzw. überwunden werden. Zu dieser Gruppe von Erregern gehört das *Poliomyelitisvirus,* das durch die Darmwand eindringt und über die Zirkulation Rückenmark und Gehirn erreicht, um sich dort zu vermehren. Verschiedene andere Viren, darunter das Masern-, Mumps-, Rubella- und Varizellenvirus, passieren auf dem Weg zum von ihnen angestrebten Organ ebenfalls den Kreislauf. Krankheiten, die durch Viren mit einem weiten Anmarschweg zum von ihnen bevorzugten Organ ausgelöst werden, sind meist durch eine lange Inkubationszeit gekennzeichnet. Sie hinterlassen üblicherweise eine solide, langanhaltende humorale Immunität; geringe Mengen an spezifischem Antikörper im Serum genügen zur Neutralisation bzw. Ausschaltung dieser Viren.

Andere Viren finden das zu ihrer Vermehrung optimale Klima bereits am Ort ihres Eindringens, haben also einen sehr kurzen Anmarschweg und dementsprechend häufig eine kurze Inkubationszeit; Prototyp sind die *Grippeviren.* Die erste Abwehrlinie besteht aus lokalen humoralen Mechanismen. Auf der Schleimhautoberfläche wirksamer antiviraler Antikörper entstammt den lokalen, in der Lamina propria gelegenen IgA-produzierenden Plasmazellen; IgG und IgM spielen hier eine untergeordnete Rolle. Die humorale Immunantwort ist vor allem bei einer Zweitinfektion mit einem solchen Virus wirksam. Bei Versuchen zur Immunisierung ist zu berücksichtigen, daß parenterale Vakzination mit hohem Serumantikörperspiegel beantwortet wird, während intranasal applizierte, abgeschwächte Grippeviren selektiv die lokale Antikörperproduktion anregen. Oral verabreichte Poliovakzine hinterläßt infolge Stimulation der lokalen Antikörperbildung eine langanhaltende Immunität.

Zelluläre Immunität

Verschiedene Beobachtungen sprechen dafür, daß auch zelluläre Immunvorgänge, insbesondere bei einem Erstkontakt, wesentlich zur Resistenz gegenüber Viren beitragen können. So ist bekannt, daß Kinder mit kongenitaler Hypogammaglobulinämie (S. 109) trotz ihrer Unfähigkeit zur Synthese virus-neutralisierender Antikörper Virusinfektionen überstehen; das wird auf die intakte zelluläre Immunität zurückgeführt. Andererseits ist bei Kindern mit primärem Ausfall der zellulären, aber intakter humoraler Immunität die Abwehr gegenüber zahlreichen Viren (z. B. Pocken, Herpes, Zytomegalie, Masern) häufig deutlich beeinträchtigt. Mäuse mit kongenitaler Thymushypoplasie bzw. neonatal thymektomierte Mäuse mit stark verminderter Fähigkeit zur zellvermittelten Immunität sind zahlreichen bakteriellen und Virusinfektionen gegenüber (z. B. Herpesviren, murine Hepatitis) sehr anfällig.

Die Tatsache, daß es zahlreichen Viren gegenüber zur Ausbildung einer zellulären Überempfindlichkeit kommt, kann ebenfalls als ein Hinweis für die wichtige Rolle zellulärer Immunreaktionen bei der Abwehr von Virusinfektionen gelten.

Immunität und Ausbreitung von Virusinfektionen

Während die Infektion früher als zeitlich begrenztes Geschehen galt, das entweder mit dem Tod des Wirts oder der Elimination des Erregers endet, hat man neuerdings erkannt, daß gewisse Erreger und insbesondere Viren lebenslang im Wirtsorganismus persistieren können. So wurde gezeigt, daß das Herpes-simplex-Virus bei Mensch und Tier nach Ablauf der akuten Infektion im Ganglion trigeminale verbleibt. Auch Zytomegalievirus, Herpes-zoster-Virus, Masernvirus, Epstein-Barr-Virus, Hepatitis-B-Virus und Polyomavirus können lange Zeit, eventuell lebenslang, im Organismus weiterleben, ohne klinisch in Erscheinung zu treten. Man vermutet, daß die bei Masern und Mumps oft lebenslang bestehenbleibende Immunität darauf beruht, daß im Organismus persistierende Viren von Zeit zu Zeit etwas Material absondern und auf diese Weise das Immunsystem immer wieder stimulieren. Über lange Zeit in geringer Menge sezerniertes Virusantigen kann zur Bildung von Immunkomplexen führen (S. 136 ff.). Persistierende Virusinfektionen schreiten entweder ständig unbarmherzig vorwärts, wie z. B. Erkrankungen an den unter dem Begriff der CHINA-Viren (chronic infections neuropathogenic agent viruses, u. a. Scrapie, Visna, Maedi, Rabies, Kuru) zusammengefaßten Erregern, oder persistieren, wie die vorhin erwähnten Beispiele, mit gelegentlicher Reaktivierung. In beiden Fällen sind die Abwehrmechanismen des Wirts unfähig, die Infektion unter Kontrolle zu bringen.

Die zur Überwindung der Virusinfektion in Gang gesetzte Immunreaktion muß dem Ausbreitungsmodus der Virusinfektion angepaßt sein. Man kann 3 Typen der Virusausbreitung gegeneinander abgrenzen. Die *extrazelluläre Ausbreitung* wird üblicherweise durch Neutralisation des extrazellulären Virus, z. B. von Poliovirus, durch antiviralen Antikörper unterbunden. Falls der Antikörper qualitativ oder quantiativ nicht genügt bzw. sich nicht gegen das kritische Antigen richtet, so kann es zur Bildung von aus infektiösem Virus und Antikörper bestehenden Immunkomplexen kommen. Die *zytoplasmatische Ausbreitung* einer Virusinfektion z. B. von Herpes-simplex-Virus, von einer zur anderen benachbart liegenden Zelle, kann eine Folge der durch das Virus induzierten Zellfusion sein. Andere Viren, z. B. Visna- und Masernvirus, bilden Synzytien, die ihre zytoplasmatische Ausbreitung ermöglichen. In diesen Fällen ist das Virus vor der Einwirkung neutralisierender Antikörper geschützt. Treten in der Oberflächenstruktur der infizierten Zellen Virusantigene auf, so können diese Zellen durch Zusammenwirken von spezifischem antiviralem Antikörper und Komplement oder auch durch sensibilisierte Lymphozyten zerstört werden. Das Virus kann auch den Zellkern befallen, so daß die Infektion während der *Zellteilung* von den Eltern- auf die Tochterzellen übergeht, wie bei den Mäuseleukämie- und SV_{40}-Viren. In diesen Fällen ist eine Immunreaktion erst zu erwarten, wenn in der Plasmamembran der infizierten Zelle virusspezifisches Antigen auftritt. Zahlreiche Viren benützen zu ihrer Ausbreitung verschiedene dieser Wege; das Herpes-simplex-Virus z. B. breitet sich sowohl extrazellulär wie zytoplasmatisch aus.

Modelluntersuchungen in der Zellkultur haben in den letzten Jahren zu klaren Vorstellungen über die zur Immunität gegenüber *Herpes-*

simplex-Virus beitragenden Mechanismen geführt. So ist festgestellt worden, daß antiviraler Antikörper virusinfizierte Zellen in Gegenwart von Komplement wohl abtötet, die Ausbreitung der Infektion auf andere, bis dahin noch gesunde Zellen aber nicht zu verhindern vermag. Dies beruht offensichtlich darauf, daß das Virus bereits zu einem Zeitpunkt von der infizierten auf die nicht infizierte Zelle überspringt, da die virusinfizierte Zelle auf ihrer Oberfläche noch kein Virusantigen trägt; sie kann deshalb durch Antikörper nicht angegriffen werden. Die Ausbreitung des Herpes-simplex-Virus in der Zellkultur wird jedoch vollständig unterbunden, wenn gleichzeitig Makrophagen sowie Antikörper und Komplement gegenwärtig sind; die einzelnen Komponenten allein sind unwirksam. Diese Beobachtungen machen es wahrscheinlich, daß für die zuverlässige Verhinderung der Ausbreitung einer Infektion mit Herpes-simplex-Virus humorale und zelluläre Komponenten des Immunsystems geeignet zusammenwirken müssen.

Weshalb zahlreiche pathogene Viren trotz gelegentlich nachweisbarar Immunreaktivität im Wirtsorganismus persistieren können, bleibt eine in wesentlichen Teilen ungelöste Frage. Man kann hierfür zahlreiche Gründe aufführen. Das Herpes-simplex-Virus kann in den sensiblen Ganglien, für das Immunsystem unerreichbar, über Jahre latent bleiben, aber durch Faktoren wie z. B. eine traumatische Nervenschädigung reaktiviert werden. In anderen Fällen, z. B. bei der mit Laktatdehydrogenasevirus infizierten Maus, führt die Interaktion mit antiviralem Antikörper nicht zur Neutralisation des Virus, sondern zur Bildung von infektiösen Virus-Antikörper-Komplexen.

Die Zerstörung virusinfizierter Zellen durch spezifisch sensibilisierte Lymphozyten kann durch verschiedene Mechanismen blockiert werden. So können z. B. virale Oberflächenantigene durch antiviralen Antikörper abgedeckt werden, so daß sie für den Lymphozyten nicht mehr erkennbar sind; andererseits kann gelöstes Antigen die Paratopen der sensibilisierten Lymphozyten besetzen und dadurch ihr zytotoxisches Potential neutralisieren.

Befall des Immunsystems durch Viruskrankheiten

Verschiedene Viren befallen das Immunsystem und beeinträchtigen dadurch die Immunreaktivität des Wirtsorganismus. Gewisse Viren, wie z. B. das Mäuseleukämievirus, hemmen die Antikörperbildung generell, andere (LCM-Virus, Friend-Virus) selektiv die Synthese von Antikörper einer bestimmten Immunglobulinklasse. Wieder andere Viren, z. B. das Groß-Leukämievirus und das Hepatitis-B-Virus (S.

166), beeinträchtigen vorwiegend die zelluläre Immunität. Die Gründe für diese Veränderungen in der Immunreaktivität sind nicht klar. Man kann dafür durch das Virus bedingte Änderungen in der Aufnahme und Verarbeitung des Antigens, Schädigung bzw. Zerstörung von Zellen des Immunapparates, oder Verminderung der Immunreaktivität infolge Konkurrenz von Virusantigenen mit anderen Antigenen verantwortlich machen.

Infektionen des Immunsystems, z. B. von T- und/oder B-Lymphozyten oder Makrophagen, können zu einer Hemmung oder zu einer Steigerung der Immunität führen. Zahlreiche Virusinfektionen, insbesondere Infektionen mit Viren der Herpesgruppe, Rubella-, Masern-, Poliomyelitis-, Hepatitis-, Zytomegalie- und Epstein-Barr-Virus, sind von einer Hemmung der Immunität begleitet. Kinder mit kongenitaler Rötelninfektion scheiden das Virus noch über viele Monate aus und weisen hohe Titer von gegen das Virus gerichteten IgM-Antikörpern auf; das zeigt, daß sie keine Toleranz entwickelt haben. Ihre zelluläre Immunreaktivität ist vermindert; ihre Lymphozyten sprechen auf mitogene Reize nicht oder nur abgeschwächt an. Dadurch wird die Persistenz der Infektion erleichtert und eventuell auch die Pathogenität der Viren erhöht; möglicherweise resultiert daraus ein erhöhter Anfall von Antigenen bei geringer Produktion von Antikörper niedriger Affinität, eine Situation also, die die Bildung toxischer Immunkomplexe begünstigt (S. 141). Andere Viren, wie z. B. Arboviren, Mäusehepatitisvirus, Laktatdehydrogenasevirus und Herpes-simplex-Virus, können sich in Makrophagen, andere in den Lymphozyten vermehren (LCM-Virus; S. 167; Leukämieviren, Epstein-Barr-Virus) und dadurch die Funktion des betreffenden Zellsystems beeinträchtigen.

Immunkrankheiten als Folge von Virusinfektionen

Nicht alle im Verlaufe von Virusinfektionen auftretenden Schädigungen sind virusbedingt. In bestimmten Fällen führt vielmehr die gegen die Virusantigene ausgelöste Immunantwort zu Gewebeschädigungen. Bei der Interaktion des Virus mit im Verlauf der Immunantwort gebildetem antiviralem Antikörper können unter gewissen Bedingungen, besonders häufig bei persistierenden Virusinfektionen, Immunkomplexe entstehen; ihre Ablagerung in den Gefäßen bewirkt eine Schädigung des Wirtsgewebes (S. 136 ff.). Nach dem Erscheinen von Virusantigenen in der Zellmembran können auch virusinfizierte körpereigene Zellen zum Ziel der Immunreaktion werden. Solche Zellen können durch Einwirkung von Antikörper und Komplement oder von zytotoxischen Lymphozyten abgetötet werden, wobei u. U. auch pharmakologisch aktive Mediatorstoffe frei werden. Wie weit sich die Folgen der Immunreaktion als Schutz oder als das Wirtsgewebe schädigende Überempfindlichkeit äußern, ist von zahlreichen Faktoren abhängig; genetisch festgelegte Eigenschaften des Wirtsorganismus und des pathogenen Virus spielen eine wichtige Rolle.

Eine schematische Zusammenstellung des auf Virusinfektionen beruhenden immunpathologischen Geschehens findet sich in Tab. 8 (S. 161). Daraus geht hervor, daß Virusinfektionen zahlreiche immunologische Störungen auslösen können. Zwei besonders eingehend untersuchte experimentelle Modellbeispiele, bei denen die Krankheitserscheinungen auf die gegenüber der Virusinfektion ausgelöste Immunreaktion zurückzuführen sind, werden in der Folge kurz besprochen.

Immunreaktion bei der akuten Virushepatitis B

Die immunologischen Vorgänge, die der akuten Infektion mit Hepatitis-B-Virus folgen, sind aufgrund von Untersuchungen beim Schimpansen und beim Menschen recht gut bekannt. Virusantigene können während der Inkubationszeit und während der akuten Hepatitis sowohl im Blut als auch im Gewebe nachgewiesen werden. Während der Inkubationszeit, in der sich die Viren in den Leberzellen vermehren, sind keinerlei entzündliche Reaktionen festzustellen; man darf daraus den Schluß ziehen, daß das Hepatitis-B-Virus selbst für die Leberzelle nicht toxisch ist. Erst die einsetzende Immunreaktion führt zur Zerstörung von Leberzellen und zu den klinischen Äußerungen der Hepatitis.

Im Ablauf der Infektion mit dem Hepatitis-B-Virus lassen sich verschiedene Stadien voneinander abgrenzen. Während der Inkubationszeit kann eine Frühphase, in der in der Leber noch kein Virusantigen nachweisbar ist, von einer Spätphase mit Befall der Leberzelle, unterschieden werden. Das Auftreten von Virusantigenen wird mit einer Immunreaktion beantwortet. Die in der Spätphase der Inkubationsperiode einsetzende humorale Immunreaktion ist am Auftreten von Antikörpern gegen Virusantigene (Hepatitis-B-Oberflächenantigen, Core- und *e*-Antigen) erkennbar; gleichzeitig ist die zelluläre Immunität weitgehend blockiert, die T-Lymphozyten und andere immunkompetente Zellen bleiben reaktionslos. Während die Virusantigene meist schon Wochen vor dem Ausbruch der Krankheit im Serum zirkulieren, werden die gegen die einzelnen immunogenen Epitopen des Virus gerichteten Antikörper erst allmählich und in zunehmender Konzentration gebildet. Das führt zunächst zur Bildung von Immunkomplexen im Antigenüberschuß; diese löslichen Komplexe lagern sich in den Kapillaren verschieder Organe ab und können Krankheitssymptome auslösen (S. 136 ff.). Klinisch ist diese Phase durch das Auftreten der Prodromalsymptome der Hepatitis, wie Übelkeit, Abgeschlagenheit, Fieber, Gliederschmerzen, Durchfälle, Exantheme, gekennzeichnet. Die Symptome verschwinden meistens mit dem Auftreten des Ikterus. Zu diesem Zeitpunkt, der durch die Immunelimination des Antigens aus den Leberzellen gekennzeichnet ist, erfolgt auch der Übergang zur Bildung von präzipitierenden Immunkomplexen im Antikörperüberschuß. Das führt üblicherweise zur vollständigen Elimination der Virusantigene, zum Abklingen der Immunreaktion, zur klinischen Heilung und zu lebenslang anhaltender Immunität. Dem Nachweis von Virusantigenen in der Spätphase der akuten Virus-B-Hepatitis kommt erhebliche prognostische Bedeutung zu, weil ihre Persistenz auf die Gefahr der Entwicklung einer chronischen Hepatitis hinweist. Diese Entwicklung ist wahrscheinlich Ausdruck einer Insuffizienz des Immunsystems.

Bei chronischen Virusinfektionen können, ähnlich wie bei anderen chronischen Infektionen, wie z. B. Streptokokken oder Malaria, Antigen und Antikörper lange Zeit in Zirkulation bleiben. Die langdauernde Ablagerung der Immunkomplexe in die Gefäße bewirkt häufig Gewebeschädigungen, insbesondere eine chronische Glomerulonephritis.

Lymphozytäre Choriomeningitis (LCM)

LCM-Viren infizieren Nager, gelegentlich aber auch den Menschen. Die Analyse der LCM-Infektion bei der Maus hat gezeigt, daß sowohl die Gewebeschädigung wie die klinischen Erscheinungen der Erkrankung auf die zelluläre Immunreaktion zurückzuführen sind. Bei der neugeborenen, immunologisch noch unreifen Maus führt die Infektion zu einem lebenslänglich anhaltenden, symptomfreien Trägerzustand. Bei der immunkompetenten, erwachsenen Maus sind in den ersten Tagen der Infektion trotz rascher Vermehrung des Virus keine Krankheitssymptome zu beobachten. Am 6. Tag, wenn die Immunantwort gegen das Virus in Gang gekommen ist, entwickeln die Tiere eine Meningitis und sterben innerhalb von 1–2 Tagen an schweren neurologischen Ausfallserscheinungen.

Im Liquor der erkrankten Tiere finden sich reichlich Entzündungszellen (bis zu 100 000 pro μl), darunter auch spezifisch sensibilisierte T-Lymphozyten. Die Krankheitssymptome beruhen vermutlich auf der zytotoxischen Wirkung von sensibilisierten T-Lymphozyten, die

Zellen im Plexus chorioideus, den Meningen und im Ependym, die in ihrer Membran Virusantigene eingelagert haben, zerstören. Infolge der Begleitentzündung kommt es zu erhöhter Gefäßpermeabilität mit Austritt von Serumeiweißen in das Gewebe. Es entsteht ein akutes Hirnödem, das unter Krämpfen zum Tode führt.

Neonatal infizierte, symptomfreie Trägermäuse ertragen im Erwachsenenalter die Verabreichung von antiviralem Antikörper oder normalen Lymphozyten anstandslos, sterben jedoch nach Verabreichung von immunen Lymphozyten an den Symptomen der Meningitis. Daraus kann der Schluß gezogen werden, daß immune T-Lymphozyten körpereigene virusinfizierte Zellen abtöten und dadurch das Krankheitsbild verursachen. Das Ausbleiben einer Immunreaktion gegenüber dem Virus beim neonatal infizierten Tier ist ein Modellbeispiel dafür, wie sich eine Immuntoleranz zu entwickeln vermag.

Literatur

Viral-associated immunopathology: Animal models and implications for human disease. Bull. Wld Hlth Org. 47 (1972) 257

Cowan, K. M.: Antibody response to viral antigens. Advanc. Immunol. 17 (1973) 195

Doherty, P. C., R. M. Zinkernagel: T-cell mediated immunopathology in viral infections. Transplant. Rev. 19 (1974) 89

Koprowski, C., H. Koprowski: Viruses and Immunity. Academic Press, New York 1975

Notkins, A. L.: Immunopathology of viral infections. In: Progress in Immunology II, Vol. IV, hrsg. von L. Brent, Holborow. North-Holland Publishing Co., Amsterdam 1974 (S. 141)

Wheelock, E. F., S. T. Toy: Participation of lymphocytes in viral infections. Advanc. Immunol. 16 (1973) 123

Immunität gegenüber Protozoen- und Wurminfektionen

Parasiten durchlaufen im Wirtsorganismus meist einen komplizierten Lebenszyklus. Um diesen Zyklus unterbrechen zu können, muß die Immunreaktion den Parasiten in einem ihr zugänglichen Stadium treffen.

Protozoen

Die Bedeutung von humoraler und zellulärer Immunität bei der Abwehr gegenüber Protozoeninfektionen ist noch ungenügend geklärt. Offenbar überwiegt gegenüber in den Kreislauf eindringenden Protozoen (z. B. Malaria, Trypanosomen) die humorale, gegenüber sich im Gewebe vermehrenden Protozoen (z. B. kutane Leishmaniasis, Orientbeule, Kala-Azar), die zelluläre Immunität. Die Erreger haben jedoch oft eine Adaptation zu durchlaufen, um der Immunantwort auszuweichen. Deshalb sind bei gewissen Protozoeninfektionen, z. B. der Toxoplasmose, bei der Antikörper die zystischen Formen nicht zu eliminieren vermag, klinisch manifeste Erkrankungen selten, subklinisch chronische Verlaufsformen dagegen realtiv häufig.

Bei der *Malaria* richtet sich die Immunität gegen die außerhalb der Erythrozyten lebenden Stadien, also in erster Linie gegen die in der Leber aus den Sporozoiten entstehenden Schizonten. Da dieses von der humoralen Immunantwort erreichbare Stadium nur einen kurzen Abschnitt im Lebenszyklus des Parasiten ausmacht, wird die Infektion nur selten vollständig überwunden werden. *Trypanosomen* können der Immunantwort durch fortlaufende Veränderungen im Aufbau ihrer Oberflächenantigene entgehen. Man glaubt, daß diese Variation durch Selektion von Mutanten aus einer heterogenen Population von Parasiten zustande kommt. Das hat zur Folge, daß sich die Immunantwort gegen Antigenstrukturen richtet, die bei ihrer vollen Entwicklung schon nicht mehr vorhanden sind. Dadurch können die Parasiten zumindest für einige Zeit von der Immunantwort nicht erreicht werden. Deshalb verläuft die Infektion bei der Schlafkrankheit progressiv, gelangt ins Gehirn und führt zum Tode. Bei dieser und verschiedenen anderen Protozoenerkrankungen ist die Produktion von Immunglobulin aller Klassen erhöht. Eigenartigerweise ist aber nur ein sehr kleiner Anteil (~ 5 %) dieser Immunglobuline spezifischer, gegen die Parasiten gerichteter Antikörper. Es ist deshalb denkbar, daß die Protozoen die B-Lymphozyten unspezifisch zur Synthese von Immunglobulin anregen.

Wurminfektionen

Ähnlich wie die Protozoen durchlaufen auch die Würmer einen komplizierten Zyklus, wobei die den Wirt schützenden Immunvorgänge vorwiegend auf die frühen Stadien des Lebenszyklus einzuwirken vermögen. Die Immunantwort richtet sich jedoch in erster Linie gegen vom erwachsenen Parasiten abgegebene Antigene.

Parasiteninfektionen, insbesondere Nematodeninfektionen (Askaris, Trichinella spiralis usw.), stimulieren vor allem die Produktion von IgE. Dies betrifft nicht nur die Wurmantigene, sondern auch andere, zum Parasiten in keiner Beziehung stehende Antigene. Am Ort der Infektion findet man ein vorwiegend aus eosinophilen und basophilen Granulozyten bzw. Mastzellen bestehendes zelluläres Infiltrat. Die bei einigen Nematoden zu beobachtende Ausstoßung der adulten Parasiten aus dem Darm des Wirtsorganismus, eine Art von Selbstheilung, beruht offenbar auf dem Zusammenwirken von humoralen und zellulären Immunvorgängen.

Trotz Bestehen einer Immunantwort können verschiedene Parasiten über Monate oder gar Jahre im Wirtsorganismus weiterleben. Sie können sich also der Immunreaktion auf irgendeine Weise entziehen. Bei der Schistosomiasis lebt der adulte Parasit ohne Zeichen der Beeinträchtigung in den mesenterialen Blutgefäßen, obschon das ihn umspülende Blut Antikörper enthält, die eine Zweitinfektion zu verhindern vermögen. Der Parasit entgeht der Erkennung und Ausschaltung durch das Immunsystem des Wirts allem Anschein nach, indem er seine immunogenen Oberflächenstrukturen mit wirtseigenem Material überdeckt. Andere Parasiten überleben, weil sie die Immunantwort des Wirts unterdrücken.

Literatur

Mauel, J., R. Behin: Cell-mediated and humoral immunity to protozoan infections. Transplant. Rev. 19 (1974) 121

Ogilvie, B. M., V. E. Jones: Immunity in the parasitic relationship between helminths and hosts. Progr. Allergy 17 (1973) 93

Ogilvie, B. M., R. J. Love: Co-operation between antibodies and cells in immunity to a nematode parasite. Transplant. Rev. 19 (1974) 147

Ogilvie, B. M., R. J. M. Wilson: Evasion of the immune response by parasites. Brit. med. Bull. 32 (1976) 177

Immunologische Grundlagen der Organtransplantation

Jede Zelle verfügt über zahlreiche Epitope, die für den Zelltyp und ihren Träger spezifisch sind. Ihre Implantation in eine andere Tierart löst eine Immunreaktion aus, die ihre Ausschaltung zum Ziele hat. Diese Reaktion ist spezifisch; ein zweiter Kontakt mit derselben Fremdstruktur führt zu einer charakteristischen anamnestischen Reaktion (sog. second set reaction). Die Ähnlichkeit, die zwischen Geweben verschiedener Individuen derselben Spezies besteht, gestattet zunächst das Einwachsen eines Transplantats, die gegen die verbleibenden Strukturunterschiede in Gang gebrachte Immunreaktion führt aber später meist doch noch zu einer Abstoßung des allogenen Gewebes (Tab. 9). Je enger die zwischen zwei Individuen derselben Spezies bestehenden verwandtschaftlichen Beziehungen sind, desto größer sind die Überlebenschancen für das Transplantat. Eineiige Zwillinge oder Tiere desselben Inzuchtstammes haben genetisch identische Strukturen; zwischen syngenen Individuen ausgetauschte Transplantate werden als eigenes Gewebe anerkannt und verursachen keine Immunreaktionen.

Tabelle 9 Transplantationsterminologie (alte Terminologie in Klammern)

Beziehung zwischen Spender und Empfänger	Bezeichnung der Beziehung	Schicksal des Transplantats
verschiedene Spezies	xenogen (heterolog)	schnelle Abstoßung
gleiche Spezies, aber genetisch unterschiedlicher Aufbau	allogen (homolog)	Transplantat geht zunächst an, wird aber später abgestoßen (first and second set reaction)
genetisch identische Individuen	syngen (isolog)	Transplantat geht an und bleibt erhalten
gleiches Individuum	autogen (autolog)	Transplantat geht an und bleibt erhalten

Transplantationsantigene

Vergleichende Untersuchungen an verschiedenen Stämmen von Inzuchtmäusen mit bekanntem genetischem Aufbau haben gezeigt, daß zwischen den verschiedenen Stämmen regelmäßig mehr oder weniger ausgesprochene antigenetische Unterschiede bestehen. Ähnlich wie beim Blutgruppensystem der Erythrozyten haben sich einige der verantwortlichen Antigene als stark, andere als schwach ausgeprägt erwiesen. Transplantations- oder Histokompatibilitätsantigene werden bei der Maus von der H-2-, beim Menschen von der HLA-Genregion kontrolliert.

Die Transplantationsantigene von Mensch und Maus sind auf der Zelloberfläche vorhandene Glykoproteine. Sie bestehen aus die Antigenspezifität und den Zuckeranteil tragenden schweren Ketten mit einem Molekulargewicht von ca. 46 000, und einer leichten Polypeptidkette mit einem Molekulargewicht von 12 000, dem β_2-Mikroglobulin (S. 69). Bei der Maus besteht das intakte H-2-Antigenmolekül (Molekulargewicht 116 000) offenbar, ähnlich wie das Immunglobulinmolekül, aus 2 über eine Disulfidbrücke miteinander verbundenen schweren sowie 2 nicht kovalent gebundenen leichten Ketten. Die H-2-Genregion der Maus setzt sich aus zahlreichen eng miteinander verbundenen Genen zusammen, die durch verschiedene Kombinationen innerhalb einer Chromosomenregion eine große Zahl von verschiedenartig aufgebauten antigenen Strukturen zu prägen vermögen. Transplantationsantigene finden sich nicht in allen Geweben in gleicher Dichte. So sind Erythrozyten des Menschen frei von HLA-Antigenen, enthalten aber die starken Antigene des AB0-Blutgruppensystems.

Da die Blutleukozyten alle bekannten HLA-Antigene tragen, kann aufgrund ihres Antigenmusters auf den Grad der Verwandtschaft bzw. der Verträglichkeit zwischen Spender und Empfänger geschlossen werden. Zu diesem Zwecke werden die erythrozytenfreien Blutleukozyten mit spezifischen, gegen bestimmte HLA-Antigene gerichteten Antiseren behandelt. Je nach Ausfall des Agglutinations- oder Zytotoxizitätstests kann auf das Vorhandensein bzw. Fehlen der entsprechenden Antigene geschlossen werden. Solche Testmethoden erlauben die Auswahl geeigneter, verträglicher allogener Spenderorgane.

Mechanismen der Transplantatabstoßung

Ähnlich wie bei der humoralen Immunantwort kann auch bei der Transplantatabstoßung zwischen einer primären und einer anamnestischen Reaktion unterschieden werden. Bei einem ersten Kontakt mit einem allogenen Hauttransplantat führt die Immunreaktion innerhalb von etwa 10 Tagen zur Abstoßung (first set reaction). Bei einem späteren Kontakt mit einem Transplantat des gleichen Spenders ist die Immunantwort beschleunigt und verstärkt, das Transplantat wird bereits am 7. Tag abgestoßen (second set reaction).

Zellvermittelte Immunvorgänge

Die Transplantatabstoßung beruht vor allem auf einer zellvermittelten Immunreaktion. Während der Abstoßung findet man im Transplantat ein histologisch vorwiegend aus Lymphozyten bestehendes, dichtes perivaskuläres Infiltrat sowie ausgedehnte Veränderungen an den kleinen Gefäßen. Die Fähigkeit zur beschleunigten Abstoßung des Transplantates (second set reaction) kann mittels Lymphozyten eines sensibilisierten Tieres auf ein normales Tier übertragen werden (sog. „adoptiver Transfer").

Kurz nach Einsetzen eines Hauttransplantates wachsen aus dem Wirtsorganismus Kapillaren ein, womit ein enger Kontakt zwischen Transplantat und Wirtsorganismus hergestellt ist. Die vom Transplantat abgegebenen Histokompatibilitätsantigene können in die regionalen Lymphknoten gelangen (Erkennungsphase) und führen dort zur Proliferation und Transformation von Lymphozyten (zentrale Phase). Im Transplantat kommt es vom 3. Tag an zu einer zunehmenden perivaskulären Infiltration mit Lymphozyten, Makrophagen und Plasmazellen, zu einem Versagen der lokalen Blutversorgung und zur Zerstörung des Transplantates durch zytotoxische T-Lymphozyten (Effektorphase).

Interessant ist, daß die adoptiv übertragenen sensibilisierten Lymphozyten sich im Empfängerorganismus ähnlich verteilen wie normale Lymphozyten, also nicht etwa vermehrt ins Transplantat einwandern. Möglicherweise sind die wenigen in das Transplantat einwandernden Spenderlymphozyten die immunen Zellen, während sich die nicht sensibilisierten Zellen in anderen Organen niederlassen.

Bedeutung humoraler Immunvorgänge

Die Fähigkeit zur Auslösung einer anamnestischen Reaktion gegenüber einem Transplantat kann nicht mit Serum, sondern nur mit Lymphozyten von einem immunen auf ein normales Tier übertragen werden. Trotzdem kann die humorale Immunantwort das Schicksal des Transplantates in gewissen Fällen entscheidend beeinflussen. Antikörper kann, vor allem bei über längere Zeit persistierenden Transplantaten bzw. bei einem Zweittransplantat, durch Komplementaktivierung und eine Reihe von Folgereaktionen, wie z. B. das

Freiwerden von Mediatorstoffen, lokale intravasale Gerinnungsprozesse, fibrinoide Nekrosen in den Gefäßwänden und Infiltration mit Leukozyten, zur Zerstörung des Transplantates beitragen.

Unter bestimmten Umständen vermag aber Antikörper das Transplantat vor den Auswirkungen der zellulären Immunreaktion zu schützen. Das Phänomen des sog. *immunologischen Enhancement* kann dadurch zustande kommen, daß die Epitope des Transplantates durch einen gegen sie gerichteten, nicht komplementbindenden Antikörper zugedeckt werden. Dadurch wird das Transplantat vor dem Angriff zytotoxischer Wirtszellen bewahrt (S. 37). Experimentelle Beobachtungen haben tatsächlich ergeben, daß nicht zytotoxische Antikörper das Überleben des Transplantates erwirken können.

Möglichkeiten zur Unterdrückung der Immunreaktivität (Immunsuppression)

Maßnahmen, die die Verhinderung der Abstoßung des Transplantates zum Ziele haben, können spezifisch oder unspezifisch sein und verschiedene Phasen der Immunreaktivität betreffen. Ideal wäre ohne Zweifel die Erzeugung einer selektiven Reaktionsunfähigkeit, einer Immuntoleranz, gegenüber den Histokompatibilitätsantigenen des Spenders. Der Wirtsorganismus würde das Transplantat akzeptieren, ohne daß sein Immunapparat stimuliert würde, wäre aber in der Lage, gegenüber anderen Antigenen, beispielsweise pathogenen Mikroorganismen, weiterhin eine unverminderte Immunantwort auszulösen. Versuche zur Erreichung dieses Ziels sind noch nicht über das experimentelle Stadium hinausgekommen. Es ist jedoch denkbar, daß mit kleinen Mengen an reinen Transplantationsantigenen eine Toleranz („low dose tolerance") erzeugt werden kann. Auf einen anderen spezifischen Mechanismus zur Unterdrückung der Transplantatabstoßung, das immunologische Enhancement, ist im vorhergehenden Abschnitt hingewiesen worden. Möglicherweise können hierzu auch Antikörperfragmente verwendet werden, die nicht mehr über die komplementbindende Domäne verfügen (Fab) (S. 54).

In der Praxis bleibt man bis heute auf Maßnahmen angewiesen, die zu einer unspezifischen Verminderung der immunologischen Reaktivität führen. Die Röntgenbestrahlung führt zu einer unspezifischen Proliferationshemmung und damit u. a. auch zu einer Unterdrükkung der Immunantwort. Immunsuppressive Wirkstoffe, wie Antimetaboliten (z. B. Azathioprin, Zyklophosphamid) oder gewisse Antiphlogistika (z. B. Kortikosteroide) hemmen die Proliferation immunkompetenter Zellen. Spezifisch gegen Lymphozyten gerichteter Antikörper, z. B. Antilymphozytenglobulin vom Pferd, kann die Lymphozyten des Wirts abtöten und auf diese Weise ihr Eindringen in das Transplantat verhindern. Die Anwendung dieser unspezifischen immunsuppressiven Maßnahmen in der Klinik hat gezeigt, daß sie neben anderen Nachteilen vor allem vom Risiko von schweren, häufig nicht mehr zu beherrschenden Infektionen begleitet sind. Die unspezifische, alle Abwehrleistungen des Wirtsorganismus beeinträchtigende, über längere Zeit fortgeführte immunsuppressive Therapie kann in bestimmten Fällen auch die Entwicklung maligner Tumoren begünstigen (S. 184 ff.).

Literatur

Bach, F. H.: Immunobiology of Transplantation. Grune & Stratton, New York 1974

Bach, J.-F.: The Mode of Action of Immunosuppressive Agents. North-Holland Publishing Co., Amsterdam 1975

Carpenter, C. B., A. J. F. D'Apice, A. K. Abbas: The role of antibodies in the rejection and enhancement of organ allografts. Advanc. Immunol. 22 (1976) 1

Dupont, B., J. A. Hansen, E. J. Yunis: Human mixed-lymphocyte culture reaction; genetics, specificity, and biological implications. Advanc. Immunol. 23 (1976) 107

Floersheim, G. L.: Transplantationsbiologie. Springer, Berlin 1971

Furone, S., M. A. Pellegrino, R. A. Reisfeld: The major histocompatibility complex in man: biological and molecular approaches. Progr. Allergy 21 (1976) 114

Katz, D. H., B. Benacerraf: The Role of Products of the Histocompatibility Gene Complex in Immune Responses. Academic Press, New York 1976

Largiadèr, F.: Organtransplantation, 2. Aufl. Thieme, Stuttgart 1970

Lenhard, V.: Organtransplantation. In: Praxis der Immunologie, hrsg. von K. O. Vorlaender, Thieme, Stuttgart 1976 (S. 476)

Miescher, P. A., A. Gerebtzoff, P. H. Lambert: Immunosuppressive Therapie. In: Lymphozyt und klinische Immunologie, hrsg. von H. Theml, H. Begemann. Springer, Berlin 1975

Möller, G.: β_2-Microglobulin and HL-A Antigen. Transplantation Reviews, Bd. 21. Munksgaard, Kopenhagen 1974

Ramseier, H.: Die Transplantationsreaktion als zelluläre Immunität. Karger, Basel 1969

Yunis, E. J., R. A. Gatti, D. B. Amos: Tissue Typing and Organ Transplantation. Academic Press, New York 1973

Autoimmunität und Autoimmunkrankheiten

Das Immunsystem vermag fremde Strukturen zuverlässig als solche zu erkennen und eine spezifisch gegen sie gerichtete Immunantwort auszulösen, bleibt jedoch normalerweise gegenüber körpereigenen Strukturen blind und stumm. Bei der Komplexität des Immunapparates ist es jedoch nicht erstaunlich, daß auf verschiedenen Ebenen Ausfallserscheinungen oder Fehlleistungen auftreten können, die zur Auslösung von Immunreaktionen führen, die gegen körpereigene Strukturen gerichtet sind. Zahlreiche andere Mechanismen können ebenfalls zur Entwicklung einer Autoimmunität führen.

Für die Diagnose einer Autoimmunität bzw. einer Autoimmunkrankheit ist der Nachweis einer gegen körpereigene Komponenten gerichteten humoralen bzw. zellulären Immunreaktivität Voraussetzung. Die Entwicklung des Coombsschen Antiglobulintests (S. 133) und die Verwendung fluoreszenzmarkierter Antikörper haben einen einfachen und zuverlässigen Nachweis von mit körpereigenen Geweben reagierenden Serumantikörpern ermöglicht. Aus den mit diesen Techniken durchgeführten Untersuchungen geht hervor, daß sich vor allem im höheren Alter relativ häufig derartige Antikörper im Serum vorfinden. Autoantikörper sind aber bei weitem nicht immer von manifesten Krankheitserscheinungen begleitet. Man hat sich deshalb gefragt, ob ihnen nicht bei der Ausschaltung von Gewebeabbauprodukten eine wichtige, physiologische Rolle zufalle. Jedenfalls hat die Tatsache, daß das Vorhandensein von Autoantikörpern nicht ohne weiteres mit dem Bestehen einer Autoimmunkrankheit gleichgesetzt werden darf, die Interpretation derartiger Befunde nicht erleichtert.

Ätiologie der Autoimmunität

Jede gegen körpereigene Epitope gerichtete Immunreaktion beruht grundsätzlich auf einem Verlust der Immuntoleranz. Der Ausfall dieser Kontrollmechanismen des Immunapparates kann jedoch auf recht unterschiedliche Weise zustande kommen (Tab. 10).

Immunologisch „privilegierte" Epitope

Gegenüber Epitopen, mit denen der Immunapparat von der Embryonalperiode an in dauerndem Kontakt bleibt, entwickelt sich üblicherweise eine solide Toleranz. Gegenüber gewissen Stoffen, wie Spermien, Thyreoglobulin, Hirn- und Linsengewebe, kommt es aber gelegentlich zu Autoimmunreaktionen. Sie beruhen vermutlich darauf, daß die Schranke, die normalerweise diese Strukturen an einem Kontakt mit dem Immunsystem hindert, wegfällt (S. 135). So erwerben z. B. die Spermien im Verlaufe ihrer Reifung neue Epitope, mit denen der Immunapparat weder in der Embryonalperiode noch später in Kontakt kommt. Die Injektion von in einem Adjuvans (S. 91) suspendierten autologen Spermien führt beim Meerschweinchen zur Bildung von Autoantikörpern und zu einer Orchitis. Beim Menschen ist der Mumps gelegentlich von einer Orchitis begleitet. Sie wird auf eine Schädigung der Basalmembran der Samenkanälchen durch das Virus zurückgeführt, was den Kontakt zwischen Immunsystem und dem normalerweise unzugänglichen, „privilegierten" Organ ermöglicht. Im allgemeinen gelingt es jedoch nicht, mit chemisch unveränderten körpereigenen Epitopen eine Autoimmunreaktion auszulösen; hierzu ist üblicherweise vielmehr eine physikalische bzw. chemische Modifikation erforderlich.

Tabelle 10 Mechanismen, die zur Entwicklung einer gegen körpereigene Epitope gerichteten Immunreaktion führen können

Mechanismus	Beispiele
I. Die gegenüber körpereigenen Epitopen bestehende, intakte Toleranz wird umgangen	– Kontakt zwischen Immunsystem und normalerweise immunologisch privilegierten Epitopen (Mumpsorchitis) – Demaskierung embryonaler Epitope (Karzinom) – Strukturänderung des Epitops (physikalisch, chemisch, durch Haptene, als Folge einer Infektion)
II. Toleranzverlust	– Beeinträchtigung der Antikörperbildung durch Chemikalien, Medikamente, Mikroorganismen – Genetisch bedingte Beeinträchtigung der Immunreaktivität
III. Stimulation der B-Lymphozyten zur Immunreaktion gegen eigene Epitope	– Mikroorganismen – Adjuvantien

(aus *R. T. Smith, M. Landy:* Immunobiology of the Tumor-Host Relationship. Academic Press, New York 1975)

Modifikation des Epitops

Die Erfahrung zeigt, daß bereits geringfügige Veränderungen in der Antigenstruktur zu einem Toleranzverlust und damit zu einer gegen körpereigene Epitopen gerichteten Immunreaktion führen können, wobei anzunehmen ist, daß die gegen das modifizierte Epitop gerichtete Immunreaktion infolge Kreuzreaktion auch das unmodifizierte körpereigene Epitop erfaßt. Die Form, in der sich eine Struktur dem Immunapparat präsentiert, kann wesentlich dazu beitragen, ob ein Stoff immunogen ist oder nicht; ein Stoff ist in aggregierter Form meist ein stärkeres Immunogen als in dispergierter Form. Ähnlich erlangen zahlreiche Stoffe durch Emulgierung in komplettem Freundschem Adjuvans, einer abgetötete Tuberkelbakterien enthaltenden Wasser-in-Öl-Emulsion, die Fähigkeit zur Auslösung von Autoimmunvorgängen.

Die Bedeutung der Modifikation des Epitops beim Durchbrechen der Toleranz ergibt sich besonders eindrücklich aus einer Serie von Versuchen am Kaninchen. Wenn Kaninchen, die gegenüber Rinderserumalbumin tolerant sind, ein kreuzreagierendes Immunogen, z. B. Humanserumalbumin, verabreicht wird, so produzieren sie u. U. Antikörper, die auch mit Rinderalbumin reagieren. Die Verabreichung von chemisch modifiziertem Rinderserumalbumin führt ebenfalls zu einem Toleranzverlust gegenüber unverändertem Rinderalbumin. Ähnlich vermag die Injektion von chemisch verändertem Thyreoglobulin beim Kaninchen eine Autoimmunthyreoiditis auszulösen (S. 135).

Eine Autoimmunreaktion kann sich möglicherweise auch gegenüber immunogenen Strukturen entwickeln, die im Organismus aus körpereigenen Stoffen, z. B. infolge Einwirkung proteolytischer Enzyme, neu entstehen. So gibt es Anhaltspunkte für die Annahme, daß die im Verlauf einer progredient chronischen Polyarthritis (PCP) auftretenden Gelenksveränderungen u. a. auf einer durch immunogene Fragmente von IgG induzierten Autoimmunreaktion beruhen könnten.

Die Bindung von chemischen Stoffen, insbesondere von Arzneimitteln an körpereigene Strukturen, führt zu einer Veränderung der gewohnten tolerogenen Konformation. Die Immunreaktion wird sich u. U., ganz besonders bei Haptenen, nicht auf das Fremdmolekül beschränken, sondern sich gegen einen größeren, auch körpereigene Epitope umfassenden Bereich richten (S. 23). Auch die Möglichkeit einer Veränderung körpereigener Strukturen durch Viren, z. B. Herpes-, Rabies- oder Polyomaviren, infolge der Einlagerung von Virusanteilen oder einer Modifikation der Zellmembran ist bereits andernorts erörtert worden (S. 163).

Gemeinsame Epitope

Von besonderem Interesse sind in diesem Zusammenhang die sich ständig mehrenden Beobachtungen, daß Mikroorganismen über Epitope verfügen, die denjenigen körpereigener Strukturen offenbar sehr ähnlich sind. Das durch A-Streptokokken verursachte rheumatische Fieber ist durch einen langsamen, oft über Jahre anhaltenden Anstieg im Serumantikörpertiter gegen A-Streptokokken gekennzeichnet. Gewisse Epitope dieser Streptokokken, wahrscheinlich ein komplexes Antigen mit hohem Polysaccharidgehalt, zeigen eine enge Antigengemeinschaft mit überwiegend im *Endokard* und im subendokardialen Gewebe des Herzens vorhandenen Wirtsepitopen. Die korrespondierenden Antikörper reagieren sowohl mit den A-Streptokokken wie mit Herzgewebe.

Man glaubt, daß die bei der *Colitis ulcerosa* auftretenden Gewebeschäden vorwiegend auf Autoimmunvorgänge und nur relativ selten auf allergische Reaktionen zurückzuführen sind. Offenbar besteht zwischen den Epitopen gewisser Stämme von Escherichia coli (014) und den Epithelzellen des Dickdarms eine partielle Antigengemeinschaft; gegen die eine Komponente gerichtete Antikörper lassen sich mit der anderen absorbieren. Die pathogenetische Rolle der Antikörper wird allerdings durch die Tatsache relativiert, daß die bei der Colitis ulcerosa auftretenden Schädigungen vorwiegend durch zelluläre Immunmechanismen verursacht werden.

Defekte des Immunsystems

Zu Autoimmunphänomenen führende Defekte des Immunsystems sind entweder genetisch determiniert oder werden im Laufe des Lebens z. B. durch die Einwirkung von chemischen Stoffen oder von Mikroorganismen auf den Immunapparat erworben. Die Bedeutung genetischer Faktoren geht aus der Häufigkeit von Autoimmunkrankheiten bei bestimmten HLA-Konstellationen und aus der unterschiedlichen Empfänglichkeit verschiedener Mäuseinzuchtstämme für Autoimmunreaktionen hervor. Infektionen mit zahlreichen, insbesondere über lange Zeit persistierenden Erregern, führen relativ häufig zu einer Autoimmunisierung. Es scheint aber wahrscheinlich, daß es sich dabei um ein komplexes, multifaktorielles Phänomen handelt.

Bei einem Inzuchtmäusestamm (New Zealand Black, NZB), der durch frühzeitiges Auftreten von Autoimmunkrankheiten, z. B. autoimmunhämolytischer Anämie, gekennzeichnet ist, findet man schon in den Geweben des Embryos große Mengen eines leukämogenen RNS-Virus. Das Virus findet sich u. a. auch auf der Lymphozytenoberfläche. Möglicherweise wird dadurch die Reaktivität des Lymphozyten derart verändert, daß er auch auf Antigene anspricht, gegenüber denen er tolerant bleiben sollte.

Die mögliche regulatorische Rolle von „Suppressor"-T-Lymphozyten ist in anderem Zusammenhang diskutiert worden (S. 40). Experimentelle Beobachtungen zeigen, daß die funktionelle Ausschaltung des T-Zellsystems durch neonatale Thymektomie bei der NZB-Maus die Entwicklung der Autoimmunphänomene stark begünstigt; andererseits kann das Auftreten der Autoimmunsyndrome durch wiederholten adoptiven Transfer von T-Zellen junger, nicht infizierter Tiere verhindert oder stark verzögert werden. Die jungen T-Zellen haben offenbar einen kontrollierenden Einfluß auf die Autoantikörper produzierenden B-Zellen. Diese Beobachtungen können als Indiz dafür gelten, daß die Autoimmunität häufig mit einer Beeinträchtigung der Funktion der T-Lymphozyten gepaart ist.

Pathogenese der Autoimmunkrankheiten

Zahlreiche Krankheitssyndrome können, vor allem im höheren Alter, von Autoimmunphänomenen begleitet sein. Definitionsgemäß sind aber nur jene Krankheitsbilder den Autoimmunkrankheiten zuzurechnen, bei welchen den Autoimmunvorgängen nachgewiesenermaßen primäre pathogenetische Bedeutung zukommt. Die Autoimmunvorgänge können den verschiedenen Typen der Überempfindlichkeitsreaktionen zugeordnet werden. Zu den zytotoxischen Immunreaktionen sind die durch Autoantikörper der IgM- oder IgG-Klasse verursachten autohämolytischen Anämien (S. 134), durch Arzneimittel (S. 134) oder pathogene Mikroorganismen (z. B. Mykoplasma) ausgelöste hämolytische Anämien, sowie medikamentös bedingte Agranulozytose oder Thrombozytopenie (S. 136) zu zählen. Durch toxische Immunkomplexe verusachte Krankheitserscheinungen entwickeln sich vor allem, wenn Antikörper niedriger Affinität das Antigen nicht wirksam zu eliminieren vermag (S. 141). Eine derartige Situation ist bei verschiedenen Autoimmunsyndromen gegeben, besonders beim viszeralen Lupus erythematodes (S. 183) und zahlreichen über lange Zeit persistierenden Infektionen. Autoimmunkrankheiten sind auch häufig von zellulärer Überempfindlichkeit begleitet. Ihre zentrale Rolle für das Krankheitsgeschehen ergibt sich daraus, daß verschiedene experimentell erzeugte Autoimmunkrankheiten, wie die allergische Enzephalomyelitis oder die Autoimmun-Thyreoiditis, mittels Lymphozyten adoptiv auf normale Tiere übertragen werden können.

Klinische Beispiele

Neben den wiederholt erwähnten autoimmunhämolytischen Anämien, Leukopenien und Thrombozytopenien sowie der Autoimmunthyreoiditis sind in den letzten Jahren noch einige andere der oft verwirrend komplexen, mit Autoimmunphänomenen einhergehenden Krankheitsbilder etwas eingehender untersucht worden. Dabei hat sich gezeigt, daß gewisse Krankheiten organspezifisch sind, während andere Krankheiten üblicherweise zahlreiche Organe befallen. So sind beispielsweise die die Schilddrüsen (S. 135) oder die Nebennieren (Morbus Addison) befallenden Autoimmunkrankheiten relativ organspezifisch, während beim viszeralen Lupus erythematodes üblicherweise viele Organe von der Läsion betroffen sind. Auf die Verhältnisse bei autoimmunen Muskelerkrankungen, die häufig mit Immundefekten und maligner Entartung gepaart sind, und beim viszeralen Lupus erythematodes wird noch kurz eingegangen.

Myasthenia gravis

Kardinalsymptom der Myasthenia gravis, einer durch Remissionen und Rückfälle gekennzeichneten neuromuskulären Erkrankung, ist eine Muskelschwäche, die bei Belastung rasch zunimmt. Ätiologie und Pathogenese der Krankheit werden auch heute noch nicht in allen Teilen verstanden, doch hat sich in den letzten Jahren eine neue Entwicklung angebahnt. Das sich daraus ergebende Konzept erlaubt es, das Immunsystem mit den gut dokumentierten morphologischen Veränderungen in der neuromuskulären Überleitung in Beziehung zu bringen. Man verfügt aber bereits seit langem über verschiedene indirekte Hinweise dafür, daß das Immunsystem zu diesem Krankheitsgeschehen beitrage. Erwähnenswert sind das gehäufte Vorkommen einer Thymushyperplasie, der Nachweis von gegen Muskelstrukturproteine gerichteten Antikörpern, die Existenz von Muskelzellen lysierenden Lymphozyten und die günstige Wirkung von wiederholten Lymphozytendrainagen.

Veränderungen im Bereich der Synapse

Aufgrund morphologischer Befunde war seinerzeit postuliert worden, daß die myasthenische Muskelstörung vorwiegend die präsynaptischen Nervenendigungen betreffe. Der kürzliche Nachweis, daß die Ansprechbarkeit der Endplatte im myasthenischen Muskel erhalten bleibt, hat diese These widerlegt. Auch bestehen keinerlei Anhaltspunkte dafür, daß die Synthese, Stapelung oder Freisetzung von Azetylcholin in irgendeiner Weise beeinträchtigt wäre. Verschiedene andere Beobachtungen sprechen dagegen für eine postsynaptische Lokalisation des Defektes. So zeigt die Endplatte ausgeprägte morphologische Veränderungen und man verfügt über erste Hinweise, daß auch die Zahl der Azetylcholinrezeptoren deutlich vermindert ist.

Immunologische Veränderungen

Wie bereits angedeutet, finden sich bei der Myasthenia gravis häufig Thymome bzw. Thymushyperplasien; bei längerer Krankheitsdauer entwickeln sich z. T. ausgedehnte Keimzentren. Außerdem haben Thymektomie, Ductus-thoracicus-Drainage, Immunosuppressiva und Kortikosteroide oft einen günstigen therapeutischen Effekt. Die häufige Vergesellschaftung der Myasthenia gravis mit anderen Autoimmunkrankheiten und das Vorkommen von gegen Muskelstrukturproteine gerichteten Antikörpern sprechen ebenfalls für eine Beteiligung des Immunsystems.

Man hat lange Zeit mit wechselndem Erfolg nach gegen Anteile der neuromuskulären Überleitung gerichteten Antikörpern gesucht. Kürzlich sind nun mit empfindlichen radioimmunologischen bzw. immunhistochemischen Methoden oder mit Hilfe des Mikro-Komplementfixationstests, unter Verwendung von normalem Azetylcholinrezeptor des Menschen als Antigen, bei einem hohen Prozentsatz der Patienten Antikörper gegen den Azetylcholinrezeptor gefunden worden. Es bleibt aber noch offen, welche Beziehungen zwischen Anti-Rezeptorantikörper und den morphologischen Veränderungen im Bereich der Endplatte bestehen.

Kürzlich durchgeführte experimentelle Untersuchungen, aus denen hervorgeht, daß die Immunisierung mit Azetylcholinrezeptor des elektrischen Aals bei Tieren zum Bild der Myasthenia gravis führt, stellen eine wesentliche Stütze für das Konzept dar, daß das Syndrom auf einer Autoimmunreaktion beruhe. Die Entwicklung einer experimentellen Myasthenie kann im Frühstadium durch Thymektomie bzw. Verabreichung von T-Zell-Antiserum unterbunden werden. Erste histologische Veränderungen sind ein entzündliches Infiltrat und Zerstörung von Muskelfasern im postsynaptischen Bereich; zwischen intakten Axonenden und dem Muskel finden sich Entzündungszellen und Debris.

Versucht man, die bisher bekannten immunologischen und die funktionellen neuromuskulären Ausfallserscheinungen bei der Myasthenia gravis aus einen Nenner zu bringen, so kann man ein lockeres hypothetisches Konzept entwickeln. Danach kommt es initial, möglicherweise infolge eines Virusinfektes, zu einem Verlust der Immuntoleranz. Die T-Lymphozyten verlieren die Fähigkeit zur Kontrolle der Funktion der B-Lymphozyten und zur Unterscheidung zwischen eigenen und fremden Strukturen. In der Folge kommt es zu unkontrollierter Proliferation von T-Lymphozyten (Thymome) und von B-Lymphozyten im Thymus (Keimzentren). Dadurch wird die Reaktion des Immunapparates gegenüber normalerweise als eigen erkannten Strukturen, wie den im Thymus vorhandenen Strukturproteinen und Azetylcholinrezeptoren, verändert. Einmal etabliert, können sich humorale und zellvermittelte Immunreaktivität auch gegen die entsprechenden Komponenten im peripheren Skelettmuskel richten. Der heutige Stand der Forschung läßt erwarten, daß die Gültigkeit dieses Konzeptes in naher Zukunft eingehend auf seinen Wahrheitsgehalt geprüft werden kann.

Viszeraler Lupus erythematodes (LE)

Das akut oder chronisch progredient verlaufende Krankheitsbild beruht auf in zahlreichen Organen, vor allem in der Haut, den Gelenken, Nieren, der Muskulatur, den Gefäßen und den serösen Häuten auftretenden fibrinoiden Bindegewebsnekrosen. Gleichzeitig treten Autoantikörper mit gegen Desoxyribonukleinsäure und andere Zellbestandteile verschiedener Zelltypen gerichteter Spezifität auf. Die Interaktion der Autoantikörper mit löslichen Antigenen führt häufig zur Bildung von Immunkomplexen (S. 136 ff.). In den Nieren dieser Patienten findet man daher relativ häufig, im Gegensatz zum Goodpasture-Syndrom (S. 135) klumpenförmige Ablagerungen von aus Desoxyribonukleinsäure und anderen Zellkernanteilen, Immunglobulin und Komplement zusammengesetzten Immunkomplexen. Bei neutrophilen Granulozyten, die neben homogenem Kernmaterial derartige Immunkomplexe phagozytiert haben, werden die Zellkerne in die Zellperipherie abgedrängt; diese Zellen werden als sog. LE-Zellen bezeichnet.

Literatur

Allison, A. C., A. M. Denman: Self-tolerance and autoimmunity. Brit. med. Bull. 32 (1976) 124

Grob, D.: Myasthenia gravis. Ann. N. Y. Acad. Sci. 274 (1976)

Krech, U.: Infektinduzierte Autoimmunphänomene. In: Praxis der Immunologie, hrsg. von K. O. Vorlaender. Thieme, Stuttgart 1976 (S. 92)

Lampert, I. M., T. A. Danilova: Immunological phenomena associated with cross-reactive antigens of microorganisms and mammalian tissues. Progr. Allergy 18 (1975) 423

Meyer zum Büschenfelde, K. H.: Pathomechanismen der Autoaggressionskrankheiten. In: Lymphozyt und klinische Immunologie, hrsg. von H. Theml, H. Begemann. Springer, Berlin 1975 (S. 124)

Tumorimmunologie

Wie erwähnt, ist man aufgrund zahlreicher Beobachtungen zum Schluß gekommen, daß zwischen Infektionsresistenz und intakter Funktion des Immunapparates eine überaus enge Beziehung besteht. Zweifellos existieren auch zwischen Infektionsresistenz und Tumorresistenz gewisse Parallelen. Das Postulat, daß das Immunsystem u. a. auch der Verhinderung einer malignen Entartung diene, ist erstmals von Paul Ehrlich aufgestellt worden. Burnet ist aufgrund genetischer Überlegungen zum Schluß gelangt, daß in großen, multizellulären Organismen wie dem des Menschen, der sich aus etwa 10^{14} sich immer wieder teilenden Zellen zusammensetzt, täglich Millionen von Fehlermöglichkeiten und Mutationen auftreten können. Ein Überleben derart komplexer Organismen wäre demnach nur denkbar, wenn Kontrollmechanismen vorhanden sind, welche die Folgen solcher Entgleisungen rückgängig zu machen vermögen. Es gibt in der Tat zahlreiche Gründe für die Annahme, daß das Immunsystem derartige Kontrollfunktionen ausübt. Die Vorstellung, daß die Evolution des Immunapparates weitgehend auf die Verhinderung einer malignen Entartung ausgerichtet sei, wurde von Burnet in der Theorie der „Immunüberwachung" („immune surveillance") kristallisiert. Dieses Konzept wird bis zu einem gewissen Grade durch die Tatsache unterstützt, daß sowohl immunsuppressiv wirkende Maßnahmen wie auch immunologische Ausfallserscheinungen bei Mensch und Tier mit erhöhter Tumorinzidenz einhergehen.

Immundefekte und Tumoren

Aus Tierversuchen geht hervor, daß durch Thymektomie oder Behandlung mit Anti-Lymphozytenserum erzeugte Immunsuppression zu erhöhter Tumoranfälligkeit gegenüber zahlreichen onkogenen *Viren* führt (Polyoma- und andere onkogene DNS-Viren, Viren der Herpesgruppe, Moloney-Sarkomvirus). Bei anderen Viren, z. B. dem Friend-Leukämievirus, verändert sich die Tumorresistenz nach Immunsuppression dagegen nicht.

Bei den *karzinogenen Stoffen* scheint die Situation noch komplexer zu sein. Die zahlreichen Beobachtungen ergeben keine einheitliche Antwort darauf, ob angeborene (Mäuse ohne funktionsfähigen Thymus) oder erworbene (Thymektomie oder Behandlung mit Anti-Lymphozytenserum) Beeinträchtigung der Immunreaktivität die spontane oder karzinogen-induzierte Tumorinzidenz erhöhe. Es scheint, daß bei bestimmten Tumoren eine solche Beziehung besteht, bei anderen dagegen nicht.

Man hat lange Zeit angenommen, daß bei *chronisch immunsupprimierten Patienten* mit Organtransplantaten die Zahl an neu auftretenden, primären malignen Tumoren besonders hoch liege. Wegen der beschränkten Zahl solcher Patienten ist aber bisher eine allgemeine, alle Tumoren umfassende Beurteilung nicht möglich. Die zur Verfügung stehenden Daten sprechen dafür, daß bei chronisch immunsupprimierten Patienten gewisse epitheliale und lymphoretikuläre Tumoren vermehrt auftreten; bei anderen Tumorformen ist dagegen bisher keine derartige Tendenz erkennbar.

Möglicherweise kann auch chronische Stimulation des Immunsystems, vor allem bei gleichzeitiger chemischer Immunsuppression, zu erhöhter Inzidenz von retikulären Tumoren, wie Lymphomen oder Leukämien, führen. Obschon verschiedene Einzelbeispiele für die Existenz eines derartigen Mechanismus sprechen, so fehlen doch zuverlässige Anhaltspunkte für dessen allgemeine Bedeutung; so war z. B. bei einer relativ großen Zahl von Leprapatienten die Inzidenz von Lymphomen oder Leukämien nicht erhöht.

Andererseits geht aus neueren Statistiken klar hervor, daß bei angeborenen primären Immundefekten die Tumorinzidenz erhöht ist. Während in der Durchschnittsbevölkerung pro Jahr 3–4 von 100 000 Kindern an einem Malignom erkranken, ist sie bei Kindern mit primärem Immundefekt signifikant höher (7 von 100 000). Bei diesen Kindern treten insbesondere Lymphome und Retikulumzell-

Tabelle 11 Prozentualer Anteil verschiedener Tumorformen an der Tumormortalität bei Kindern unter 15 Jahren

Tumorform	bei Kindern der Gesamtpopulation	bei Kindern mit primärem Immundefekt
Leukämien	48	25
Zentralnervensystem	16	4
Retikulumzellsarkom, Lymphosarkom	8	67
Knochen	4	2
andere Formen	24	2

(aus *R. A. Good* in: Immunobiology of the Tumor-Host Relationship, hrsg. von *R. T. Smith, M. Landy.* Academic Press, New York 1975) sarkome außerordentlich gehäuft auf, während andere primäre Tumoren nicht zahlreicher sind als in der normalen Bevölkerung (Tab. 11). Nach Behandlung mit verschiedenen kanzerogenen Stoffen unterscheidet sich die Inzidenz von Primärtumoren bei normalen und athymischen Mäusen nicht. Die bis jetzt zur Verfügung stehenden Unterlagen unterstützen das Konzept des Bestehens einer die maligne Entartung umfassend kontrollierenden immunologischen Überwachung nur zum Teil.

Immunogenität von Tumoren

Die Vorstellung, daß die zahlreichen Möglichkeiten einer malignen Entgleisung in der Mehrzahl der Fälle durch das Immunsystem unterbrochen werden, setzt das Vorhandensein von tumorspezifisch immunogenen Epitopen auf der Oberfläche der entarteten Zellen voraus. In der Tat bestehen gute Gründe für die Annahme, daß sich Tumorzellen immunologisch von ihrem normalen Gegenpart unterscheiden. Eine Veränderung im normalen Epitopenmuster kann durch Verlust von antigenen Strukturen, wie von Blutgruppen- oder Transplantationsantigenen (z. B. bei Leukämien) oder infolge Neuauftretens von fremden (Transformation durch RNS- und DNS-Viren oder durch karzinogene Stoffe) oder bisher abgedeckten körpereigenen Antigenen (embryonale Antigene, zytoplasmatische oder Zellkernantigene) eintreten. Interessant ist, daß Tumoren, die durch Viren induziert werden, wie SV_{40}-Virus bei Affen, Rous-Sarkomvirus beim Küken oder Polyomavirus bei der Maus, regelmäßig die für das induzierende Virus charakteristischen neuen Antigene tragen. Karzinogene Stoffe, wie z. B. Methylcholanthren, induzieren im Gegensatz dazu ein von Tumor zu Tumor verschiedenes tumorspezifisches Antigenmuster.

Die Mehrzahl der tumorspezifischen Antigene ist bezüglich Immunogenität etwa den schwachen Transplantationsantigenen vergleichbar. Immerhin kann die immunogene Potenz verschiedener Tumoren innerhalb einer großen Bandbreite streuen, und in letzter Zeit sind einige Tumoren beschrieben worden, für die bisher kein immunogener Effekt nachgewiesen werden konnte. Bei karzinogeninduzierten Tumoren ändert von einem zum anderen Tier nicht nur die Spezifität der Tumorantigene, sondern auch deren Immunogenität. Unter den virusinduzierten Tumoren sind beispielsweise durch Moloney-Virus verursachte Lymphome stark immunogen, durch Groß-Virus ausgelöste Tumoren dagegen nur sehr schwach immunogen.

Immunreaktion gegenüber Tumoren

Tiere, die mit abgetöteten Tumorzellen oder mit gelösten Tumorantigenen behandelt worden sind, erlangen oft, aber bei weitem nicht immer, die Fähigkeit, eine höhere Tumorzellzahl abstoßen zu können als unbehandelte Kontrollen. Da üblicherweise stark immunogene Tumoren rascher und zuverlässiger abgestoßen werden als schwach immunogene Tumoren, hat man angenommen, daß hierfür Immunvorgänge verantwortlich seien. Zur Analyse der zur Abstoßung beitragenden Komponenten des Immunsystems sind in den letzten Jahren ständig verbesserte In-vitro-Methoden entwickelt worden. Die bisherigen Untersuchungsergebnisse lassen erkennen, daß Tumorresistenz bzw. -abstoßung ähnlich wie die Infektionsresistenz ein komplexes, multifaktorielles System darstellt, bei dem im einen Falle diese, im anderen jene Komponente überwiegt. Grundsätzlich kann man zwischen Komponenten des Immunsystems, die das Tumorwachstum zu unterbinden suchen, und solchen, die den Tumor vor der Immunreaktion schützen, unterscheiden. Aus Tab. 12 geht hervor, daß zahlreiche Mechanismen zur Verfügung stehen, die unter In-vitro-Bedingungen nachgewiesenermaßen in der Lage sind, Tumorzellen wirksam abzutöten; andererseits können sich aber auch immunologische Mechanismen entwickeln, die den Tumor vor der Ausschaltung durch die verschiedenen Typen der Immunreaktion zu schützen vermögen. Die bereits in vitro nicht einfache Situation wird in vivo durch zahlreiche weitere, z. T. kaum übersehbare Faktoren noch erheblich kompliziert.

Ein autochthoner maligner Tumor, der aus einer einzigen transformierten Zelle hervorgeht, vermag sich unter optimalen Bedingungen innerhalb weniger Tage zu einer 10^3–10^5 Zellen umfassenden Masse zu entwickeln. Das macht es wahrscheinlich, daß in der Frühphase der Tumorentstehung, wenn erst wenige transformierte Zellen vorhanden sind, die besten Chancen für deren Abstoßung bestehen. Experimente an gesunden Tieren zeigen, daß Tumoren in der Regel erst mit Sicherheit angehen, wenn 10^4–10^6 Tumorzellen inokuliert werden. Beobachtungen an Aszitestumoren haben ergeben, daß die Zahl der Tumorzellen in den ersten Tagen nach ihrer Inokulation auf niedrige Werte abfällt, und daß die überlebenden Tumorzellen erst nach einer Latenzphase wieder zu proliferieren beginnen. Das spricht dafür, daß der Organismus über gewisse natürliche Abwehrmechanismen verfügt, die es ihm erlauben, u. U. mit einer nicht allzugroßen Zahl von Tumorzellen fertig zu werden. Andererseits beinhaltet der geschilderte Vorgang aber auch eine Selektion, die nur den widerstandsfähigsten bzw. bösartigsten Tumorzellen ein Überleben gestattet.

Tabelle 12 Immunität gegenüber malignen Tumoren

		Zelluläre Mechanismen	Humorale Mechanismen
Zur Ausschaltung von Tumorzellen beitragende Mechanismen	*spezifisch*	zytotoxische T-Lymphozyten	zytotoxische Antikörper (+ C)
		→ über Fc-Rezeptoren verfügende Zellen mit zytotoxischer Potenz (K-Zellen, Makrophagen, T-Lymphozyten) ←	
	unspezifisch	Zellen mit natürlicher Zytotoxizität (Makrophagen, „natural killer cells“, etc.)	Komplement, natürliche Antikörper, Interferon, etc.
Die Ausschaltung von Tumorzellen beeinträchtigende spezifische Mechanismen		Suppressor-T-Zellen; Immunsuppression durch den Tumor	Die tumorspezifischen Epitopen blockierender Antikörper (Enhancement); Antigenüberschuß; Immunsuppression durch den Tumor

Aufgrund der zwischen Infektionsresistenz und Tumorresistenz bestehenden Parallelen und zahlreichen weiteren Beobachtungen drängt sich die These auf, daß sich auch die Abwehrmechanismen, die zur Verhinderung von Tumoren beitragen, aus spezifischen und unspezifischen Komponenten zusammensetzen. Die verschiedenen Gründe, die für ein Zusammenspiel dieser Faktoren sprechen, haben in den letzten Jahren zu experimentellen und klinischen Versuchen mit einer Immuntherapie maligner Tumoren geführt.

Literatur

Cerottini, J.-C., K. Th. Brunner: Cell-mediated cytotoxicity, allograft rejection, and tumor immunity. Advanc. Immunol. 18 (1974) 67

Crowell, R. L., H. Friedman, J. E. Prier: Tumor Virus Infections and Immunity. University Park Press, Baltimore 1976

Fink, M. A.: The Macrophage in Neoplasia. Academic Press, New York 1976

Friedman, H., C. Southam: International Conference on Immunobiology of Cancer. Ann. N. Y. Acad. Sci. 276 (1976)

Götz, H.: Tumorimmunologie. In: Praxis der Immunologie, hrsg. von K. O. Vorlaender. Thieme, Stuttgart 1976 (S. 504)

Hellström, K. E., I. Hellström: Lymphocyte-mediated cytotoxicity and blocking serum activity to tumor antigens. Advanc. Immunol. 18 (1974) 209

Klein, G.: Immunological aspects of Burkitt's lymphoma. Advanc. Immunol. 14 (1971), 187

Möller, G.: Immunological Surveillance against Neoplasia. Transplantation Reviews, Bd. 7. Munksgaard, Kopenhagen 1971

Möller, G.: Experiments and the Concept of Immunological Surveillance. Transplantation Reviews, Bd. 28. Munksgaard Kopenhagen 1976

Smith, R. T., M. Landy: Immunobiology of the Tumor-Host Relationship. Academic Press, New York 1975

Southam, C., H. Friedman: International Conference on Immunotherapy of Cancer. Ann. N. Y. Acad. Sci. 277 (1976)

Glossar

Adjuvans. Ein Wirkstoff, der die Wirkung anderer Stoffe modifiziert. In der Immunologie werden Stoffe, die bei gleichzeitiger Verabreichung mit dem Antigen die Immunantwort gegenüber diesem verstärken, als Adjuvantien bezeichnet (S. 91).

Affinität. Bindungsfestigkeit zwischen komplementärem Paratop und Epitop, z. B. zwischen Antikörper und monovalentem Hapten (vgl. Avidität) (S. 58).

Agglutination. Die Interaktion von Antikörper mit korpuskulären Antigenen, z. B. Mikroorganismen oder Erythrozyten (= Hämagglutination), kann in vitro zu einer von bloßem Auge erkennbaren Zusammenballung, zu einer Agglutinationsreaktion, führen (S. 81).

Agglutinin. Ein Antikörper, der ein partikuläres Antigen in vitro zu agglutinieren vermag. Agglutinationsreaktionen mit Erythrozyten werden üblicherweise in physiologischer Kochsalzlösung durchgeführt (S. 81).

Allergen. Antigene, die bevorzugt die Synthese von anaphylaktischem Antikörper, insbesondere der Klasse IgE, induzieren (S. 73).

Allotypen. Genetisch determinierte Varianten im konstanten Abschnitt der schweren Ketten des Immunglobulinmoleküls, die für andere Individuen derselben Spezies immunogen sind; es werden Antikörper gegen diese Varianten gebildet (vgl. Idiotypen) (S. 55).

Anergie. Zustand der Reaktionslosigkeit, in dem ein an sich sensibilisiertes Individuum auf Kontakt mit dem Allergen nicht fähig ist, eine Überempfindlichkeitsreaktion auszulösen (S. 99).

Antigen. Ein Stoff, der eine spezifisch gegen ihn gerichtete Immunantwort auszulösen vermag (Synonym: Immunogen).

Antigene Determinante, s. Epitop.

Antikörper, blockierender. Antikörper, die die Aktivität anderer Antikörper oder von Lymphozyten zu blockieren vermögen (S. 102).

Antikörper, natürlicher. Antikörper, der sich im Serum vorfindet, ohne daß ein vorheriger Kontakt mit dem entsprechenden Antigen nachweisbar ist (z. B. Antikörper gegen die Antigene des AB0-Systems) (S. 9).

Atopie. Angeborene Disposition zur Entwicklung einer meist humoralen Überempfindlichkeit gegenüber potentiellen Allergenen (S. 123).

Avidität. Aus der Interaktion zwischen der heterogenen Antikörperpopulation eines Antiserums und einem multivalenten Antigen resultierende Bindungsfestigkeit. Hierzu tragen eine Reihe von Faktoren bei. Von Affinität spricht man in jenen Fällen, wo die Bindungsfestigkeit zwischen einem bestimmten, reinen Antikörper und einem monovalenten Hapten ermittelt werden kann (S. 58).

Bakterizidie. Intrazelluläres Abtöten von phagozytierten Mikroorganismen (S. 15).

BCG (Bacille Calmette-Guérin). Ein aus lebenden Bazillen eines avirulenten, aber immunogenen bovinen Stammes von Mycobacterium tuberculosis bestehender Impfstoff (S. 157).

Bence-Jones-Protein. Bei multiplem Myelom werden gelegentlich leichte Ketten des monoklonalen Immunglobulins, meist in Form von Dimeren, im Urin ausgeschieden; sie fallen bei Erhitzen auf 60 °C aus (S. 116).

„Booster". Die Verabreichung eines Antigens, mit dem der Wirtsorganismus bereits früher einmal in Kontakt gekommen war, löst eine Sekundärreaktion (= Booster-Effekt) aus (S. 98).

Chemotaxis. Auf einem chemischen Reiz beruhende, gerichtete Wanderung von Zellen, insbesondere von polymorphkernigen Leukozyten und mononukleären Phagozyten (S. 15).

Coombs-Test. Gewisse Antikörper, z. B. Rhesus-Antikörper, binden wohl an rhesuspositive Antikörper, führen aber nicht zur Agglutination. Im Coombs-Test (Antiglobulin-Test) wird das Vorhandensein solcher Antikörper aufgrund der Agglutination durch Anti-Immunglobulinantikörper nachgewiesen (S. 133).

Dick-Test. Immunitätstest bei Scharlach. β-hämolysierende Streptokokken der Gruppe A bilden erythrogenes Toxin, das nach intrakutaner Injektion bei nicht immunen Individuen lokale Rötung und Entzündung, bei immunen Individuen dagegen keine toxische Reaktion verursacht.

Disulfidbrücken, -S-S-, kovalent gebundene Sulfidbrücken zwischen Zysteinmolekülen zweier benachbarter Polypeptidketten. Sie werden durch Reduktion gespalten, wobei -SH-Gruppen entstehen (S. 52).

Endotoxin. Aus Eiweiß, Polysacchariden und Lipiden aufgebaute bakterielle Makromoleküle, die im Gegensatz zu den sezernierten Exotoxinen mehrheitlich Bestandteil des Bakteriums bleiben (S. 12).

Endozytose. Aufnahme von gelösten (Pinozytose) bzw. partikulären Stoffen (Phagozytose) durch Zellen (S. 5).

Epitop. Umschriebene Abschnitte auf dem Antigenmolekül, die mit komplementären Anteilen im Antikörpermolekül, dem Paratop, zu reagieren vermögen. Synonym: antigene Determinante (S. 23).

Exotoxin. Von Mikroorganismen synthetisierte und sezernierte toxische Stoffe, die bei Infektionen mit gewissen Mikroorganismen die eigentliche Krankheitsursache darstellen. Klassische Beispiele: Diphtherie, Clostridien (Tetanus, Gasbrand, Botulismus).

Feedback-Hemmung. Hemmung einer biologischen Reaktion durch das in ihrem Verlauf gebildete Endprodukt (S. 49).

F_1-Generation. Die erste aus der Paarung von Individuen zweier Inzuchtstämme hervorgehende Generation. Die Gewebe der Individuen der F_1-Generation enthalten Antigene beider Elternteile.

Forssman-Antigen. Polysaccharidantigen, das eine dem Blutgruppenantigen A ähnliche Struktur aufweist und sich bei gewissen Tierarten (z. B. Meerschweinchen, Schaf) und Mikroorganismen vorfindet.

Freundsches Adjuvans. Wasser-in-Öl-Emulsion eines Antigens. Komplettes Freundsches Adjuvans enthält in der Ölphase abgetötete Mykobakterien; inkomplettes Adjuvans enthält keine Mykobakterien (S. 92).

Graft-versus-Host-Reaktion (GvH-Reaktion). Bei einem Tier, das infolge Immunsuppression oder genetischem Defekt keine Transplantatabstoßung auslösen kann, folgt der Injektion allogener Lymphozyten eine gegen das Wirtsgewebe gerichtete Reaktion dieser Zellen (S. 37).

Gruber-Widal-Reaktion. Quantitative Agglutinationsreaktion zum serologischen Nachweis typhöser Salmonellosen (S. 83).

Hapten. Niedermolekularer Stoff, der selbst keine Immunreaktion auslösen kann, mit dem komplementären Antikörper jedoch in spezifischer Weise zu reagieren vermag (S. 23).

Homozytotroper Antikörper. Gewisse zytophile Antikörper binden nur an Gewebe derselben bzw. nahe verwandter Spezies (S. 68).

Idiotypen. Immunogene Determinanten im variablen Anteil des Immunglobulinmoleküls, die für den betreffenden Immunglobulin produzierenden Zellklon charakteristisch sind (S. 69).

Immunkompetente Zellen. Reife Zellen des Immunsystems, die über spezifische Rezeptoren verfügen, die es ihnen erlauben, mit dem komplementären Epitop zu reagieren (S. 91).

Immunogen. Ein Stoff, der eine spezifisch gegen ihn gerichtete Immunantwort auszulösen vermag (Synonym: Antigen) (S. 21).

Immunparalyse. Dieser Begriff, der häufig synonym zum Begriff Immuntoleranz verwendet wird, umschreibt vor allem die beim immunkompetenten, erwachsenen Organismus erzeugte Toleranz (S. 99).

Immuntoleranz. Zustand, bei dem der Organismus gegenüber einem Immunogen keine nach außen in Erscheinung tretende Immunantwort, z. B. keine Transplantatabstoßung, auslöst (S. 96).

Keimzentrum. Bei der humoralen Immunantwort kommt es in umschriebenen Gebieten der peripheren lymphatischen Organe zur Proliferation von Klonen von B-Lymphozyten. So entwickeln sich die in der Rinde der Lymphknoten gelegenen zellreichen Primärfollikel zu großen, von einem Saum von dicht gepackten kleinen Lymphozyten begrenzten Keimzentren (S. 49).

Kinine. Im Plasma infolge Einwirkung von Esterasen, den Kallikreinen, entstehende Peptide, die die Gefäßpermeabilität erhöhen und die glatte Muskulatur kontrahieren.

Lektine. Vor allem mit Zuckergruppen reagierende Pflanzenstoffe, die Zellen agglutinieren, bzw. eine polyklonale Proliferation auslösen können (S. 123).

Mitogene Stoffe. Zahlreiche bakterielle (z. B. Endotoxine) und pflanzliche Stoffe (z. B. Lektine) können Lymphozyten zur Proliferation anregen. Im Gegensatz zu einem immunogenen Reiz, der meist nur wenige Zellklone anregt, wirken mitogene Stoffe polyklonal. Gewisse Lektine (z. B. Phytohämagglutinin, Concanavalin A) stimulieren selektiv T-Lymphozyten, andere Stoffe (z. B. Endotoxin, Dextrane) dagegen selektiv die B-Lymphozyten.

Mixed lymphocyte culture (MLC). Die Gegenwart von allogenen Lymphozyten führt in vitro zur Blastentransformation (Auftreten von Lymphoblasten und Mitosen, Einbau von Thymidin in die DNS). Wird die eine der beiden Lymphozytenpopulationen vorher durch Röntgenbestrahlung oder Behandlung mit Mitomycin C inaktiviert, so reagiert nur die unbehandelte Zellpopulation (S. 38).

Opsonine, Opsonisierung. Korpuskuläre Stoffe, die Mikroorganismen, können oft erst nach Reaktion mit gewissen in den Körperflüssigkeiten vorkommenden Stoffen, vor allem Antikörpern, aber auch Komplementkomponenten, Properdin usw., phagozytierbar werden (S. 84).

Paraproteine. Früher verwendete Bezeichnung für die beim multiplen Myelom und der Makroglobulinämie vermehrt auftretenden Serumeiweiße.

Paratop. Die für das komplementäre Epitop spezifischen Bindungsstellen im variablen Anteil des Antikörpermoleküls (Fab) (S. 57 ff.).

Paul-Bunell-Test. Bei der infektiösen Mononukleose treten Serumantikörper auf, die nur aufgrund ihrer Fähigkeit zur Agglutination von Schaferythrozyten nachgewiesen werden können (sog. „heterophiler" Antikörper).

Phagozytose. Aufnahme von korpuskulären Stoffen durch die Zelle (S. 16).

Pinozytose. Aufnahme von gelösten Stoffen aus dem umgebenden Milieu durch die Zelle (S. 16).

Reagin. Frühere Bezeichnung für hautsensibilisierenden, anaphylaktischen Antikörper vom Typ IgE (S. 120).

Rosette. Bild, das sich infolge der Anlagerung von zahlreichen Erythrozyten an eine geeignete andere Zelle ergibt (S. 84).

Sabin-Feldman-Test. Serologischer Test zur Diagnose der Toxoplasmose. Während sich frische Toxoplasmen mit basischem Methylenblau anfärben, bleiben mit Antikörper behandelte Toxoplasmen ungefärbt. Nur beim Vorliegen ansteigender bzw. hoher Antikörpertiter darf eine aktive Toxoplasmose angenommen werden (S. 88).

Schick-Test. Die Gegenwart von Diphtherie-Antitoxin kann mit dem 1913 von Bela Schick eingeführten Test nachgewiesen werden. Die Injektion einer kleinen Menge von Diphtherietoxin führt beim Fehlen einer Immunität innerhalb von 2–4 Tagen zu einer lokalen Entzündungsreaktion. Bei Bestehen einer Immunität fällt der Test dagegen negativ aus.

Tolerogen. Gewisse Antigene können sich in verschiedener Form präsentieren. In immunogener Form (z. B. aggregiertes Gammaglobulin) lösen sie eine Immunreaktion aus, in tolerogener Form (Gammaglobulin in gelöster Form) führen sie zu einer Immuntoleranz (S. 97).

Toxoid. Ungiftige, aber noch voll immunogene Form eines Toxins (Synonym: Anatoxin).

Vakzine. Eine Suspension von lebenden oder abgetöteten Krankheitserregern, deren Applikation eine Immunität hinterlassen soll.

Der ursprünglich für Kuhpockenlymphe (S. 2) verwendete Begriff umfaßt heute alle gegen bakterielle und Virusinfektionen gerichteten Impfstoffe.

Waaler-Rose-Test. Patientenseren, die einen „Rheumafaktor" vom Typ der 19S-Makroglobuline enthalten, agglutinieren mit Kaninchen-IgG beladenen Schaferythrozyten. „Rheumafaktoren" sind gegen Gammaglobuline gerichtete Autoantikörper (S. 83).

Zellklon. Eine Gruppe identischer, aus derselben Mutterzelle hervorgegangener Tochterzellen.

Literaturvorschläge zur Einführung in die Immunologie

Bach, J.-F.: Immunologie. Flammarion, Paris 1976

Barrett, J. T.: Basic Immunology and its Medical Application. Mosby, St. Louis 1976

Brandis, H. (Niederländische Gesellschaft für Immunologie). Einführung in die Immunologie. Fischer, Stuttgart 1972

Freedman, S. O., P. Gold: Clinical Immunology. 2. Aufl., Harper & Row, Hagerstown 1976

Fudenberg, H. H.: Basic and Clinical Immunology. Lange Medical Publications, Los Altos 1976

Gold, E. R., D. B. Peacock: Basic Immunology. Wright, Bristol 1970

Good, R. A., D. W. Fisher: Immunobiology. Sinauer, Stamford 1971

Holborow, E. J.: An ABC of Modern Immunology. 2. Aufl. Little, Brown, Boston 1973

Hudson, L., F. C. Hay: Practical Immunology. Blackwell, Oxford 1976

Humphrey, J. H., R. G. White: Immunology for Students of Medicine. 3. Aufl. Blackwell, Oxford 1973

Lindenmann, J.: Immunologie. Ein Lernprogramm für Studierende und Ärzte. Thieme, Stuttgart 1971

Litwin, S. D., C. L. Christian, G. W. Siskind: Clinical Evaluation of Immune Function in Man. Grune & Stratton, New York 1976

Roitt, I. M.: Essential Immunology. 2. Aufl. Blackwell, Oxford 1974

Rose, N. R., H. Friedman: Manual of Clinical Immunology. American Society for Microbiology, Washington, 1976

Uhlenbruck, G.: Immunbiologie. Eine Einführung. Goldmann, München 1971

Ward, T. A.: A Primer of Immunology. Butterworth, London 1970

Weir, D. M.: Immunologie für Studierende und Ärzte. Schattauer, Stuttgart 1975

Weiser, R. S., Q. N. Myrvik, N. N. Pearsall: Fundamentals of Immunology for Students of Medicine and Related Sciences. Lea & Febiger, Philadelphia 1969

Sachverzeichnis

Halbfette Seitenzahlen verweisen auf die Behandlung des Stichwortes, *kursive* Seitenzahlen auf das Glossar

B

C

D

E

F

K

L

M

U

V

W

Z

Keller

Immunologie und Immunpathologie

ISBN 3 13 381501 06

Zur Verbesserung zukünftiger Auflagen ist Ihre Meinung über dieses Buch für uns von großem Interesse. Bitte beantworten Sie uns deshalb ein paar Fragen.

Bitte trennen Sie dieses Blatt heraus und senden Sie es unfrei – Porto zahlt Empfänger – im Kuvert an:

Georg Thieme Verlag, Postfach 732, D-7000 Stuttgart 1

Besten Dank für Ihre Bemühungen!

Qualität des Inhalts

1. Wie ist das Thema behandelt?

☐ zu ausführlich
☐ zu kurz
☐ angemessen
☐ ____________

2. Wie ist der Stoff dargestellt – insgesamt, bzw. in einzelnen Kapiteln?

☐ schwer verständlich
☐ gut verständlich
☐ weitschweifig
☐ ____________
☐ unübersichtlich
☐ anschaulich
☐ didaktisch gut gegliedert
☐ ____________

3. Welche zusätzlichen Forderungen sähen Sie gern erfüllt – ggf. in welchen Kapiteln?

☐ Text ausführlicher
☐ mehr Tabellen
☐ mehr Abbildungen
☐ straffere Gliederung
☐ stichwortartige Zusammenfassungen
☐ ____________

Sachregister
☐ nicht ausreichend
☐ ausreichend

Literaturverzeichnis
☐ zu lang
☐ ausreichend
☐ zu kurz

bitte wenden!

Qualität der Ausstattung

	sehr gut	gut	ge- nügend	unge- nügend
Gliederung				
Abbildungen				
Tabellen, graf. Darstellungen				
Druck				
Papier				
Einband				

Der Preis des Buches ist

☐ zu hoch ☐ angemessen ☐ günstig

Bemerkungen, Kritik (Hinweise auf Fehler), Anregungen:

Wir nehmen Sie gern in unsere Informationskartei auf.
Bitte machen Sie uns dazu einige Angaben:

Name, Vorname

Adresse

Beruf (Studienfachrichtung)

Semesterzahl